KB081948

강력한 한국외대 인문계 논술

기출문제

저자 소개

저자 김근현은 현재 탁트인 교육, 일으킨 바람, 에듀코어 대표이다.
前 메가스터디 온라인에서 대입 논술과 면접, 자기소개서, 학생부종합 등 다양한 동영상 강의를 하였다.
현재는 학습 프로그램 개발 및 연구 활동을 통해 교육의 발전을 고민하고 있다.
홍익대학교에서 전자전기공학부를 졸업하고 동대학원에서 전자공학 석사(반도체 레이저)를 전공하였다. 또한 연세대학교 교육경영최고위자 과정을 마쳤으며 연세대학교 교육대학원에서 평생교육 경영을 공부하고 있다.

강력한 한국외대 인문계 논술 기출문제

발　행 | 2023년 06월 26일
개정판 | 2024년 06월 17일
저　자 | 김근현
펴낸이 | 김근현
펴낸곳 | 일으킨 바람
출판사등록 | 2018.11.12.(제2018-000186호)
주　소 | 경기도 고양시 일산서구 하이파크 3로 61 409동 1503호
전　화 | 031-713-7925
이메일 | ileukinbaram@gmail.com

ISBN | 979-11-93208-64-9

www.iluekinbaram.com

강력한 한국외대 인문계 논술 기출문제

김 근 현 지음

차례

머리말

책을 쓰기 위해 책상에 앉으면 아쉬움과 안타까움, 나의 게으름에 늘 한숨을 먼저 쉰다.
왜 지금 쓸까?
왜 지금에서야 이 내용을 쓸까?
왜 지금까지 뭐했니?
스스로 자책을 한다.

또 애절함도 함께 느낀다.
시험이 코앞에서야 급한 마음에 달려오는
수험생들에게 왜 미리 제대로 준비된 걸 챙겨주지 못했을까?
그렇게 하루, 한 달, 일 년 그렇게 몇 해가 지나 이제야 조금 마음의 짐을 내려놓는다.

입에 단내 가득하도록 학생들에게 강의를 했고,
코앞에 다가온 연속된 수험생의 긴장감을 함께하다보면
그렇게 바쁘게 초조하게 지냈던 것 같다.

그렇게 함께했던 시간을 알기에
부족하겠지만
부디 이 책으로 수험생들이 부족한 일부를 채울 수 있고,
한 걸음이라도 희망하는 꿈을 향해 다갈 수 있길 간절히 바래 본다.

김 근 현

Ⅰ. 한국외국어 대학교 논술 전형 분석

1. 논술 전형 분석

1) 전형 요소별 반영 비율 (실질반영비율)

구분	논술	학생부	총 비율
일괄합산	100%(1000점)	0%(0점)	100%(1000점)

2) 수능 최저학력 기준

구분	등급 기준
전 모집단위 (Language & Diplomacy학부, Language & Trade학부 제외)	국어, 수학, 영어, 탐구(사회 혹은 과학탐구 1과목) 중 2개 영역 **등급 합 4** 이내이고, 한국사 영역 4등급 이내
Language & Diplomacy학부 Language & Trade학부	국어, 수학, 영어, 탐구(사회 혹은 과학탐구 1과목) 중 2개 영역 **등급 합 3** 이내이고, 한국사 영역 4 등급 이내

※ **글로벌캠퍼스의 경우 대학수학능력시험 최저학력기준을 적용하지 않습니다.**

※ 탐구영역을 제2외국어 또는 한문으로 대체 불가합니다.

•2023학년도 서울캠퍼스 **수능최저충족 비율: 41.4%**

3) 고사유형

인문계 **(T1)** **(토요일 오전)**	[서울] 영어대학, 영어대학(통합모집), 서양어대학, 핵심외국어계열, 특수외국어(유럽지역)계열, 중국학대학, 중국학대학(통합모집), 자유전공학부(서울)
사회계 **(T2)** **(토요일 오후)**	[서울] 사회과학대학, 사회과학대학(통합모집), 상경대학, 상경대학(통합모집), Language & Diplomacy학부, Language & Trade학부, Social Science & AI융합학부 [글로벌] 경상대학, Finance & AI융합학부
인문계 **(T3)** **(일요일 오전)**	[서울] 아시아언어문화대학, 특수외국어(인도·아세안지역)계열, 특수외국어(중동지역)계열, 일본학대학, 일본학대학(통합모집), 사범대학 [글로벌] 인문대학, 국가전략언어대학, 융합인재대학, Culture & Technology융합대학, 자유전공학부(글로벌)
사회계 **(T4)** **(일요일 오후)**	[서울] 경영대학국제학부

4) 내신 반영 비율 (낮은 내신 반영비율)

점수산출지표 : 고등학교 교과 성적 중 등급이 나오거나 원점수가 나온 경우 선택하여 점수를 환산하고 만약 등급이나 원점수가 같이 나온 경우는 등급환산점수 또는 원점수환산점수 중 점수가 높은 내신 환산점수를 적용

등급	환산점수 (논술 전형)
1	300
2	299
3	297
4	294
5	290
6	280
7	270
8	240
9	0

반영교과 과목별 원점수		환산점수 (논술 전형)
국어, 영어, 사회, 과학	수학	
90점 이상	90점 이상	300
85점 이상 ~ 90점 미만	80점 이상 ~ 90점 미만	299
80점 이상 ~ 85점 미만	70점 이상 ~ 80점 미만	297
75점 이상 ~ 80점 미만	60점 이상 ~ 70점 미만	294
70점 이상 ~ 75점 미만	50점 이상 ~ 60점 미만	290
60점 이상 ~ 70점 미만	40점 이상 ~ 50점 미만	280
50점 이상 ~ 60점 미만	30점 이상 ~ 40점 미만	270
40점 이상 ~ 50점 미만	20점 이상 ~ 30점 미만	240
40점 미만	20점 미만	0

5) 논술(논술우수자전형) 결과

(1) 논술전형 현황 (서울)

대학	모집단위	모집				경쟁률				실질경쟁률*			
		2020	2021	2022	2023	2020	2021	2022	2023	2020	2021	2022	2023
영어	ELLT학과	14	14	12	12	29.4	31.1	40.0	37.3	10.2	14.9	15.8	14.9
	영미문학·문화학과	14	14	12	12	30.6	31.1	37.8	36.8	10.5	12.8	15.3	13.9
	EICC학과	9	9	9	9	26.4	28.7	37.7	35.4	9.0	12.8	15.1	15.1
서양어	프랑스어학부	14	14	11	11	31.0	34.2	37.3	34.1	7.6	14.9	12.5	10.9
	독일어과	17	17	14	14	31.5	35.7	36.3	36.0	9.7	14.4	12.5	12.4
	노어과	8	8	8	8	28.6	27.7	30.6	33.6	8.1	13.0	10.9	10.9
	스페인어과	17	17	13	13	32.8	37.4	37.2	35.4	10.3	16.0	10.9	12.0
	이탈리아어과	8	8	6	6	27.9	29.5	31.0	32.8	7.8	11.8	9.8	10.8
	포르투갈어과	8	8	6	6	27.0	27.1	30.7	33.8	8.0	12.6	9.8	9.3
	네덜란드어과	8	8	6	6	29.4	28.1	32.5	26.8	6.8	12.9	10.0	8.3
	스칸디나비아어과	8	8	6	6	26.0	27.5	26.5	29.8	6.8	13.6	9.7	9.5
아시아 언어문화	말레이·인도네시아어과	8	8	6	6	24.9	23.7	26.2	25.5	9.3	10.6	8.8	7.5
	아랍어과	9	9	9	9	27.7	25.2	26.9	25.0	9.0	9.9	7.4	5.4
	태국어과	8	8	6	6	22.6	21.5	25.2	30.2	9.4	8.6	7.7	6.0
	베트남어과	8	8	6	6	29.4	28.0	25.5	26.3	12.3	9.6	7.0	8.0
	인도어과	8	8	6	6	25.1	26.5	21.7	23.8	6.1	10.1	6.7	6.0
	터키·아제르바이잔어과	8	8	6	6	21.9	25.1	24.7	28.2	7.9	9.0	7.8	7.8
	페르시아어·이란학과	8	8	8	6	24.8	23.5	24.8	26.7	4.4	7.3	8.3	5.3
	몽골어과	4	4	2	2	20.0	20.0	21.5	29.5	4.0	6.0	4.0	6.5
중국학	중국언어문화학부	9	9	9	11	26.3	27.5	31.8	30.1	7.7	10.9	11.3	9.6
	중국외교통상학부	9	9	9	9	28.2	30.5	33.3	31.6	8.0	11.8	12.9	10.4
일본학	일본언어문화학부	9	9	9	9	26.2	29.7	33.6	35.9	7.8	12.2	9.2	10.1
	융합일본지역학부	5	5	5	5	22.0	27.8	28.0	31.2	6.8	13.2	9.8	9.4
사회과학	정치외교학과	13	13	12	12	63.9	52.9	52.9	59.3	23.6	18.8	19.0	18.9
	행정학과	13	13	12	12	60.9	50.0	52.3	58.0	24.0	19.8	17.3	21.2
	미디어커뮤니케이션학부	14	10	10	10	70.7	67.1	69.0	66.2	24.9	28.3	22.4	23.4
상경	국제통상학과	13	13	13	13	58.9	46.4	46.9	47.8	24.5	19.3	16.8	17.5
	경제학부	19	19	16	16	58.3	48.3	45.2	49.6	22.6	20.3	14.5	16.6
경영	경영학부	39	39	33	33	73.5	68.7	61.2	64.7	30.9	30.2	21.3	22.2
사범	영어교육과	8	8	4	4	30.5	29.7	36.5	41.8	12.8	13.6	11.5	10.5
	한국어교육과	5	5	2	2	33.6	33.6	49.0	47.5	12.0	10.6	11.0	14.0
	외국어교육학부 프랑스어교육전공	4	4	2	2	23.3	26.7	19.5	34.0	7.8	8.8	5.0	8.0
	외국어교육학부 독일어교육전공	3	3	2	2	27.3	22.0	21.5	39.5	2.7	8.7	2.0	10.0
	외국어교육학부 중국어교육전공	3	3	2	2	22.3	23.0	20.5	35.0	6.7	7.0	1.0	6.5
국제학부		5	5	3	3	54.4	38.8	42.3	48.0	23.4	16.0	14.7	18.7
Language&Diplomacy학부		14	14	8	8	65.8	61.7	75.1	75.0	14.9	24.1	23.8	21.9
Language&Trade학부		7	7	6	6	73.4	65.1	66.8	66.8	16.7	29.9	22.5	18.7
서울캠퍼스 소계		378	374	309	309	41.8	39.5	41.1	42.5	14.4	16.4	13.8	13.9

* 실질경쟁률 : 수능최저학력기준을 충족하고, 논술에 실제 응시한 경쟁률

(2) 논술전형 충원율 및 전년도 결과(서울)

대 학	모집단위	충원율(%)				최종등록자 기준			
						논술		학생부교과	
		2020	2021	2022	2023	2022	2023	2022	2023
영어	ELLT학과	14.3	7.1	33.3	41.7	674.5	679.1	296.0	297.2
	영미문학·문화학과	7.1	7.1	16.7	25.0	675.9	676.5	296.3	297.0
	EICC학과	22.2	0.0	55.6	11.1	670.3	677.6	295.2	297.4
서양어	프랑스어학부	21.4	21.4	27.3	9.1	665.8	677.0	296.4	296.3
	독일어과	11.8	11.8	21.4	21.4	665.8	678.8	296.3	297.0
	노어과	12.5	37.5	12.5	12.5	671.2	669.5	294.1	295.7
	스페인어과	23.5	17.6	7.7	15.4	669.5	671.4	297.4	297.2
	이탈리아어과	25.0	25.0	0.0	50.0	666.4	667.4	294.0	294.4
	포르투갈어과	12.5	75.0	33.3	16.7	663.3	670.8	296.1	296.1
	네덜란드어과	12.5	25.0	83.3	33.3	656.3	670.8	296.2	294.7
	스칸디나비아어과	12.5	25.0	16.7	16.7	663.3	666.1	293.5	297.1
아시아 언어 문화	말레이·인도네시아어과	0.0	12.5	16.7	16.7	677.6	656.4	296.3	297.7
	아랍어과	22.2	11.1	11.1	22.2	673.4	652.4	296.3	296.6
	태국어과	25.0	12.5	16.7	33.3	672.8	653.8	295.7	293.1
	베트남어과	12.5	12.5	0.0	0.0	660.8	647.7	297.7	295.1
	인도어과	25.0	0.0	0.0	16.7	662.5	653.9	295.3	296.8
	터키·아제르바이잔어과	0.0	0.0	16.7	0.0	666.2	641.9	296.4	295.7
	페르시아어·이란학과	12.5	12.5	0.0	16.7	662.0	644.1	296.3	295.6
	몽골어과	25.0	50.0	0.0	0.0	659.8	644.8	292.0	259.9
중국학	중국언어문화학부	0.0	44.4	22.2	0.0	660.1	666.4	297.1	297.1
	중국외교통상학부	0.0	22.2	22.2	11.1	661.9	674.6	292.7	293.0
일본학	일본언어문화학부	0.0	66.7	0.0	44.4	663.3	652.1	295.2	295.7
	융합일본지역학부	60.0	40.0	0.0	20.0	663.1	654.2	296.8	292.8
사회 과학	정치외교학과	23.1	23.1	25.0	16.7	666.7	682.7	296.5	296.4
	행정학과	7.7	30.8	50.0	16.7	663.8	681.3	297.0	297.0
	미디어커뮤니케이션학부	28.6	20.0	30.0	10.0	668.5	672.4	295.2	296.7
상경	국제통상학과	23.1	23.1	7.7	23.1	680.0	680.8	295.5	296.7
	경제학부	47.4	0.0	6.3	18.8	676.1	681.3	296.6	296.5
경영	경영학부	17.9	41.0	15.2	30.3	672.0	677.5	296.5	297.1
사범	영어교육과	37.5	12.5	25.0	0.0	657.9	649.9	297.4	296.2
	한국어교육과	40.0	60.0	50.0	0.0	655.7	652.2	294.3	297.8
	외국어교육학부 프랑스어교육전공	175.0	50.0	0.0	0.0	650.8	673.0	293.0	294.1
	외국어교육학부 독일어교육전공	33.3	33.3	50.0	0.0	646.0	665.0	297.9	295.7
	외국어교육학부 중국어교육전공	33.3	0.0	0.0	50.0	634.2	658.5	287.8	295.7
국제학부		0.0	40.0	33.3	66.7	656.6	665.7	296.8	296.2
Language&Diplomacy학부		28.6	0.0	37.5	12.5	671.5	674.4	297.1	297.8
Language&Trade학부		0.0	0.0	0.0	16.7	679.0	680.2	297.7	297.2
서울캠퍼스 소계		20.4	22.2	19.7	20.1	665.0	666.0	295.6	296.0

(3) 논술전형 현황 (글로벌)

대학	모집단위	모집				경쟁률				실질경쟁률*			
		2020	2021	2022	2023	2020	2021	2022	2023	2020	2021	2022	2023
인문	철학과	3	3	3	5	22.7	15.0	19.3	14.6	16.3	12.3	14.7	291.6
	사학과	3	3	3	5	26.0	16.3	18.3	15.6	21.7	13.0	14.3	286.6
	언어인지과학과	3	3	3	5	23.7	13.3	20.7	15.8	19.7	10.3	16.3	294.9
통번역	독일어통번역학과	5	5	5	5	21.8	15.8	16.6	폐지	20.0	13.0	15.8	폐지
	스페인어통번역학과	8	8	6	6	26.0	18.0	20.0	폐지	23.3	16.4	18.2	폐지
	이탈리아어통번역학과	3	2	2	2	20.0	12.5	12.5	폐지	18.3	10.0	10.0	폐지
	말레이·인도네시아어 통번역학과	3	3	2	2	17.0	12.0	12.5	폐지	16.0	11.0	9.5	폐지
동유럽학	폴란드어과	2	2	2	2	15.5	13.0	11.0	15.0	14.0	12.0	8.0	297.4
	루마니아어과	2	2	2	2	21.5	10.5	11.0	14.5	18.0	9.0	10.0	292.3
	체코·슬로바키아어과	2	2	2	2	16.0	19.0	14.5	16.0	13.5	14.5	13.0	295.1
	헝가리어과	2	2	2	2	16.0	13.0	12.5	20.5	15.5	10.5	10.5	288.8
	세르비아·크로아티아어과	2	2	2	2	20.0	13.0	14.5	10.0	17.5	11.0	11.0	289.5
	우크라이나어과	2	2	2	2	14.5	9.0	13.0	9.0	10.5	6.5	11.0	293.2
국제지역	그리스·불가리아학과	2	2	2	2	15.5	12.0	20.5	10.5	15.0	10.5	17.5	293.9
	중앙아시아학과	2	2	2	2	14.5	10.5	13.0	14.5	13.5	9.0	10.0	285.9
	아프리카학부	5	5	5	6	19.6	15.0	15.6	12.8	17.0	13.6	14.0	290.0
	한국학과	2	2	2	2	18.0	13.0	12.5	18.0	16.5	10.5	12.5	295.1
경상	GBT학부	8	8	7	8	41.0	24.0	34.3	24.4	35.5	20.3	29.7	293.8
	국제금융학과	4	4	3	3	34.5	22.7	28.7	18.7	28.5	17.3	20.7	292.0
융합인재	융합인재학부	–	14	10	14	–	22.6	27.2	20.0	–	20.8	21.9	293.2
글로벌스포츠산업학부		3	3	2	2	37.3	25.6	42.0	36	28.0	19.3	28.0	296.5
자연과학	수학과	–	–	5	5	–	–	14.4	16.4	–	–	10.4	288.6
	통계학과	–	–	5	5	–	–	18.6	19.2	–	–	14.8	283.6
	전자물리학과	–	–	5	5	–	–	16.6	18.0	–	–	14.0	287.7
	환경학과	–	–	6	6	–	–	20.8	22.2	–	–	15.8	284.7
	생명공학과	–	–	6	6	–	–	23.7	24.3	–	–	16.7	290.3
	화학과	–	–	6	6	–	–	16.2	19.3	–	–	11.8	282.0
공과	컴퓨터공학부	–	–	10	11	–	–	37.3	36.0	–	–	24.5	290.1
	정보통신공학과	–	–	3	3	–	–	22.0	25.0	–	–	15.0	286.0
	전자공학과	–	–	6	6	–	–	27.7	–	–	–	18.8	–
	산업경영공학과	–	–	6	6	–	–	23.0	25.8	–	–	15.8	290.5
바이오메디컬공학부		–	–	4	4	–	–	27.0	23.8	–	–	16.8	290.5
글로벌자유전공학부		–	–	–	9	–	–	–	19.3	–	–	–	294.0
글로벌캠퍼스 소계		115	115	164	164	24.0	16.8	21.3	20.8	20.8	14.2	16.5	290.7

* 실질경쟁률 : 논술에 응시한 경쟁률

(4) 논술전형 충원율 및 전년도 결과(글로벌)

대학	모집단위	충원률(%)				최종등록자 기준			
						논술		학생부교과	
		2020	2021	2022	2023	2022	2023	2022	2023
인문	철학과	33.3	0.0	0.0	40.0	653.7	650.6	296.5	291.6
	사학과	0.0	0.0	33.3	0.0	660.7	663.9	289.7	286.6
	언어인지과학과	33.3	0.0	0.0	60.0	661.9	647.3	292.2	294.9
통번역	독일어통번역학과	20.0	0.0	0.0	폐지	668.7	폐지	294.1	폐지
	스페인어통번역학과	12.5	0.0	16.7	폐지	662.4	폐지	295.4	폐지
	이탈리아어통번역학과	33.3	0.0	0.0	폐지	677.8	폐지	290.6	폐지
	말레이·인도네시아어통번역학과	0.0	0.0	0.0	폐지	662.5	폐지	294.2	폐지
동유럽학	폴란드어과	0.0	0.0	50.0	0.0	656.7	655.0	292.1	297.4
	루마니아어과	0.0	50.0	50.0	0.0	660.3	651.3	293.6	292.3
	체코·슬로바키아어과	0.0	0.0	0.0	0.0	661.3	651.5	294.0	295.1
	헝가리어과	0.0	0.0	50.0	0.0	656.2	670.5	294.8	288.8
	세르비아·크로아티아어과	50.0	50.0	0.0	0.0	654.7	660.8	293.6	289.5
	우크라이나어과	0.0	100.0	0.0	0.0	654.0	642.5	294.8	293.2
국제지역	그리스·불가리아학과	0.0	0.0	50.0	0.0	669.7	648.7	291.5	293.9
	중앙아시아학과	0.0	0.0	0.0	50.0	665.3	650.0	296.5	285.9
	아프리카학부	0.0	40.0	0.0	33.3	658.7	643.0	293.3	290.0
	한국학과	0.0	50.0	0.0	0.0	661.7	663.3	296.0	295.1
경상	GBT학부	0.0	25.0	42.9	0.0	661.8	671.2	295.5	293.8
	국제금융학과	25.0	0.0	33.3	0.0	664.3	672.7	289.7	292.0
융합인재	융합인재학부	–	14.3	30.0	28.6	665.4	661.0	296.0	293.2
글로벌스포츠산업학부		0.0	33.3	0.0	0.0	665.7	647.7	295.1	296.5
자연과학	수학과	–	–	40.0	80.0	605.5	478.8	287.9	288.6
	통계학과	–	–	60.0	60.0	592.2	504.0	286.8	283.6
	전자물리학과	–	–	120.0	20.0	564.4	506.6	290.2	287.7
	환경학과	–	–	33.3	83.3	576.3	411.8	287.4	284.7
	생명공학과	–	–	83.3	50.0	575.8	452.9	292.2	290.3
	화학과	–	–	116.7	16.7	573.4	529.1	291.9	282.0
공과	컴퓨터공학부	–	–	60.0	54.5	613.6	550.8	288.7	290.1
	정보통신공학과	–	–	33.3	66.7	537.8	501.7	287.6	286.0
	전자공학과	–	–	50.0	33.3	589.2	546.0	290.3	290.5
	산업경영공학과	–	–	16.7	83.3	585.1	478.3	289.3	290.5
바이오메디컬공학부		–	–	25.0	0.0	553.0	457.6	293.6	295.5
글로벌자유전공학부		–	–	–	9.1	–		–	294.0
글로벌캠퍼스 소계		12.2	13.0	32.3	31.7	638.9	597.3	292.2	290.7

2. 논술 분석

1) 출제 구분 : 인문계열, 사회계열 구분 출제

※ 인문계, 사회계: 90분 / 3문항

2) 출제 유형 :

• 인문계 : 영어 제시문 1개 포함 (국어 제시문의 내용으로 충분히 유추 가능)

• 사회계 : 통계·도표, 그래프 제시문 1개 포함(수학적 지식이 아닌 자료해석능력 평가)

• [문제 1]은 분류.요약의 능력을 측정

분류·요약형 문제는 제시문의 내용을 정확하게 이해했는가를 평가하기 위한 문항으로, 제시문들의 문제에 맞게 분류한 후, 핵심 내용을 요약하여 간결하게 서술해야 합니다. 이때 접속어나 연결 어구를 적절히 사용하면 제시문을 자연스럽게 연관시키고 효율적으로 요약할 수 있습니다. 핵심어는 보통 제시문 속에 나타나지만, 반드시 그런 것은 아닙니다. 우회적인 표현이나 예시를 통해 주제를 암시하는 제시문이 주어질 수도 있는 만큼 적절한 어휘를 새롭게 찾아야 할 때가 있습니다. 주제를 암시하는 제시문이 주어질 수도 있는 만큼 적절한 어휘를 새롭게 찾아야 할 때가 있습니다. 이 문항에서 범하기 쉬운 실수는 제시문의 구절을 그대로 사용하는 것입니다. 비록 제시문 내 문장이 요지를 적절하게 표현하고 있을지라도 이를 그대로 옮긴다면 독창성이 발휘된 좋은 요약이라고 할 수 없습니다. 다른 표현으로 바꾸거나 제시문에 사용된 다른 핵심어와 연결하여 표현하는 것이 좋습니다.

• [문제 2]는 비교.평가의 능력을 측정

비판 평가형 문제는 논지에 동의하거나, 또는 논지의 부당함을 지적하는 과정에서 얼마나 논리적이고 설득력 있게 논술할 수 있는가를 평가하기 위한 문항입니다. 서로 상반된 입장의 제시문이 주어지고 하나의 입장을 자유롭게 선택해 상대방 의견을 비판하게 하는 경우, 자신의 관점을 충분히 대입하여 논술할 수 있습니다. 이와 달리 상반된 의견 중 하나를 지정해, 자신의 견해와 상관없이 한 쪽 입장을 비판하도록 하는 경우도 있습니다. 그러므로 '나'의 의견에 대한 반대 입장에서 어떤 논리를 적용하여 비판할 수 있는지 평소 연습해보는 것이 중요합니다. 특정한 입장의 장단점과 예시를 서술할 때, 제시문에 이미 거론된 내용들만 반복해서 언급한다거나 지나치게 판에 박힌 사회현상만을 논술할 경우, 식상한 글이 될 수 있습니다. 장단점에 대한 창의적인 분석과 참신한 예시를 위해서는 사회현상에 지속적으로 관심을 가지고 관련된 글을 읽거나 토론을 통해 입장을 논리적으로 표명하는 연습이 필요합니다.

• [문제 3]은 적용.추론의 능력을 측정

적용 추론형 문제는 영어지문 또는 도표나 그래프를 바탕으로 제시문 분석을 요구하는 문제가 출제될 가능성이 높습니다. 이 유형의 핵심은 제시문을 통해 습득된 정보를 토대로 새로운 사실을 도출해내는 것입니다. 우선, 자료에서 주어진 명제

조건을 확인하고 적용의 내용과 대상이 무엇인지 명확히 파악해야 합니다. 질문에 이미 절반의 답이 들어 있다고 볼 수 있으므로 문제를 여러 번 읽어 출제자의 의도를 완벽하게 이해해야 합니다. 무엇을 어디에 적용하여 추론해나갈 것인지 숙지하고 단계적으로 답안을 서술해야 가야 합니다. 적용 추론형 문제는 출제자가 의도한 답안의 방향이 어느 정도 정해져 있는바, 자료의 단순 이해보다는 비판적, 창의적 사고력을 발휘하여 단계적, 논리적 서술에 무게 중심을 두고 명확한 언어로 간결하게 표현할 수 있어야 합니다.

3) 출제 방향 :

• 인문/사회계열 : 통합교과형으로 고교 교육과정 내

3. 출제 문항 수

· 각 3 문항

※ 2023학년도 논술 시험부터 답안 분량 조정

[문제 1]의 답안 분량은 기존과 마찬가지로 **400자 내외**

[문제 2]의 답안 분량은 기존의 500자 내외에서 **450자 내외**

[문제 3]은 기존의 600자 내외에서 **500자 내외**

4. 답안 분량

· 1350자 내외

※ 2023학년도 논술 시험부터 답안 분량을 1,500자 내외에서 1,350자 내외

5. 시험 시간

· 90분

※ 2023학년도 논술 시험부터 시험 시간이 기존의 100분에서 90분으로 변경

6. 시험 유의사항

1. 시험 시간은 90분입니다.
2. 답안작성은 반드시 검정색 볼펜, 연필, 또는 샤프를 사용해야 합니다.
3. 반드시 문항별 답안지 작성영역에 답안을 기재해야 합니다.
4. (띄어쓰기 포함) 답안의 정해진 작성 분량을 준수하시기 바랍니다. 답안 영역에 작성한 내용만 인정됩니다.
5. 답안에 자신을 드러내는 표시를 하지 않습니다.
6. 답안에 제목은 작성하지 않습니다.

7. 논술의 특징

- 인문계: 문제

<table>
<tr><th>문항</th><th>유형</th><th>분량</th><th>배점</th><th>제시문</th><th>시험시간</th></tr>
<tr><td>1</td><td>분류 요약</td><td>400자 내외</td><td>210점</td><td rowspan="3">5개~6개
(영어지문
1개포함)</td><td rowspan="3">90분</td></tr>
<tr><td>2</td><td>비판 평가</td><td>450자 내외</td><td>210점</td></tr>
<tr><td>3</td><td>적용 추론</td><td>500자 내외</td><td>280점</td></tr>
</table>

- 사회계: 출제

<table>
<tr><th>문항</th><th>유형</th><th>분량</th><th>배점</th><th>제시문</th><th>시험시간</th></tr>
<tr><td>1</td><td>분류 요약</td><td>400자 내외</td><td>210점</td><td rowspan="3">5개~6개
(통계도표자료
1개포함)</td><td rowspan="3">90분</td></tr>
<tr><td>2</td><td>비판 평가</td><td>450자 내외</td><td>210점</td></tr>
<tr><td>3</td><td>적용 추론</td><td>500자 내외</td><td>280점</td></tr>
</table>

8. 답안의 이외의 작성

● 답안에 자신을 드러내는 표시를 하지 않습니다.

● 답안에 제목은 작성하지 않습니다.

9. 논술 작성 요령 및 유의점

가. 출제의도를 파악하여 자신의 주장과 논리를 창의적으로 전개

나. 논제에 관해 자신이 알고 있는 지식을 서술하기보다는, 제시문의 내용과 관점을 근거로 논제가 요구하는 답안 작성

다. 차별성 있는 논거와 참신한 사례를 바탕으로 독창적인 답안 작성

라. 요구한 답안 분량을 반드시 준수해야 하며, 분량이 초과되거나 부족하면 감점

마. 문제지와 답안지에 표기된 논술작성 유의사항을 철저히 준수

II. 기출문제 분석

1. 출제 경향

기출 연도	출제 교과목	질문 및 주제
2024학년도 수시 논술 [토요일 T1]	국어, 문학, 화법과 작문, 독서, 영어Ⅱ, 통합 사회, 세계지리, 세계사, 경제, 정치와 법, 사회.문화, 생활과 윤리, 윤리와 사상	변화, 지속가능발전, 책임 윤리
2024학년도 수시 논술 [토요일 T2]	국어, 화법과 작문, 독서, 언어와 매체, 문학, 통합사회, 사회·문화, 정치와 법, 생활과 윤리, 윤리와 사상	관용, 노자의 무위(無爲), 촉법소년, 생산적 복지, 관용의 역설, 다문화, 3T 이론
2024학년도 수시 논술 [일요일 T3]	국어, 화법과 작문, 독서, 언어와 매체, 문학, 영어Ⅱ, 영어 독해와 작문, 통합사회, 정치와 법, 사회·문화, 생활과 윤리, 윤리와 사상, 미술	원칙의 적용, 원칙의 절대성과 가변성, 법률론, 낯설게 하기, 데페이즈망(Depaysement), 뉴딜(New Deal)
2024학년도 수시 논술 [일요일 T4]	국어, 문학, 화법과 작문, 독서, 통합 사회, 한국사, 세계사, 경제, 정치와 법, 사회.문화, 생활과 윤리, 윤리와 사상, 정치와 법	부분, 전체, 개인, 집단, 성과
2023학년도 수시 논술 [토요일 T1]	국어, 화법과 작문, 독서, 심화 국어, 역사, 통합사회, 사회문화, 경제, 생활과 윤리	분배 정의, 절대적 평등, 상대적 평등
2023학년도 수시 논술 [토요일 T2]	국어, 영어, 생활과 윤리, 윤리와 사상	갈등, 생산적 갈등, 소모적 갈등, 갈등관리, 의사소통 활성화, 정보 투명성
2023학년도 수시 논술 [일요일 T3]	국어, 화법과 작문, 독서, 심화 국어, 역사, 영어Ⅱ, 통합사회, 사회문화, 세계 지리, 생활과 윤리, 영어 독해와 작문,	정체성, 단일 정체성, 다중 정체성

기출 연도	출제 교과목	질문 및 주제
2023학년도 수시 논술 [일요일 T4]	국어, 화법과 작문, 독서, 문학, 통합사회, 통합과학, 사회문화. 생활과 윤리, 영어 등	이상 지향, 현실 지향, 현실적 이상주의, 과잉금지의 원칙
2022학년도 수시 논술 [T1]	국어, 문학, 독서, 화법과 작문, 실용국어, 경제, 철학	수(數), 수치화 가능성, 금전적·정신적 유인
2022학년도 수시 논술 [T2]	국어, 화법과 작문, 독서, 문학, 실용국어, 한국사, 한국지리, 동아시아사, 사회문화, 생활과 윤리	지식정보, 독점과 공유 , 동서 문물교류, 특허법, 특허 개방, 기술 독점, 오픈소스 백과사전
2022학년도 수시 논술 [T3]	국어, 문학, 화법과 작문, 독서, 실용국어, 영어, 윤리와 사상, 경제	공익(공동체의 이익), 사익(개인의 이익)
2022학년도 수시 논술 [T5]	국어, 화법과 작문, 독서, 문학, 실용국어, 미술, 한국사, 동아시아사, 생활과 윤리, 영어	인물 유형, 햄릿형, 돈키호테형, 입체파 미술, 변경 방어책, 도전, 갑신정변, 의사결정, 기후 위기, 정책 변화
2021학년도 수시 논술 [토요일 T1]	국어, 화법과 작문, 독서, 실용국어, 통합사회 생활과 윤리, 윤리와 사상, 정치와 법,	법/법적 규제/규정을 통한 해결, 대화/협상/토론을 통한 해결
2021학년도 수시 논술 [토요일 T2]	국어, 독서, 화법과 작문, 언어와 매체, 문학, 생활과 윤리, 통합사회, 경제, 사회문화	성장, 보존
2021학년도 수시 논술 [T3]	국어, 화법과 작문, 문학, 독서, 세계지리, 경제, 사회·문화, 윤리와 사상	개방, 폐쇄, 경제 블록, 누리 소통망, 사회 계층 구조, 글로벌, 장자, 특허권, 플랫폼, 기술혁신
2021학년도 수시 논술 [일요일 T1]	국어, 화법과 작문, 독서, 문학, 실용국어, 영어, 통합사회, 경제, 기술·가정	효율성, 안전성
2021학년도 수시 논술 [일요일 T2]	국어, 독서, 화법과 작문, 언어와 매체, 생활과 윤리, 윤리와 사상, 사회문화, 영어, 영어 I	선별, 보편

기출 연도	출제 교과목	질문 및 주제
2021학년도 수시 논술 [일요일 T3]	국어, 독서, 고전 읽기, 문학, 화법과 작문, 생활과 윤리, 세계사, 한국사, 경제, 영어Ⅰ, 영어 독해와 작문	전통, 창조, 법고창신, 피카소, 스와데시, 플랫폼 노동자, 『인형의 집』, 『서포만필』, 기술적 혁신
2020학년도 수시 논술 [사회계 T1]	국어Ⅰ, 국어Ⅱ, 화법과 작문, 독서와 문법, 사회, 경제, 사회문화, 생활과 윤리	전문화, 융복합, 뉴미디어 아트, 특화, 간학문적 연구
2020학년도 수시 논술 [사회계 T2]	국어Ⅰ, 국어Ⅱ, 화법과 작문, 독서와 문법, 문학, 사회, 경제, 사회문화, 생활과 윤리, 윤리와 사상	자기애, 이타심, 공감 능력, 기업의 사회적 책임
2020학년도 수시 논술 [인문계 T3]	문학, 독서와 문법, 화법과 작문, 영어, 경제, 윤리와 사상, 생활과 윤리	혁신적 변화, 점진적 변화, 혁신, 개선
2020학년도 수시논술 [인문계 T4]	독서와 문법, 화법과 작문, 영어, 사회문화, 법과 정치, 생활과 윤리, 윤리와 사상	원칙주의의 긍정적 결과와 부정적 결과

2. 출제 의도

기출 연도	출제 의도
2024학년도 수시 논술 [토요일 T1]	[문제 1]은 '변화'의 결과에 대한 분류·요약 구할 수 있도록 (가)~(사)를 제시 [문제 2]는 '지속가능성' 개념을 바탕으로 한 대조·평가, [문제 2]에만 사용되는 <보기 1> [문제 3]은 AI 기술에 대한 윤리 의식 적용·추론의 능력을 평가 [문제 3]에만 적용되는 <보기 2>, <보기 3>을 추가로 배치 <보기 3>에는 영어 지문을 포함 문항마다 독립적인 능력을 평가하려는 의도가 반영되어 있지만, 특정 문항에서는 두 개 이상의 지문을 기반으로 핵심어, 요지, 영어 텍스트를 종합적으로 해석하고 적용하는 능력을 확인하도록 하였다.
2024학년도 수시 논술 [토요일 T2]	[문제 1]은 분류·요약, 제시된 두 사람의 대화에서 '관용'이라는 핵심어와 이에 대한 두 화자의 상반된 입장을 통해 '무조건적 적용'과 '조건적·선택적 적용'이라는 두 개의 분류 기준을 설정한 후, 이 기준에 따라 (가)에서 (마)까지 다섯 개의 제시문을 분류하고 요약하도록 했다. 이 문제를 통해 (가), (마)를 무조건적 관용으로 분류하고, (나), (다), (라)를 조건적·선택적 관용으로 분류할 수 있는지를 평가하였다. 또한 다섯 개의 제시문을 각각 요약하게 함으로써 핵심어 및 분류 기준을 중심으로 한 요지 파악 능력을 측정하고자 하였다.
	[문제 2]는 비교·평가, [문제 1]에서 제시된 무조건적 관용과 조건적·선택적 관용 개념을 확장해서 이해할 수 있는지를 파악하고자 하였다. 이를 위해 별도로 제시된 <보기>의 내용을 바탕으로 (바)에서 밑줄 친 주체인 '마을 사람들'의 행위를 비교·평가하도록 했다. <보기>에서 파악해야 할 핵심 내용은 관용이 성립하기 위한 세 가지 요건으로, (1) 어떤 행위가 도덕적으로 선하다는 믿음이 있을 것, (2) 베푸는 자와 베풂을 받는 자 모두에게 유익할 것, (3) 두 요소가 상충하지 않아야 할 것으로 요약된다. 이 세 가지 구성 요건을 '마을 사람들'의 행위와 비교·평가하면 다음과 같다. 마을 사람들은 재곤을 돕는 행위를 거역해선 안 될 하늘의 뜻으로 생각하고 이를 '인정'이라는 도덕적 덕목으로 표현하는데, 이는 이들의 행위가 도덕적 선함에 대한 믿음에 기초해야 한다는 관용의 첫 번째 성립 요건을 충족한다. 또한 마을 사람들의 행위는 재곤이가 마을에서 굶지 않고 살아가게 해줄 뿐만 아니라 마을 사람들에게 하늘의 천벌을 면하게 해

기출 연도	출제 의도
	주며, 이는 이들의 행위가 베푸는 자와 베풂을 받는 자 모두에게 유익해야 한다는 관용의 두 번째 성립 요건을 충족한다. 마지막으로 마을 사람들의 행위가 도덕적 선함이라는 믿음에 기초하는 것과 집단 모두에게 이익이 되는 것이 동시에 성립하므로, 관용의 첫 번째 성립 요건과 두 번째 성립 요건이 상충하지 않아야 한다는 관용의 세 번째 성립 요건을 충족한다. 종합하면 마을 사람들의 행위는 <보기>에서 제시된 관용의 성립 요건을 충족하는 관용의 행위라고 평가할 수 있다. 이러한 해석 틀을 바탕으로 <보기>에서 제시된 세 가지 요건과의 비교를 통해 제시문에서 발견되는 양상을 평가할 수 있는지를 확인하고자 했다.
	[문제 3]은 적용·추론의 능력 제시문과 제공된 자료를 활용해 특정 현안에 적용·추론하는 능력을 측정하고자 하였다. 이를 위해 두 지역(도시 갑과 을)의 특정 시점에서의 정보기술 분야 일자리 창출 성과지표 그래프를 담은 <그림 1>, 두 지역의 인종·민족 분포와 성별 분포를 비교한 그래프를 담은 <그림 2>, 인종·민족 및 성별을 하위 분류체계로 하는 다양성 지표를 담은 <표>를 제시하였다. 그리고 상기 자료의 내용을 바탕으로 관용(tolerance)-재능(talent)-기술(technology)의 상관성 및 다양성에 대한 관용의 중요성을 골자로 하는 제시문 (사)의 관점을 바탕으로, 각 지역의 성과지표에 대한 해석과 차이점, 특정 지역의 문제점과 이에 대한 해결 방안을 추론할 수 있는지를 측정하고자 하였다. <그림 1>에서 도시 을은 도시 갑에 비하여 정보기술 분야에서 일자리 창출 성과가 매우 낮으며, <그림 2>와 <표>를 고려해 보면 도시 을은 도시 갑에 비하여 다양성의 정도, 특히 인종·민족 분포에서 낮은 지표를 보인다. 제시문 (사)의 '3T 이론'에 따르면 관용은 재능 있는 사람들을 모으고 이를 바탕으로 기술이 발전하기 위한 전제 조건이며, 이 이론에 근거하면 다양성 지표가 낮은 도시 을은 도시 갑보다 관용 정도가 낮으며, 그로 인해 다양한 인재의 유입과 이를 통한 정보기술 분야 일자리 창출실적이 저조한 것이다. 이러한 문제를 해결하기 위해 도시 을은 다양한 인종·민족을 포용하는 관용적인 정책을 추진해야 인재들이 모여 정보기술 분야 일자리가 증가할 것임이 추론 가능하다.
2024학년도 수시 논술 [일요일 T3]	[문제 1]은 분류·요약 제시된 두 사람의 대화 내용의 핵심어와 이에 대한 두 화자의 상반된 입장을 통해 원칙적 적용(원칙의 절대적 적용)과 비원칙적 적용(원칙의 가변적 적용)이라는 두 개의 분류 기준을 설정한 후,

기출 연도	출제 의도
	이 기준에 따라 (가)에서 (바)까지 여섯 개의 제시문을 분류하고 각 제시문을 요약하도록 했다. 이 문제를 통해 (가) (다) (바)를 원칙적 적용(원칙의 절대적 적용) 사례로 분류하고, (나) (라) (마)를 비원칙적 적용(원칙의 가변적 적용) 사례로 분류할 수 있는지를 평가하였다. 또한 여섯 개의 제시문을 밑줄 친 주체의 입장에서 요약하게 함으로써 핵심어 및 분류 기준을 중심으로 한 요지 파악 능력을 측정하고자 하였다. (가)의 마르쿠스는 문자화나 효용성 여부와 상관없이 법은 예외 없이 지켜져야 한다고 말한다. (나)의 브레히트는 전통 연극론의 틀을 깨는 새로운 연극을 창시했다. (다)의 직업인은 청렴의 덕목을 반드시 지켜야 한다. (라)의 마그리트는 마그리트는 데페이즈망 기법을 통해 기존이 사실주의를 거부한다. (마)의 루스벨트는 미국의 전통적 경제체제를 유지하는 가운데 정부규제라는 개념을 포용한 뉴딜정책을 시행했다. (바)의 A 문화권 사람들은 해당 직원을 해고함으로써 지난 1년간의 성과를 고려하여 재계약 또는 해고를 결정한다는 원칙을 따랐다
	[문제 2]는 비교·평가 [문제 1]에서 제시된 원칙적 적용(원칙의 절대적 적용)과 비원칙적 적용(원칙의 가변적 적용) 개념을 확장해서 이해할 수 있는지를 파악하고자 한다. 이를 위해 별도로 제시된 <보기> 내용에서 제시된 '변화의 방식'을 기준으로 (라)와 (마)의 입장을 비교하고, 각 입장을 <보기>에서 언급한 '더 나은 방향'의 관점에서 평가하도록 했다. <보기>에서 파악해야 할 핵심 내용은 우선 두 가지 '변화의 방식' 즉 1) 기존 시스템을 받아들이면서 개선책을 모색하는 방식, 2) 기존 시스템을 그대로 받아들이지 않고서 새로운 것으로 바꾸는 방식이 있으며, 이들은 모두 '더 나은 방향'을 지향한다는 것이다. 두 가지 '변화의 방식'을 기준으로 (라)의 데페이즈망은 기존의 사실주의 기법을 거부하고 새로운 기법을 사용함으로써 기존 시스템을 그대로 받아들이지 않고 새로운 것으로 바꾼 예이며, (마)의 뉴딜정책은 전통적인 시장경제를 유지하면서 정부 규제라는 개념을 수용함으로써 기존 시스템을 받아들이면서 개선책을 모색한 방식의 예로 비교할 수 있다. '더 나은 방향'의 관점에서, (라)의 데페이즈망은 현실 세계에서 불가능한 미스터리와 신비에 대한 환상 및 자유와 상상의 공간을 새롭게 경험할 수 있게 해주었다는 점, (마)의 뉴딜정책은 미국 경제를 안정시키고, 일자리를 제공함으로써 경제 회복과 국가적 위기 극복을 기대케 한다는 점에서, 둘 모두 '더 나은 방향'으로의 변화라고 평가할 수 있다.

기출 연도	출제 의도
	[문제 3]은 적용·추론의 능력 추가로 제공된 <보기> 자료의 내용을 적용하여 특정 제시문의 입장 및 의미의 근거를 추론하는 능력을 측정하고자 한다. 이를 위해 듀이의 ‘도구주의적 인식’을 내용으로 하는 <보기> 자료가 제시되며, 상기 자료 내용을 바탕으로 제시문 (사)에서 ‘글자를 만드는 일’에 대한 이도의 생각이 ‘도구주의적 인식’으로 타당성을 갖는 근거를 추론할 수 있는지를 측정하고자 한다. (사)에서 이도는 유학의 도를 구현하기 위해 가장 중요한 덕목인 백성의 언로를 틔워야 하지만, 관료들이 백성의 뜻을 왜 곡하거나 편집하여 올리기 때문에 한자가 제 기능을 못 하고 있다고 판단하고 그에 따라 언로를 틔워 만민의 소리를 들을 수 있게 하려면 백성의 글자가 필요하다고 생각한다. <보기>에서 듀이의 ‘도구주의적 인식’은 ①당면한 문제를 인지하고 ②그에 대한 해결 방법을 알 뿐만 아니라 ③그 결과를 예측할 수 있는 사고 능력을 말한다. 이러한 관점을 이도의 입장에 적용하면, 이도는 ①유학의 도를 구현하기 위해 백성의 언로를 틔워야 하지만 한자가 제 기능을 하지 못하고 있다는 당면한 문제를 인지하고, ②언로가 왜곡되고 편집되는 것을 막기 위해 새로운 글자를 만들어야 한다는 해결 방법을 제시하고 있으며, ③그 결과로 백성들이 자신의 뜻을 왜곡 없이 전달함으로써 언로가 트이게 될 것임을, 그리고 그것이 궁극적으로 유학의 도를 성공적으로 실천하는 결과를 낳을 것이라고 예측한다. 그러므로 이도의 생각은 듀이의 도구주의적 인식에 부합함이 추론 가능하다.
2024학년도 수시 논술 [일요일 T4]	[문제 1]은 분류·요약 전체’와 ‘부분’를 중시하는 관점에 대한 분류 요약 능력을 평가
	[문제 2]는 대조·평가 <보기 1>을 바탕으로 한 ‘집단주의’와 ‘개인주의’, ‘전체주의’와 ‘이기주의’의 개념, <보기 2>의 자유주의의 관점을 (마)와 (사)에 적용하여 대조·평가의 능력
	[문제 3]은 적용·추론의 능력 개인주의 성향 구성원의 업무 몰입도 향상 전략에 대한 적용·추론의 능력을 평가
2023학년도 수시 논술 [토요일 T1]	[문제 1]은 제시문이 말하는 바를 ‘절대적 평등’과 ‘상대적 평등’의 두 핵심어를 기준으로 분류할 수 있는지 평가하고자 하였다. 또한 여섯 개의 제시문을 각각 요약하게 함으로써 핵심어를 중심으로 한 요지 파악 능력을 측정하고자 하였다.
	[문제 2]에서는 [문제1]에 제시된 두 개념인 절대적 평등과 상대적 평등의 개념을 확장해서 이해할 수 있는지를 파악하고자 했다.

기출 연도	출제 의도
	이를 위해 위 제시문 중 개인의 능력이나 필요 등 상대적 차이를 충분히 고려한 상대적 평등 사례를 묘사한 (가) 지문과 (바) 지문을 선정했다. (가) 지문은 청년세대들의 능력 중심의 상대적 평등을 보여준 글이며 (바) 지문은 H시 사례를 통해 필요에 의한 상대적 평등 개념을 묘사하고 있다. 노직은 정당한 절차를 통해 획득한 소유물에 대해서는 개인이 절대적 소유권을 가지며, 국가는 재화의 분배에 관여하지 말고 개인의 자유에 맡겨야 한다고 주장하고 있다. 문제 풀이를 위해서는 (가)와 (바) 제시문의 관점과 키워드를 먼저 이해하고 파악할 수 있어야 한다. 그리고 노직이 주장하는 평등 개념을 중심으로 두 제시문 (가), (바)를 각각 평가하도록 하고 있다. 즉, 소유물에 대한 개인의 절대적 소유권과 재화 분배에 부정적 의견을 가지고 있는 노직의 견해를 통해 (가)와 (바)의 제시문을 각각 평가하도록 함으로써 제시문에 나타난 관점을 이해하고 이를 바탕으로 평가 능력을 측정하고자 하였다.
	[문제 3]에서는 적용 능력과 추론 능력을 측정하기 위해 두 회사(A사, B사)의 개편된 보수체계와 이에 따른 성과지표 그래프를 담은 그림을 제시하고, 제시문 (다)의 내용을 바탕으로 각 회사의 성과지표에 대한 해석과 차이점을 추론할 수 있는지를 측정하고자 하였다. <그림 1>에서 A사는 구간별 성과급이 균등한 보수체계를 도입한 이후, 매출액은 완만하게 상승하고, 이직률은 감소하고 있다. 이는 (다)에서 N사가 초기에 도입한 성과급제와 성과지표에 대한 설명을 바탕으로 해석 및 추론할 수 있다. <그림 2>에서 B사는 구간별 성과급이 차등적인 보수체계를 도입한 이후, 매출액은 급성장하였으나, 이직률은 증가세를 보인다. 이는 (다)에서 N사가 확대 시행한 성과급제와 성과지표에 대한 설명을 바탕으로 해석 및 추론할 수 있다. 즉, (다)에 나타난 초기 성과급제와 확대된 성과급제를 각각 A사와 B사의 경우에 대입함으로써, 두 회사 간 성과지표의 차이를 추론할 수 있다.
2023학년도 수시 논술 [토요일 T2]	[문제 1]에서는 갈등의 '결과적 측면'에 따라 제시문 (나)~(마)에 나타난 갈등 유형을 '생산적 갈등'과 '소모적 갈등'으로 구분한 후, 각 제시문을 요약하도록 했다. 이 문제를 통해 (나)와 (마)를 생산적 갈등으로 분류하고, (다)와 (라)를 소모적 갈등으로 분류할 수 있는지를 평가하였다. 또한 갈등의 주체·내용·결과라는 측면에서 네 개의 제시문을 요약할 수 있는지도 확인하고자 했다.
	[문제 2]에서는 별도로 제시된 <보기>를 바탕으로 (마)와 (바)를 비교·평가하도록 했다. <보기>에서 파악해야 할 핵심 내용은 갈등

기출 연도	출제 의도
	관리 방안으로, (1) 관련 정보의 실질적 공유, (2) 정책 영향을 분석하는 절차도입, (3) 여러 당사자가 의견을 나눌 수 있는 협의체 마련 등이 필요하다는 점이다. 이 세 가지 방안을 토대로 (마)와 (바)를 비교·평가하면, (마)는 세 가지 방안이 모두 적용된 긍정적 사례인 반면, (바)는 세가지 기준이 모두 부재한, 부정적 사례에 해당한다
	[문제 3]에서는 생산적 갈등의 사례를 보여주는 제시문 (사)를 바탕으로 그래프 두 개(<그림 1>, <그림2>)를 연계하여 해석하는 능력을 파악하고자 하였다. 첫째, (사)의 사례가 두 그래프의 해석과 무관하지 않음을 파악한다. 둘째, <그림 1>, <그림 2>를 종합적으로 해석하여 (1) 갈등의 정도, (2) 갈등관리 방안(의사소통 활성화 및 정보 투명성), (3) 조직 성과의 관계를 도출한다. 이러한 논리구조를 파악한 후, 다음과 같은 결론에 이를 수 있어야 한다. 조직 관리자는 조직 성과를 높이기 위해 일정 정도의 갈등을 유지하도록 하여 의사소통 활성화를 높이고, 높은 수준의 정보 투명성을 유지해야 한다.
2023학년도 수시 논술 [일요일 T3]	[문제 1]에서는 제시문이 말하는 바를 '단일 정체성'과 '다중 정체성'의 두 핵심어 기준으로 분류할 수 있는지 평가하고자 하였다. 또한 네 개의 제시문을 각각 요약하게 함으로써 핵심어를 중심으로 한 요지 파악 능력을 측정하고자 하였다. 정체성 인식을 기준으로 글을 분류하면 (가),(다),(바)는 단일 정체성에 해당하며 (나),(라),(마)는 다중 정체성에 해당한다.
	[문제 2]에서는 [문제 1]에서 제시된 두 개념인 단일 정체성과 다중 정체성을 확장해서 이해할 수 있는지를 파악하고자 하였다. 이를 위해 제시문(바)의 통일신라의 경우, 옛 신라 고유의 국가 정체성 대신 고구려인, 백제인까지 하나로 묶기 위한 삼한일통의식을 정립한 뒤 이를 바탕으로 삼국유민 통합정책을 추진하였다. <보기>에서 영국이 경우, 유럽시민이라는 공동의 정체성보다, 오래 전부터 형성되어 온 자국의 정체성을 인정하는 경향이 강했고, 이는 브렉시트에 이르는 정책으로 연결되었다. 국가발전의 관점에서 통일신라와 영국의 결정을 평가해보면 다음과 같다. 통일신라의 경우, 새로운 통합 정체성과 장기적인 국가 발전 전략을 바탕으로 경제적, 국제적, 문화적 발전을 누리게 된 반면, 영국은 자국의 국가

기출 연도	출제 의도
	정체성에 매몰되어 장기적 발전 전략 없이 브렉시트를 결정함으로써 경제적, 국제적, 사회문화적 손실이 예상되는 상황을 맞이하고 있다.
	[문제 3]은 제시된 영어 지문에서 밑줄 친 주체(터키 이주노동자 어머니들)의 희망을 구현하기 위한 독일 정부의 정책 방향을 제시하고 2013년 한국의 다문화가족지원법을 참조하여 독일 정부의 다문화 정책에 조언할 수 있는 부분과 이에 따른 긍정적 유발 효과를 추론하는 것이다. 추론 과정에서 제시문 (마)를 활용해야 함을 명시함으로써 응시자들의 개인적인 의견에 따른 결론이 아니라 정해진 하나의 결론으로 추론을 진행해나갈 수 있도록 하였다. 이 문제에 대한 답안을 작성하기 위해서는 다음과 같은 여러 과정들이 적절히, 그리고 유기적으로 이루어져야 한다. 첫째, 주어진 영어지문을 정확하게 해석하고, 그 요지를 파악해야 한다. 둘째, 밑줄 친 주체의 희망을 어떻게 독일정부의 정책방향에 제시하면 좋을지 기술한다. 셋째, 제시문 (마)를 참고하여 독일정부의 다문화 정책 방향이 어떻게 긍정적 유발효과를 낼 수 있는지를 추론한다.
2023학년도 모의 논술 [인문체육계]	[문제 1]에서는 (가)~(라)의 밑줄 친 인물을 '이상 지향'과 '현실 지향'이라는 두 가지 '관점'에 따라 분류하고 각 인물의 관점을 요약하도록 했다. 이를 통해 (가), (라)를 '이상 지향'으로 분류하고, (나), (다)를 '현실 지향'으로 구분할 수 있는지를 확인하고자 했다. 또한 '이상 지향 vs 현실 지향'이라는 관점으로 네 개의 제시문을 요약할 수 있는지도 평가하고자 했다.
	[문제 2]에서는 비유('식용유와 식초의 관계 ≒ 이상과 현실의 관계')가 담긴 짧은 영어 지문을 기반으로서로 다른 두 인물을 평가할 수 있는지를 확인하고자 했다. 이 문제에서는 (1) 영어지문을 해석하고 두 핵심어 간의 관계를 파악하는 능력, (2) 하나의 판단 근거를 활용해 서로 다른 두 상황을 해석하고 평가하는 능력이 요구된다.
	[문제 3]에서는 '이상'과 '현실'이라는 두 핵심어를 바탕으로 제시문 (바)를 요약하고, 추론의 근거로 제시된 <보기>를 준용하여 (바)의 사례를 새로운 관점에서 해석하도록 했다. (바)에서는 다음과 같은 내용을 파악할 수 있어야 한다. 이 문제에서의 핵심은 '과잉금지의 원칙'이라는 법적 개념을 인권 관련 딜레마에 어떻게 적용할 수 있는지를 추론하는 것이다. 판단 근거로 제시된 '원칙'과 (바)에서 묘사된 '상황'이 다른 개념 영역에 있으므로 둘 간의 관계를 연결하는 것이 본 문제의 핵심이다.

기출 연도	출제 의도
	<보기>에 제시된 원칙을 (바)의 사례와 요소별로 연계하면 다음과 같다. (1) 목적의 정당성: 구호활동을 통해 A국 어린이를 살리는 것은 정당성을 인정받을 수 있는 가치이다. (2) 수단의 적합성: 국제단체의 요구에 응하지 않으면 수많은 어린이를 구할 수 있다. (3) 침해의 최소성: 독재정권을 비판하는 공동성명에 동참하면 다른 단체처럼 입국 및 구호활동이 거부된다. (4) 법익의 균형성: 국제단체의 요구에 응하면 인권보호라는 가치를 지킬 수는 있지만 수많은 아이가 목숨을 잃는다. 구호활동을 통해 얻는 '이익'이 공동성명에 동참하여 얻는 '이익'보다 훨씬 크다.
2023학년도 모의 논술 [인문계]	[문제 1]은 제시문이 말하는 바를 '다양성'과 '단일성'의 두 핵심어를 기준으로 분류할 수 있는지 평가하고자 하였다. 또한 네 개의 제시문을 각각 요약하게 함으로써 핵심어를 중심으로 한 요지 파악 능력을 측정하고자 하였다.
	[문제 2]에서는 [문제 1]에서 제시된 두 개념인 다양성과 단일성을 확장해서 이해할 수 있는지를 파악하고자 하였다. 이 가운데 (마)와 (바)는 언어의 다양성과 단일성을 모두 포함하면서도, 이 둘의 관계에 대해서는 다른 관점을 보여주는 글이고, (사)는 다양성을 주장하는 글이다. 문제를 풀기 위해서는 세 개 제시문의 내용을 이해하고, 각 제시문이 어떤 관점을 가지고 있음을 파악할 수 있어야 한다. 그리고 다양성을 주장하고 있는 (사)의 관점으로 (마)와 (바) 제시문 각각을 평가하도록 함으로써 제시문에 나타난 관점을 이해하고 이를 바탕으로 한 평가 능력을 측정하고자 하였다.
	[문제 3]에서는 적용 능력과 추론 능력을 측정하기 위해 세 개의 자료를 제시하고, 앞서 이해한 다양성과 단일성의 개념을 바탕으로 하여, 이를 구체적인 기업 경영에 적용하여 추론할 수 있는지를 측정하고자 하였다. <자료 1>은 다양성 관리 프로그램을 도입하였을 때와 도입하지 않았을 때의 생산성 변화와 다양성 관리 프로그램을 도입하더라도 프로그램을 실질적으로 운영하는지 형식적으로 운용하는지에 따라 달라지는 생산성의 변화를 복합적으로 서술하고 있다. 이에 따라 다양성 관리 프로그램이 도입될 때 기업의 생산성이 장기적으로 높아짐을 먼저 이해해야 하고, 프로그램을 형식적으로 운영하였을 때는 프로그램을 도입하지 않았을 때보다 생산성이 낮아짐도 함께 이해해야 한다. <자료 2>는 다양성 관리 프

기출 연도	출제 의도
	로그램을 진행할 때 진행 주체에 따른 이직률의 감소 추이를 보여주고 있다. 이를 통해 중간관리자가 아닌 CEO가 직접 운영하였을 때 이직률의 감소 효과가 뚜렷함을 말할 수 있어야 하며, 이직률의 감소가 장기적인 생산성 향상과 연관되어 있음을 추론할 수 있어야 한다. 마지막으로 <자료 3>은 다양성 관리 프로그램이 의도한 목표와 다른, 부정적 결과를 유발할 수 있음을 보여주고 있는 영어 제시문이다. 특히 다양성 관리 프로그램이 강제성을 띨 때는 프로그램에 대한 반감을 낳을 수 있고, 구성원 간의 갈등도 커질 수 있음을 읽어내야 한다. 위의 세 자료에 대한 이해를 바탕으로, 장기적인 생산성 극대화를 위해서는 다양성 관리 프로그램을 도입하되 실질적으로 운영해야 하고, 다양성 프로그램은 CEO가 운영의 주체가 되어야 하며, 프로그램의 운영이 강제성을 띠지 않아야 함을 추론할 수 있어야 한다.
2023학년도 모의 논술 [사회계]	[문제 1]은 제시문 (가)부터 (라)까지의 네 개의 제시문을 읽은 후, 제시문이 말하는 바를 '다양성'과 '단일성'의 두 핵심어를 기준으로 분류할 수 있는지 평가하고자 하였다. 또한 네 개의 제시문을 각각 요약하게 함으로써 핵심어를 중심으로 한 요지 파악 능력을 측정하고자 하였다.
	[문제 2]에서는 [문제 1]에서 제시된 두 개념인 다양성과 단일성을 확장해서 이해할 수 있는지를 파악하고자 하였다. 이를 위해 제시문을 '언어'와 관련된 글로 한정하여 세 개의 제시문을 골랐다. 이 가운데 (마)와 (바)는 언어의 다양성과 단일성을 모두 포함하면서도, 이 둘의 관계에 대해서는 다른 관점을 보여주는 글이고, (사)는 다양성을 주장하는 글이다. 세 개 제시문의 내용을 이해하고, 각 제시문이 어떤 관점을 가지고 있음을 파악할 수 있어야 한다. 그리고 다양성을 주장하고 있는 (사)의 관점으로 (마)와 (바) 제시문 각각을 평가하도록 함으로써 제시문에 나타난 관점을 이해하고 이를 바탕으로 한 평가 능력을 측정하고자 하였다.
	[문제 3]에서는 적용 능력과 추론 능력을 측정하기 위해 두 개의 그래프와 하나의 자료를 제시하고, 앞서 이해한 다양성과 단일성의 개념을 바탕으로 하여, 이를 구체적인 기업 경영에 적용하여 추론할 수 있는지를 측정하고자 하였다. <그림 1>은 다양성 관리 프로그램을 도입하였을 때와 도입하지 않았을 때의 생산성 변화와 다양성 관리 프로그램을 도입하더라도 프로그램을 실질적으로 운영하는지 형식적으로 운용하는지에 따라 달라지는 생산성의 변화를 보여주는 복합적인 그래프이다. 이에 따라 다양성 관리 프로그

기출 연도	출제 의도
	램이 도입될 때 기업의 생산성이 장기적으로 높아짐을 먼저 이해해야 하고, 프로그램을 형식적으로 운영하였을 때는 프로그램을 도입하지 않았을 때 보다 생산성이 낮아짐도 함께 이해해야 한다. <그림 2>는 다양성 관리 프로그램을 진행할 때 진행 주체에 따른 이직률의 감소 추이를 보여주고 있다. 이를 통해 중간관리자가 아닌 CEO가 직접 운영하였을 때 이직률의 감소 효과가 뚜렷함을 말할 수 있어야 하며, 이직률의 감소가 장기적인 생산성 향상과 연관되어 있음을 추론할 수 있어야 한다. 마지막으로 <자료>는 다양성 관리 프로그램이 의도한 목표와 다른, 부정적 결과를 유발할 수 있음을 보여주고 있다. 특히 다양성 관리 프로그램이 법적 분쟁의 소지를 없애는 방편으로 운영되거나 강제성을 띨 때는 프로그램에 대한 반감을 낳을 수 있고, 구성원 간의 갈등도 커질 수 있음을 말하고 있다. 위의 <그림 1>, <그림 2>와 <자료>에 대한 이해를 바탕으로, 장기적인 생산성 극대화를 위해서는 다양성 관리 프로그램을 도입하되 실질적으로 운영해야 하고, 다양성 프로그램은 CEO가 운영의 주체가 되어야 하며, 프로그램의 운영이 강제성을 띠지 않아야 함을 추론할 수 있어야 한다.
2022학년도 수시 논술 [T1]	[문제 1]은 수와 세계를 바라보는 관점을 다음 두 유형으로 구분한 후 각각의 제시문을 요약할 것을 요구하였다. 1) 수로 세계를 (모두) 표현할 수 있다고 보는 관점(수에 의한 세계의 환원 가능성) 2) 수로 표현할 수 없는 세계가 존재한다고 보는 관점 또는 수로 세계를 (모두) 표현할 수는 없다고 보는 관점(수에 의한 세계의 환원 불가능성)이 문제를 통해 제시문들로부터 '수', '수치화' 등의 핵심어를 활용하여 두 유형의 상반되는 관점을 이끌어낼 수 있는지, 그리고 제시문을 이 두 가지 유형 중 하나로 각각 구분할 수 있는지를 평가하고, 5개의 제시문을 각각 요약하게 함으로써 핵심어를 이용한 요지 파악 능력을 측정하고자 하였다.
	[문제 2]는 수치화된 데이터에 기반한 경영방식만을 추구하는 기업의 사례인 (사)와, 수치화된 데이터와 수치화할 수 없는 자료를 활용한 경영방식을 동시에 추구한 기업의 사례인 (아)의 공통점과 차이점을 비교한 후, [문제 1]에서 분류된 두 관점을 활용하여 평가하는 문제이다. (사)의 A사 사례는 수치화된 데이터에 기반한 직원관리시스템이 기업의 성과 측면에서 난관에 봉착하였을 때, 데이터를 활용한 계량화의 정도를 오히려 강화함으로서 결과적으로는 기업의 성과가 저하되었다는 점을 파악할 수 있는지 살펴보고

기출 연도	출제 의도
	자 하였다. (아)의 B사 사례는, 수치화된 데이터에 기반한 직원관리시스템이 직원의 만족도와 기업의 성과 측면에서 난관에 봉착하였을 때, 데이터에 기반한 관리 방법을 완화하고 수치화되지 않는 자료를 활용하는 관리 방법을 도입하여 계량화된 관리 방법의 문제점을 수정 보완한 결과, 기업의 성과가 향상되었다는 점을 파악할 수 있는지 살펴보고자 하였다. 이와 같은 비교를 바탕으로, [문제 1]에서 분류된 두 관점 중 수로 모든 것을 표현할 수 있다는 관점의 위험성을 이해하고, 두 관점의 적절한 균형과 조화가 필요하다는 점을 정확히 평가할 수 있는지를 살펴보고자 하였다.
	[문제 3]에서는 세 가지 보상방법(무보상, 7달러 지급, 7달러 기부)에 따른 A그룹과 B그룹의 헌혈 참여 의사 비율의 차이를 보여주는 <자료>와 자녀를 늦게 찾아가 어려움을 겪는 보육 시설의 문제를 보여주는 <보기>를 제시하였다. 이 문제는 <자료>를 정확하게 해석하고, 금전적 가치로 모든 것을 바라보는 (마)의 관점과 금전 외에 정신적 가치가 있고 이를 간과해서는 안 된다는 (바)의 관점을 적용하여, A그룹과 B그룹에서 보상 방법에 따라 헌혈 참여 의사 비율에 차이가 발생한 이유를 찾도록 하였다. A그룹은 금전적 보상이 주어졌을 때 참여 의사 비율이 높다는 점에서 (바)의 주인공처럼 행위와 의사결정 있어서 수치로 환원할 수 있는 가치(여기서는 금전적/물질적 가치)를 중시하는 그룹이고, B그룹은 금전적 보상을 하는 경우 참여 비율이 낮아졌다는 점에서 (마)의 주장처럼 행위와 의사결정에 있어 정신과 같이 수치로 환원될 수 없는 가치(여기서는 정신적 가치)를 중시하는 그룹이라는 점을 찾아내도록 하였다. <자료> 해석에서 중요한 포인트는 '7달러 기부'에서 A, B그룹 모두 참여 의사가 증가했다는 점을 어떻게 설명할 것인가이다. 이렇게 <자료>와 (마), (바)를 통해 파악한 A, B그룹의 특성을 적용하여 <보기>에서 보육 시설의 문제를 해결할 수 있는 방안을 추론하도록 하였다
2022학년도 수시 논술 [T2]	[문제 1]은 제시문 (가)를 바탕으로 제시문 (나)~(바)에 나타난 상황을 분류하고 각각의 제시문을 요약할 것을 요구하였다. 제시문 (가)에서 지식정보의 독점과 공유라는 두 가지 개념을 찾아낼 수 있는지, 나아가 (다), (라), (바)는 지식정보의 독점으로, (나), (마)는 지식정보의 공유로 구분할 수 있는지 평가하였다. 또한 다섯 개의 제시문을 핵심어를 이용해 적절하게 요약하게 함으로써 요지파악 능력을 측정하고자 하였다.

기출 연도	출제 의도
	[문제 2]는 (나), (다), (라), (사)의 제시문들을 지식발전을 촉진한 경우와 지식발전을 저해한 경우로 나누어서 비교하고, 이를 바탕으로 그 차이가 발생한 요인을 논하도록 하고 있다. 이를 통해 (나)와 (다)는 지식발전을 촉진하고, (라)와 (사)는 이를 저해한다는 비교를 할 수 있는지 살펴보고자 하였다. 지식발전에서의 차이를 만들어 내는 요인으로는 (나)는 유라시아 대륙 곳곳을 연결한 몽골제국의 도로망이 동서 문물교류와 정보공유를 촉진하여 지식발전에 기여했고, (다)는 현대화된 특허법이 발명자의 독점권을 보호함으로써 발명의 동기를 유발하여 지식발전에 기여했음이 설명되어야 한다. 반면 (라)는 수도사가 기독교적 가치를 수호하기 위해 자신의 믿음에 반하는 아리스토텔레스의 서책을 독점하여 지식발전을 저해하고, (사)는 위키피디아의 개방성이 정보의 정확성과 신뢰성을 떨어뜨려서 지식발전을 저해한다고 설명되어야 한다.
	[문제 3]은 기술 X, Y, Z의 개발 시점, 각 기술을 바탕으로 한 제품 시장의 규모, 그리고 기업별 특허 보유 현황을 보여주는 <표>와 시간에 따라 시장 규모가 변화하는 모습을 보여주는 <그림>을 통해 표를 명확히 해석하여 기술 Z를 바탕으로 한 제품 시장이 <그림>의 어떠한 구간에 있는지를 추론할 수 있는 능력을 평가하고자 하였다. 더 나아가 제시문 (마)와 (바)를 종합하여 C기업의 상황에 적절한 성장 전략을 추론할 수 있는 능력까지 추가적으로 평가하고자 하였다. 우선 <표>의 기술 Z는 X와 Y에 비해 최근에 개발되었고, 시장 규모도 매우 작기 때문에 <그림>의 (1)구간에 해당한다고 추론할 수 있어야 한다. (마)는 기업이 시장 태동기에 시장의 규모를 확대시켜 장기적인 성장을 추구하기 위해 자신들이 보유한 신기술을 다른 기업들과 공유하고 있고, (바)는 기업이 시장 태동기에 우수한 기술을 보유했음에도 불구하고 독점만하다가 시장을 키우지 못하고 실패한 사례를 보여준다. 이를 종합하면 시장 태동기에는 독점적 신기술을 다른 기업들과 공유하여 시장 규모를 확대하는 것이 바람직한 기업 성장 전략임을 알 수 있다. 따라서 시장 태동기인 (1)구간에 해당하는 기술 Z를 독점적으로 보유하고 있는 C 기업은 이를 다른 기업들과 공유하여 시장 규모의 확대를 도모하는 것이 가장 적절한 성장 전략이라고 추론할 수 있어야 한다.
	[문제 1]은 제시문을 읽은 후, 어떤 행위를 행하는 동기나 목적의 관점에서 우선시되는 것을 둘로 분류하고 각각의 제시문을 요약할 것을 요구한다. 제시문을 '공익/ 공동체의 이익'과 '사익/ 개인의 이

기출 연도	출제 의도
2022학년도 수시 논술 [T3]	익'이라는 핵심어로 분류하고, 둘 중 어느 쪽을 우선시/중요시 하느냐에 따라 각 제시문을 구분할 수 있는지를 평가하고자 하였다. 또한 다섯 개의 제시문을 각각 요약하게 함으로써 핵심어 또는 핵심어가 담고 있는 의미를 이용한 요지 파악 능력을 측정하고자 하였다.
	[문제 2]는 추가 지문 (사)와 (아)의 사례를 통해 앞의 [문제 1]에서 분류된 '공익 우선'과 '사익 우선' 입장의 부작용과 한계를 구체적으로 파악하여 지적하고, 이를 바탕으로 (마)와 (바)의 주장을 비판적으로 평가하는 능력을 측정하는 것을 목표로 한다. 문제의 해결을 위한 단계는 아래와 같다. 첫째, (사), (아)에서 나타난 문제점을 파악해야 한다. (사)는 전쟁의 승리라는 국가/공동체의 이익을 위해 병사 개인을 그의 의도와 상관없이 죽음에 이르게 한 사례이다. 이로부터 사익을 무시하고 공익만을 추구할 때 개인의 희생이라는 문제가 생길 수 있다는 요지를 파악해야 한다. 반면에 (아)는 개인들이 모두 자신의 사익만을 추구해 키우는 소의 숫자를 늘리다 보니 공유지가 황폐해져 더 이상 소를 키울 수 없게 된 사례이다. 이로부터 공익을 고려하지 않고 사익만을 추구할 때 공동체 전체가 피해를 입는 문제가 생길 수 있다는 요지를 파악해야 한다. 둘째, (마)와 (바)의 입장과 요지를 파악해야 한다. (마)는 각각의 개인은 오직 사익만을 추구할 뿐 공익 증진을 의도하지 않으며, 각각의 개인이 사익을 충실히 추구했을 때 공익(사회 전체의 이익) 증진을 의도한 경우보다 그것을 더 효과적으로 증진시킬 수 있다고 주장한다. 즉, 사익의 극대화가 공익의 극대화에 기여한다는 주장이다. (바)는 '최대 다수의 최대의 행복'을 추구하는 공리주의적 입장으로 전체 가치의 증대, 즉 다수의 이익 증진이라는 명분이 있다면 소수에 대한 고려가 없는 것은 크게 문제되지 않는다는 입장이다. 즉, 공익의 극대화라는 목표에 비하면 사익의 문제는 중요한 것이 아니라는 주장이다. 셋째, (사)와 (아)의 사례에서 도출한 내용과 (마)와 (바)의 입장을 논리적 정합성에 따라 연결하여 (사)를 근거로 (바)를, (아)를 근거로 (마)를 평가해야 한다. 즉, 다수의 이익 증진이라는 명분에 따라 개인이 희생된 사례인 (사)에 비추어 공익의 추구가 과연 사익의 희생을 정당화할 수 있는가라는 점에서 (바)를 비판적으로 평가하고, 개인의 이익 극대화가 공동체 전체의 이익을 가져오지 않은 사례인 (아)에 비추어 사익을 극대화하면 사회 전체의 이익

기출 연도	출제 의도
	역시 극대화된다는 (마)의 입장을 비판적으로 평가해야 한다.
	[문제 3]은 영어 지문에서 제시된 '코브라 효과'로 알려진 정책 실패의 사례를 [문제 1]의 두 유형의 관점에서 분석하고 제시문 (다)에 비추어 이러한 정책 실패에 하나의 요인을 제공한 코브라 농부에게 조언할 수 있는 바를 추론하는 문제다. 추론 과정에서 제시문 (다)를 활용해야 함을 명시함으로써 응시자들의 개인적인 의견에 따른 결론이 아니라 정해진 하나의 결론으로 추론을 진행해 나갈 수 있도록 하였다. 이 문제에 대한 답안을 작성하기 위해서는 다음과 같은 여러 과정들이 적절히, 그리고 유기적으로 이루어져야 한다. 첫째, 주어진 영어 지문을 정확하게 해석하고, 그 요지를 파악해야 한다. 둘째, 정책 입안자(델리 정부)와 정책 대상자(델리 시민)의 행동 의도와 목적, 그리고 그 결과를 [문제 1]에서 분류한 두 유형, 즉 공익과 사익의 관점에서 구분하여 논리적으로 기술해야 한다. 즉, 정책 입안자의 입장에서 공익 증진을 위해 사익을 이용하는 방식으로 시행한 정책이 정책 대상자의 과도한 사익 추구로 인해 결과적으로 공익이 더 크게 훼손되는 것으로 이어졌다는 사실을 정확하게 이해하여야만 한다. 셋째, 제도 시행 초기에는 포상금 지급을 통해 효과적으로 코브라 개체 수를 줄일 수 있었다는 점에 착안해 공익과 사익이 전적으로 배치되거나 충돌하는 개념이 아니라 공동체의 안녕을 위해서는 둘 사이의 적절한 균형과 조화가 필요하다는 사실을 파악해야 한다. 넷째, 제시문 <다>의 요지를 정확히 파악하고 <다>에 제시된 여러 내용 중에서 정책 실패의 요인을 제공한 코브라 농부에게 대입 가능한 요소를 정확히 찾아내어 그로부터 유효한 조언을 적절하게 이끌어내는 것이 중요하다.
2022학년도 수시 논술 [T5]	[문제 1]은 (가)를 바탕으로 (나)~(바) 지문에 나타난 주체들을 두 유형으로 분류하고 행동 특성을 요약하는 문제로 (가)지문에서 제시된 햄릿형 인간과 돈키호테형 인간이 지닌 특성을 바탕으로 (나)~(바) 지문의 주체들을 햄릿형과 돈키호테형으로 분류할 수 있는지를 묻는 문제이다. 그리고 분류와 더불어 분류 기준과 관련된 각 주체들의 특성을 제시할 것을 요구하는 문제이다.
	[문제 2]는 (A)와 (B) 상이한 두 입장을 비교하고, 제시문 (다)의 관점을 기준으로 (A)를 평가하는 문제이다. (A)의 마크 군터는 기후 위기와 관련한 급진적이고 과감한 해결책을 제시하고 있고,

기출 연도	출제 의도
	(B)의 개도국들은 기후 위기와 관련한 현실적이고 신중한 접근법을 주장하고 있다. (다)의 관점은 오랑캐의 침입을 막기 위해, 청렴하고 신중하며, 공격과 수비를 신중하게 결정하며, 기미에 맞게 신중하게 대처하는 인물을 천거해야 한다는 것으로 신중한 태도를 강조하고 있다. 이 입장에서는 마크군터의 급진적이며 과감한 해결책과 관련하여 신중하게 생각하여 결정하고 상황에 맞게 대처할 필요가 있다는 평가를 내릴 수 있다.
	[문제 3]은 제시된 영어 지문을 번역하여 논지를 요약하고 (마)와 (바)의 주체들에게 필요한 행동 전략을 추론하는 문제이다. 영어 지문에 따르면 정부가 어떤 문제를 해결하고자 할 때 점진적 변화와 급진적 변화 가운데 어느 하나만 고수할 것이 아니라, 사고의 틀을 깨고 유연한 전략을 활용하는 것이 중요하다. 따라서 정책결정자가 상황을 신중하게 파악하고 점진적이면서도 급진적인 변화를 함께 가져올 수 있는 전략을 고민해야 한다는 것이다. 이러한 관점을 통해 (마)와 (바)의 밑줄 친 주체들에게도 신중함과 결행력 두 가지를 모두 겸비한 행동 전략이 필요함을 추론할 수 있다. 이처럼 이 문제는 제 상반되는 두 관점을 조화시키는 관점을 바탕으로 창의적인 해결책을 추론할 수 있는 능력을 묻는 문제이다.
2021학년도 수시 논술 [T1]	[문제 1]은 제시문 (가)부터 (마)까지의 5개 제시문을 읽은 후, 갈등해결을 위한 서로 다른 두 유형의 방법인 '법/규정'과 '대화/협상/토론'을 대비시켜 제시문들을 둘로 분류하고 각각의 제시문을 요약할 것을 요구하였다. 제시문들로부터 '법/규정', '대화/협상/토론'의 두 유형의 상반되는 핵심어를 이끌어낼 수 있는지, 그리고 이 두 가지 유형 중 하나로 각 제시문을 구분할 수 있는지를 평가하고자 하였다. 또한 5개의 제시문을 각각 요약하게 함으로써 핵심어를 이용한 요지파악 능력을 측정하고자 하였다.
	[문제 2]는 법에 의한 해결방법의 한계를 설명하는 (바)와 대화를 통한 해결방법의 한계를 나타내는 (사)의 내용을 이해하고, 이를 바탕으로 (나)와 (라)의 예시가 제시하고 있는 문제점을 비판하는 문제이다. (라)의 메시의 사례는 법으로만 해결하려는 경우, 법의 구성요건의 범위에 따라 다른 갈등을 야기할 수 있으며, 정치, 사회, 문화, 경제적 배경을 고려하지 않은 획일적인 규제는 갈등을 해결하는데 한계가 있음을 비판할 수 있는 지를 살펴보고자 하였다. 또한 (나)의 사례처럼 대화를 통한 해결만을 강조할 때, 실제로는 갈등이 해소되지 않고, 시간이 많이 소요되어 효율이 떨어질 뿐 아니라 갈등해결에 어려움이 있음을 비판할 수 있는지 살펴보

기출 연도	출제 의도
	고자 하였다. 이와 같은 설명을 바탕으로, (바)에 나타난 법에 의한 해결의 한계를 (라)의 예와 묶어서 비판하고, (사)에 나타난 대화에 의한 해결의 한계를 (나)와 묶어서 정확히 평가할 수 있는지를 살펴보고자 하였다.
	[문제 3]은 시간 경과에 따른 A기업과 B기업의 성과변화를 보여주는 <그림>을 통해, 그래프를 명확히 해석하고 (다), (바), (사)를 바탕으로 기업 간 차이의 원인을 추론할 수 있는 능력을 평가하고자 하였다. A기업은 초기에 성과가 빠르게 상승하지만 시간이 지날수록 성과의 상승이 더디어지고 B기업은 성과 개선이 A기업보다 느리지만 어느 정도 시간이 흐른 후에는 성과가 빠르게 개선되어 결국에는 A기업보다 더 좋은 성과를 내고 있다. (다), (바), (사)에서 제시된 서로 다른 갈등해결 방식에 대한 설명을 바탕으로 왜 A기업은 '법'을 통한 갈등해결을, 그리고 B기업은 '대화'를 통한 갈등해결을 활용하고 있는지 원인을 추론할 수 있어야 한다.
2021학년도 수시 논술 [T2]	[문제 1]은 제시문 (가)~(바)를 읽은 후, 상이한 선택유형을 두 가지로 분류하고 각각의 제시문을 요약할 것을 요구하였다. 제시문에서 보존과 성장이라는 두 가지 유형을 찾아낼 수 있는지, 나아가 (가), (다), (바)는 보존으로, (나), (라), (마)는 성장으로 구분할 수 있는지 평가하고자 하였다. 또한 여섯 개의 제시문을 핵심어를 이용해 적절하게 요약하게 함으로써 글을 압축적으로 이해할 수 있는 능력을 측정하고자 하였다.
	[문제 2]는 대립되는 두 가지 현상인 보존과 성장을 통합적으로 활용하여 양자의 장점을 취하면서, 한쪽에 치우칠 때 발생하는 문제점을 포착하고 이를 서술할 수 있는지 살펴보고자 하였다. 제시문 (사)에서 전통문화를 소개하며 관광산업을 활성화한 '한국의 리듬을 느껴보세요' 홍보 시리즈를 통해 보존과 성장이 통합되는 사례를 제시하여, 제시문 (나)의 물질적 성장에 치우친 생태위협과 (다)의 근대화를 지연시킨 문제점을 논하는 것을 평가하고자 하였다. 제시문 (사)에 비추어 보면, 먼저 제시문 (나)에서는 현재 인류는 자원고갈 및 환경오염 같은 심각한 생태적 위협에 직면했고 이는 지구생태용량 초과의 날이 점점 빨라지는 것에서도 드러나는바, 자연을 보존하며 공생하는 방향으로 성장 방식을 바꿔야 한다는 설명을 포함시켜야 한다. 그리고 (다)는 조선 문물의 보존에 치우쳐 대외 교류를 거부함으로써 결국 현실을 간과하고 외래문화와의 조화도 이루지 못한 예로 비판 가능하다.
	[문제 3]은 우리가 상식적으로 가질 수 있는 '성취추구형 기업의

기출 연도	출제 의도
	R&D 투자 성향이 높고 안정추구형의 경우에는 낮을 것'이라는 생각을 벗어나는 <그림>을 제시하고 그래프를 해석하고 내용의 발생요인을 주어진 제시문의 정보를 통해서 추론하는 것을 묻고자 하였다. 성취추구형 A 및 안정추구형 B 라는 두가지 기업가 마인드와 R&D 투자 성향에 대한 <그림>의 내용을 해석하고, <그림>에 나타난 현상의 원인을 [문제 1]의 두 가지 선택유형 및 제시문(바)에 근거하여 추론할 수 있는지를 평가하고자 하였다. (바)가 제시하듯, 스타트업 기업은 성장을 위해 R&D에 투자하고 있으며, 장수기업은 전통의 유지를 위해서 투자를 하고 있다. 그런데 장수기업의 투자가 더욱 많은 요인은 기업의 전통 보존을 위한 투자는 단순히 성장을 위한 투자보다 더욱 많은 노력과 투자를 필요로 하는 것이기 때문이라는 것을 추론할 수 있다. 브랜드 가치 보존을 위한 투자는 성장을 위한 투자 보다 상대적으로 더 많은 R&D 투자가 필요함을 시사한다. 성취추구형 A 및 안정추구형 B 두 그룹 간 투자 성향 차이의 요인을 주어진 제시문 내용을 활용하여 추론하는 것을 평가하고자 하였다.
2021학년도 수시 논술 [T3]	[문제 1]은 제시문 (나)부터 (바)까지를 읽은 후, 개방과 폐쇄의 두 입장과 각각의 긍정과 부정으로 분류하고 제시문을 요약할 것을 요구하였다. 제시문에서 개방과 폐쇄라는 두 가지 핵심어를 찾아낼 수 있는지, 그리고 개방의 긍정을 (라), 부정을 (나), (마)로, 폐쇄의 긍정을 (바), 부정을 (다)로 구분할 수 있는지를 평가하고자 하였다. 또한 제시문을 핵심어를 이용해 적절하게 요약하게 함으로써 글을 압축적으로 이해할 수 있는 능력을 보고자 하였다.
	[문제 2]는 제시문 (가)에서 개방과 폐쇄의 긍정적 측면을 제시하고, 제시문 (나)와 (다)에서 설명하고 있는 누리 소통망 관련 개방의 문제와 폐쇄적 계층 구조의 문제점을 각각 논하는 것을 의도하였다. 제시문 (가)에 비추어 제시문 (나)에서는 누리 소통망의 보편화가 이용자 간의 자유로운 의사소통과 정보공유를 가능하게 하는 긍정적 측면이 있다고 비판하고, 타인의 승인에 대한 강박을 모든 사람이 드러내는 것은 아니라고 비판할 수 있다. (다)에서 비판하는 폐쇄적 계층구조의 경우에도 노블레스 오블리주와 같은 고위층의 도덕적 의무의 긍정적인 측면을 가지고 비판하는 것을 설명해야 한다.
	[문제 3]은 <그림>에 따라 모바일 앱마켓 시장점유율이 가장 높은 A사가 4년 뒤 가장 낮은 점유율을 보여주며, 시장점유율이 가장 낮은 C사가 같은 기간 시장점유율이 증가하여 가장 높은 점유

기출 연도	출제 의도
	율을 갖는다는 내용을 분석해야 한다. (사) 제시문에서 H사가 폐쇄형 플랫폼에서 개방형으로 전환하면서, 상당한 혁신과 성장의 기반을 마련하였고, 이는 매출 증가와 수익 창출로 이어졌으며, 결과적으로 모바일 앱마켓의 시장점유율이 높아졌다는 사실을 이해하고 <그림>에 적용할 수 있어야 한다. <그림>에서 C사가 폐쇄형 플랫폼에서 개방형으로 전환하였거나 개방형 플랫폼을 계속 유지하였다는 것을 추론해야 하고, A사의 경우 폐쇄형 플랫폼을 유지하였거나 혹은 개방형에서 폐쇄형으로 전환했을 경우 시장점유율이 지속적으로 감소했다는 내용을 추론해야 한다. 수험생이 주어진 <그림>에 나타난 결과를 해석하고 그것의 원인을 제시문을 통해 추론할 수 있는지 평가하고자 하였다.
2021학년도 수시 논술 [일요일 T1]	[문제 1]은 제시문 (가)부터 (마)까지의 5개 제시문을 읽은 후, 의사결정 시 고려할 서로 다른 두 유형의 가치인 '효율성'과 '안전성' 따라 둘로 분류하고 각각의 제시문을 요약할 것을 요구하였다. 제시문들로부터 '효율성', '안전성'의 두 핵심어를 이끌어낼 수 있는지, 그리고 이 두 가지 유형 중 하나로 각 제시문을 구분할 수 있는지를 평가하고자 하였다. 또한 5개의 제시문을 각각 요약하게 함으로써 핵심어를 이용한 요지파악 능력을 측정하고자 하였다.
	[문제 2]는 [문제 1]의 두 입장인 '효율성 추구'과 '안전성 추구'에 대한 부작용과 한계를 제시문 (바)와 (사)를 통해 구체적으로 파악하여 지적하고, 제시문 (아)의 논지를 바탕으로 그 부작용과 한계를 보완하는 능력을 측정한다. 첫째, 제시문 (바), (사)에서 나타난 문제점을 파악해야 한다. (바) 는 지나치게 안전을 추구하여 정작 본연의 임무를 수행할 수 없는 회사의 상황을 풍자적으로 묘사한 삽화이다. 이 삽화를 통해 지나치게 안전성을 강조하면 문제가 발생할 수 있다는 요지를 파악해야만 한다. 반면에, 제시문 (사)는 인공지능 배차 방식을 도입하여 지나치게 효율성을 추구하여 배달원의 안전이 위협받는 상황을 제시한 글이다. 이 글에서 지나치게 효율성을 도입하였을 때의 문제를 파악해야만 한다. 둘째, 제시문 (아)의 요지를 파악해야 한다. 즉, 편중된 투자는 위험성이 커지므로 여러 상품을 섞어서 투자 포트폴리오를 만들어야 한다는 내용을 통해 한쪽으로 과다하게 치우치지 않고, 적당한 조정이 필요함을 파악해야 한다. 마지막으로 이러한 내용과 논리를 체계적으로 연계하여 '효율성'과 '안전성'을 동시에 고려하여야 한다는 결론을 내리게 되면 무난하게 이 문항을 해결할 수 있다.

기출 연도	출제 의도
	[문제 3]에서는 첫째, 문항에서 주어진 두 대립적인 선택, 즉, A국이 코로나19 백신을 '자체 생산'할 것인지 '전량 수입'할 것인지에 대한 선택 사항에 대한 이해가 있어야 한다. 특히, 두 방법을 모두 사용한다는 선택지가 없다는 것에 주의하여야 한다. 둘째, (사)의 문제점인 '과도한 효율성'의 부작용을 파악하여야 한다. 이 과정은 [문제 2]에서도 진행되었으므로 큰 어려움은 없을 것이다. 셋째, <보기>에 나타난 '자원 무기화의 우려'가 있으므로 '효율성'을 포기하더라도 '안전성'을 추구해야 한다는 요지를 정확히 파악하여야 한다. 넷째, 결론적으로 문항에서 주어진 '안전성'을 중시한 선택사항인 '자체 생산'으로 결론을 유추해야 한다.
2021학년도 수시 논술 [일요일 T2]	[문제 1]은 제시문에서 '선별', '보편'의 두 핵심어를 도출할 수 있는지, 그리고 이 두 가지 유형 중 하나로 각 제시문을 구분할 수 있는지를 평가하고자 하였다. 또한 6개의 제시문을 각각 요약하게 함으로써 핵심어를 이용한 요지 파악 능력을 측정하고자 하였다.
	[문제 2]는 추가 제시문 (사)를 읽은 후 그 내용을 바탕으로 (라)와 (바)를 비판·평가하는 문제다. (사)는 백화점의 획일화 및 일관된 브랜드 이미지 제공이란 기존전략이, 같은 백화점의 동일 브랜드 매장이라도 매장 위치와 소비자층에 따라 달라지는 시장세분화 전략으로 대체되고 있다는 내용이다. 이러한 내용을 '선별'의 긍정적 활용으로 파악한 후, (라)에 드러난 보편 원칙의 부정적 측면과 (바)에 나타난 성공적 선별 정책을 각각 비판적, 긍정적으로 평가할 수 있어야 한다. 우선 (라)의 교복제도가 개성·취향 무시, 획일화, 창의력 발전 저해 같은 단점을 갖고 있어 4차 산업혁명 시대에 필요한 인재육성에 도움이 안 된다는 점을 (사)에 제시된 선별을 통한 효과의 결여 측면에서 비판할 수 있는지 보려 하였다. 또한, 선별해서 집중 육성하는 엘리트스포츠를 다룬 (바)가 (사)의 사례처럼 선별을 택해 국가 스포츠 수준 제고, 국위선양, 경제적 효과, 코리아 브랜드 홍보 효과로 이어져 이윤창출 효과를 극대화했음을 서술할 수 있는지 평가하도록 하였다.
	[문제 3]에서는 답이 세 가지 요소로 이루어지게 함으로써 논리의 흐름이 자연스럽고 유기적으로 짜인 답을 쓸 수 있는지 평가한다. 첫째, 추가 제시문 (아)의 필터버블 현상을 이해하고 있음이 답에 드러나야 한다. 둘째, 지적고립 현상인 필터버블이 편향된 정보 제공에서 발생하는 것임에 착안해 [문제 1]의 두 입장 중 선별의 결과임을 추론할 수 있어야 한다. 마지막으로 (마)가 한글 창제 배경, 즉 백성이 보편적으로 사용할 수 있는 문자가 있어야 한다는

기출 연도	출제 의도
	세종의 신념, 여러 나라의 소리와 문자를 모으고 참조하는 과정, 그리고 상반되는 여러 의견을 경청하며 편향된 의견에 고립되지 않으려는 균형적인 자세에 관한 것이었음을 이해하고, 이러한 자세를 적용함으로써 지적 고립 현상인 필터버블에서 벗어날 수 있음을 추론해야 한다. 이 세 가지 내용이 순서대로 적절한 분량으로 기술되어야 하며, 정확한 독해를 통해 추출된 영어지문 (아)의 핵심어 및 (마)의 핵심어가 적절하고도 충분하게 인용되었는지 함께 평가하려는 것이 필요하다.
2021학년도 수시 논술 [일요일 T3]	[문제 1]은 (가)의 제시문으로부터 '전통'과 '창조'라는 두 핵심어를 이끌어낼 수 있는지, 그리고 이 상반된 두 가지 핵심어를 기준으로 긍정적 견해와 부정적 견해의 두 가지 입장으로 각 제시문을 구분할 수 있는지를 평가하고자 하였다. 또한 5개의 제시문을 각각 요약하게 함으로써 글의 요지 파악 능력을 측정하고자 하였다.
	[문제 2]는 먼저 <보기>의 주요 논지를 파악하여 이를 근거로 [문제 1]에 나타난 두 유형 중 '창조의 긍정적 효과'와 연결시키는 논리적 연계를 끌어내어 (라)를 비판적으로 평가·기술할 수 있는 능력을 측정한다. 첫째, 우리 사회의 발전과 관련하여 창조가 중요하다는 것과 그것의 결과가 항상 긍정적이라는 것을 설명하는 <보기>의 논지를 정확히 파악해야 하고, 둘째, 이를 '창조의 긍정적 효과'와 연계해야 하며, 셋째, '창조의 부정적 효과'에 대한 견해를 밝히는 제시문 (라)를 비판적으로 평가하는지에 대해 측정하고자 하였다. 특히, <보기>에서 주요 논지의 단서 형식으로 나타난 문장들을 이해하고 이를 바탕으로 (라)의 의견을 비판적으로 적절히 평가할 수 있는 능력을 측정하고자 하였다.
	[문제 3]은 먼저 [문제 1]의 핵심어 '전통'과 '창조'를 파악하여 이를 바탕으로 (나)에 제시된 <그림 2>를 좋은 작품으로 평가할 수 있는 근거를 구체화시켜 적용·추론하는 능력을 평가한다. '창조의 긍정적 효과'에 대한 견해를 밝히는 제시문 (바)는 김만중의 『서포만필』의 한 부분으로, 정철의 가사를 두 가지 측면에서 긍정적으로 높이 평가하고 있다. 첫째, '그가 우리말에 대한 이해도가 매우 높다는 점', 둘째, '그가 우리말의 맛을 잘 살려 창조적으로 글을 썼다는 점', 두 가지를 적용하여 피카소의 <그림 2>『수탉』이 좋은 작품으로 평가될 수 있는 이유를 추론하는 능력을 측정하고자 했다. 첫째, (나)의 제시문에서 <그림 2>의 가치를 평가할 수 있는 근거가 무엇인지를 핵심어 '창조'를 중심으로 요약하고, 둘째, (바)에서 김만중이 정철의 가사를 높이 평가한 이유가 각각 '우리말에

기출 연도	출제 의도
	대한 이해도가 매우 높다는 점'과 '우리말의 맛을 잘 살려 창조적으로 글을 썼다'는 점을 파악하고 그 요지를 적절한 분량으로 기술한 뒤, 셋째, (나)에 제시된 피카소의 <그림 2>가 두 조건에 모두 충족하고 있음을 자연스런 연결어, 유사어 등을 사용하여 연계·기술하여야 한다.
2020학년도 수시 논술 [사회계 T1]	[문제 1]은 제시문에서 융복합과 전문화라는 두 가지 접근 방법을 찾아낼 수 있는지, 나아가 (가), (다), (바)는 융복합으로, (나), (라), (마)는 전문화로 구분할 수 있는지 평가하였다. 또한 여섯 개의 제시문을 핵심어를 이용해 적절하게 요약하게 함으로써 글을 압축적으로 이해할 수 있는 능력을 보고자 하였다.
	[문제 2]는 제시문 (사)에서 전문화에 바탕을 둔 다양한 학문들의 참여로 문제가 해결되고 혁신이 가속화되는 긍정적인 융복합의 사례로서 인공지능의 발전을 제시하고, 제시문 (다)와 (마)에서 설명하고 있는 과도한 융복합의 강조나 협소한 전문화의 문제점을 각각 논하는 것을 의도하였다. 제시문 (사)에 비추어 제시문 (다)에서는 전문화를 결여한 융복합 교육의 문제점을 지적한다. 결국 전문화에 기반을 두지 않은 융복합으로부터는 혁신적인 문제 해결을 기대할 수 없다는 설명을 포함시켜야 한다. (마)는 지나친 전문화의 문제점에 대해서 논의한다. 정보화 시대에 사람들이 자신의 관심 영역에만 집중하고 다른 분야와의 관련성이나 통합 지식을 잃어버리는 전자봉건주의 사례를 예로 들면서, (사)에 나타난 융복합의 장점, 즉 혁신과 문제 해결의 모습이 (마)에서는 나타나지 않음을 설명해야 한다.
	[문제 3]은 팀 프로젝트 참여자의 전공 다양성과 그에 따른 수익의 관계에 대한 <그림>의 결과를 해석하고, <그림>에 나타난 결과의 원인을 제시문 (가) 및 [문제 1]을 통해 파악한 두 가지 접근 방법에 근거하여 추론할 수 있는지를 평가하고자 하였다. <그림>의 가로축은 팀 프로젝트 참여자의 전공 다양성을 '단일 전공'인 A팀과 '다양한 전공'인 B, C팀으로 나누어 제시한다. [문제 1]의 두 가지 접근 방법을 고려할 때, A팀은 전문화 중심의 접근 방법에, B, C팀은 융복합 중심의 접근 방법에 해당함을 추론할 수 있다. B, C팀의 수익이 A팀에 비해 높으며 B팀의 수익이 C팀에 비해 높다는 점을 통해, 융복합 중심의 접근 방법이 전문화 중심의 접근 방법보다 더 높은 수익을 가져온 이유와 융복합 중심의 접근 방법에서도 수익의 차이를 가져오는 이유를 추론해야 함을 알 수 있다.

기출 연도	출제 의도
2020학년도 수시 논술 [사회계 T2]	[문제 1]은 제시문에서 자기애와 이타심이란 두 가지 입장을 읽어낼 수 있는지, 나아가 (가), (나), (라)는 자기애로, (다), (마)는 이타심으로 구분할 수 있는지 평가하였다. 추가하여 각각의 개념에서 모두 긍정적 측면과 부정적 측면이 있음을 파악하는지 평가하였다. 또한, 다섯 개의 제시문을 각각 요약하게 함으로써 핵심어를 이용한 요약 능력도 보고자 하였다.
	[문제2]는 '자기준거적 이타심'에 관한 글인 (바)를 이해하고, 이를 바탕으로 (나)와 (다)에 나타난 문제점을 논하는 문제이다. (바)는 진정한 자기애란 자신을 객관적으로 보고, 있는 그대로의 나를 받아들이며, 자신이 소중한 만큼 타인도 소중함을 깨달을 때 공감 능력이 생겨나고 진정한 이타심이 가능함을 역설하고 있다. 이러한 (바)의 관점에서 (나)의 자기애성 성격 장애자의 왜곡된 자기애와 공감 능력 부재라는 문제를 밝히고, (다)에서 지나친 이타심으로 희생되는 개인의 문제를 논함으로써, 지나친 자기애와 이타심의 폐해를 정확히 짚어내는지 평가하고자 하였다.
	[문제 3]은 한 회사의 두 가지 투자 형태에 따른 이익 변화를 보여주고 있다. 다른 형태의 두 그래프를 명확하게 해석하고 (마)를 바탕으로 변화의 원인을 추론할 수 있는 능력을 평가하고자 하였다. 그래프에는 T 시점을 기준으로 두 그래프 간의 이익이 교차하게 된다. 회사 내 투자만 했을 경우와 회사 내 투자와 사회적 투자를 병행했을 때의 수익 변화를 통해 단기적 그리고 장기적 관점에서 이익에 차이가 있음을 인지하고 서술하여야 한다. 특히 시간에 따른 기울기 변화(이익률)를 인지하고 장기적으로 봤을 때 회사 내 투자와 사회적 투자를 병행하는 것이 바람직함을 해석할 수 있어야 한다. 또한 이익 변화의 요인을 (마)를 바탕으로 추론할 수 있어야 한다.
2020학년도 수시 논술 [인문계 T3]	[문제 1]은 제시문들로부터 '혁신적 변화', '점진적 변화'의 두 핵심어를 끌어낼 수 있는지, 그리고 이 두 가지 유형 중 하나로 각 제시문을 구분할 수 있는지를 평가하고자 하였다. 또한 4개의 제시문을 각각 요약하게 함으로써 핵심어를 이용한 요지 파악 능력을 측정하고자 하였다.
	[문제 2]는 먼저 제시문 (마)의 주요 논지를 파악하여 이를 근거로 [문제 1]에 나타난 두 유형 중 한쪽인 '혁신'의 개념과 연결하는 논리적 연계를 끌어내고, 영어제시문인 (나)에 적용시켜 평가해서 기술할 수 있는 능력을 측정한다. 첫째, '기업의 생존을 위해 변화하는 시장에 혁신적으로 대처해야 한다.'라는 (마)의 논지를 정확히 파악해야 하고, 둘째, 이를 '혁신'의 키워드와 연계해야 하며,

기출 연도	출제 의도
	셋째, '혁신'과 반대인 '개선'의 입장을 나타내는 영어제시문 (나)와의 연계 기술 방안을 마련해야 하는 복합적인 논리구조를 정확히 파악하는 지에 대한 측정이 핵심이다. 특히, (마)에서 주요 논지의 단서 형식으로 나타난 마지막 문장을 이해하고 이를 (나)의 논지와 연결하는 서술을 적절히 할 수 있어야 올바른 답안 작성이 가능하므로 이 부분의 측정이 변별력을 가져오도록 구성하였다.
	[문제 3]에서는 (다)에 기술된 '기업가 정신'의 개념을 정확히 파악하고, 이 '정신'을 구현하기 위한 내적인 조건과 외적인 조건을 구체화시켜 기술하는 능력을 평가한다. 이때, 구체적인 내적·외적 조건을 가져올 수 있도록 추가 제시문 (바)와 (사)를 제공하여 그 내용을 한정시킬 수 있게 하였다. 즉, (바)에서 기술된 '시야/관점의 전환'이 내적 조건, (사)에서 기술된 '규제 철폐' 등의 논지가 외적 조건을 구성하며 이를 적용하여야만 '기업가 정신'을 발현하고 진정한 혁신을 이룰 수 있다는 추론을 하는 능력의 측정이 핵심이다. 즉, 이 문제의 답을 올바르게 작성하기 위해서는 다음과 같은 여러 가지 과정이 적절히, 그리고 유기적으로 진행되어야 한다. 첫째, (다)의 제시문에서 '기업가 정신'이 무엇인지를 '혁신' 등의 핵심어를 중심으로 요약. 둘째, (바)와 (사)에서 내적·외적 조건이 각각 '시야 / 관점의 전환', '규제 철폐'임을 파악하고 그 요지를 적절한 분량으로 기술, 셋째, (다)에 나타난 '기업가 정신'을 위해서는 두 조건이 충족되어야 함을 자연스러운 연결어, 유사어 등을 사용하여 연계·기술 등이다.
2020학년도 수시논술 [인문계 T4]	[문제 1]은 '법/규칙의 엄격한 적용'에 관한 제시문들을 둘로 분류하고 각각의 제시문을 요약할 것을 요구하였다. 제시문들로부터 '긍정적인 결과', '부정적인 결과'의 두 핵심어를 이끌어낼 수 있는지, 그리고 이 두 가지 유형 중 하나로 각 제시문을 구분할 수 있는지를 평가하고자 하였다. 또한 5개의 제시문을 각각 요약하게 함으로써 핵심어를 이용한 요지파악 능력을 측정하고자 하였다.
	[문제 2]는 영어 제시문 (바)에 나타난 두 가지 대조적인 입장을 바탕으로, 제시문 (라)에 주어진 대화를 이끌어가는 주체인 '심사관'의 행위를 적절히, 구체적으로 평가해서 기술할 수 있는 능력을 측정한다. 제시문 (바)에 나타난 첫 번째 입장은 '거짓말은 상황을 막론하고 허용불가'라는 원칙의 고수이며 이는 규칙의 엄정한 적용의 필요성으로 연결된다. 이와 대조적으로 두 번째 입장은 '거짓말은 결과에 따라 허용될 수 있다'는 공리주의적 입장이며 규칙·규정 적용의 유연성으로 연결된다. 규정을 결과에 상관없이 엄격하게 적

기출 연도	출제 의도
	용한 (라)의 '심사관'을 첫 번째 입장에서 판단할 경우 정당성이 인정되지만, 결과의 중요성을 중요시하는 두 번째 입장을 기준으로 판단할 경우 부정적인 평가를 받게 되는 내용으로 기술할 수 있는 지를 측정하는 것이다.
	[문제 3]에서는 추가로 주어진 지문에 주어진 문제를 해소하는 방안을 여러 제시문의 개념과, (사)의 주요 논지를 이용해서 찾아낼 수 있는 지를 측정하고자 한다. (사)의 핵심적인 내용인 '화쟁'사상 즉, 다양한 주장을 서로 존중하면 조화가 이뤄진다는 개념을 이해하고 도입, 적용하여야만 좋은 추론을 할 수 있다. 즉, 이 문제의 답을 적절히 작성하기 위해서는 다음과 같은 여러 가지 과정이 적절히, 그리고 유기적으로 진행되어야 한다. 첫째, '박 부사장의 징계필요성과 회사의 존립'이 상치되는, 추가로 주어진 지문의 문제를 정확히 파악, 둘째, 제시문 (가) ~ (바)의 분류와 요지 파악을 통해 규칙의 '엄격한 적용', '유연한 적용'의 개념을 이해, 셋째, (사)의 요지인 '화쟁'사상의 적절한 파악과 핵심 내용의 요약, 넷째, 화쟁의 사상을 문제에 적용시켜 문제의 해결 방안을 기술 등이다.

III. 논술이란?

3. 논술이란?

1) 논술이란?

어떤 문제에 대해 자기 나름의 주장이나 견해를 내세운 다음, 여러 가지 근거를 제시하여 그 주장이나 견해가 옳음을 증명하는 글쓰기 활동을 말한다. 따라서 논술의 가장 기본적인 요소는 주장과 근거이다. 다시 말해 어떤 주제에 관해서 자신의 견해를 밝히고 자기 의견을 내세우는 글이 바로 논술이다. 때문에 논술은 특별히 논리적이어야 한다는 요구를 받게 된다. 왜냐하면 여러 가지 의견이 있을 수 있는 문제에 대해 자신의 의견을 세워 다른 사람을 설득하려면, 그 주장이 충분한 근거 위에서 논리적으로 개진될 때만 가능하기 때문이다.

2) 대한민국 논술고사는?

한국에서의 대학 입시 논술고사는 실제 교과 과정과 교과서가 기본이 되어 응용된 사고와 풀이 능력과 지식을 바탕으로 한다. 논술고사는 일반적을 비판적으로 글을 읽는 능력과 창의적으로 문제를 설정하고 해결하는 능력 그리고 논리적으로 서술하는 능력을 종합적으로 평가하는 시험이다. 비판적으로 글을 읽는다는 것은 능동적으로 자신의 관점에서 글을 읽는 것을 말하며, 창의적으로 문제를 설정하고 해결하는 능력이란 심층적이고 다각적으로 논제에 접근함으로써 독창적인 사고와 풀이를 이끌어낼 수 있는 능력을 말한다. 그리고 논리적 서술 능력은 글 구성 능력, 근거 설정 능력, 표현 능력 등을 포괄한다.

3) 인문계 논술? 그리고 그 변화

모든 글은 일반적으로 3가지 종류로 나뉘어진다. 시, 소설 등 문학 작품과 같은 글쓰기인 창작적 글쓰기(creative writing)와 설명문이나 해설문의 글쓰기는 해명적 글쓰기(expository writing), 그리고 논설문의 글쓰기인 비판적 글쓰기(critical writing)가 있다. 이 글쓰기 중 대한민국의 대학입시에서 시행되고 있는 인문계 논술은 창작적 글쓰기는 포함되지 않는다. 새로운 문학 작품을 쓰는게 아니라 제시문을 읽고 내용을 구체화시켜 잘 설명하는 설명문의 형태가 있고, 주어진 문제에 대해 생각하고 깊이있는 주장을 피력하는 비판적 글쓰기도 있다.

4. 논술의 기본 용어

1) 논제 : 논술의 문제를 의미한다.

반드시 해결하고 접근하여야 할 논술 시험의 대상이다.

(1) 중심 논제 : 채점할 때 가장 배점이 높으며, 핵심적으로 해결해야 할 논술의 문제

(2) 세부 논제 : 큰 논제 속에 포함된 작은 문제, 각 단계별 채점의 기준이 되며 세부 채점 항목으로 필수 해결 항목이다.

2) 논거 : 논술에서 설명하고 주장하는 논리적인 근거 혹은 이유

3) 주장 : 수험생이 생각하고 채점자에게 알리고 싶은 생각

4) 제시문 : 보기 지문을 말한다.

(1) 출제자가 논제 해결을 위해 보여주는 다양한 글

(2) 각종 그래프, 도표, 그림 등

자료가 정해져 있지는 않다. 하지만 고등학교 교과서를 가장 많이 인용하고, 고등학교 교과 과정으로 분석하고 판단할 수 있는 내용을 제시한다.

5) 개요 : 논제에 맞게 더 구체적으로는 세부 논제에 맞게 글의 진행 방향을 간략하게 정리하는 과정이다.

5. 논술의 명령어

논술고사 후 대학의 발표 자료를 보면 논술은 출제자의 의도에 부합하게 글을 써야 한다고 강조한다. 그런데 출제자의 의도를 파악하는 것은 자칫 상당히 모호하고 주관적인 것으로 판단하기 쉽다.

하지만 인문계 논술에서는 명령어가 한정되어 있다. 그 명령어들을 잘 익히고 의미를 파악한다면 훨씬 논술의 이해가 높아질 것이다. 또한 대학의 채점 기준에는 명령어의 요구조건을 충족하는지를 평가한다. 그러므로 인문계 논술의 명령어는 수험생에게는 아주 기초적이지만 필수적이며 절대 잊지 말아야 할 중요한 핵심이다.

1) ~ 에 대해 논술하시오.

; 주장을 밝히고 근거를 제시한다.

2) ~ 에 대해 설명하시오.

: 사실, 주장 등을 쉽게 풀어서 밝힌다.

- **~ 제시문 간의 관련성을 설명하시오.**
- **~ 제시문의 논리적 타당성과 문제점을 설명하시오.**
- **~ 제시문을 참고하여 주어진 자료의 특징을 설명하시오.**
- **~ 제시문의 관점에서 왜 그런 현상이 생기는지 그 이유를 설명하시오.**

3) ~ 의 비교하시오. 혹은 대조하시오.

: 공통점과 차이점을 중심으로 설명한다.

- **~ 공통점과 차이점을 설명하시오.**

4) ~ 을 분석하시오.

: 주제를 구성요소로 나누고 각 부분의 의미와 상호관계를 밝힌다.

5) ~ 제시문과 주어진 자료를 참고하여 현상을 예측해 보시오.

: 주어진 자료를 해석하고 자료로부터 얻을 수 있는 시간에 따른 변화나 자료의 발생 이유를 살핀다.

6) ~ 제시문의 문제점을 지적하고 그 문제점을 해결할 방법을 제시하시오.

: 보통은 수학이나 과학의 역사에서 발생했던 여러 오류나 실험과정에서 나타난 문제점을 가지고 있다. 또한 이론이나 실험, 학생의 실험보고서 등과 같이 확실한 오류가 있는 제시문을 주기도 한다. 분명히 문제점을 파악하여 답안에 서술하고 문제점이나 해결할 수 있는 방법 등을 명확히 하여야 한다.

- **~ 제시문의 관점에서 왜 그런 현상이 생기는지 그 원리를 설명하고 그런 현상을 예방할 수 있는 방안을 제시하시오.**
- **~ 문제점을 지적하고 합리적 대안을 제안해 보시오.**
- **~ 주어진 관점을 검증할 수 있는 방법을 논하시오.**
- **~ 주어진 문제점을 해결할 수 있는 실험을 설계해 보시오.**

7) 제시문의 관점에서 주장을 비판하시오.

: 어떤 주장의 타당성이나 가치 등을 평가한다.

6. 인문계 논술 글쓰기 유의사항

① 논제의 해결이 핵심이다. 출제자가 원하는 답을 써야 한다.

② 논제에 부합하는 글을 일관성 있게 써야 한다.

③ 한편의 글을 완성하여야 한다. 나열하거나 사례를 보여주는 것은 의미가 없다.

④ 제시문을 활용, 인용하는 것과 제시문을 그대로 옮겨 쓰는 것은 다르다. 적절하게 제시문의 내용을 사용하여 논제를 해결하여야 한다. 절대 제시문의 문장을 그대로 쓰면 안 된다. 금기사항이고 감점요인이다.

⑤ 부적절한 문장 즉, 비문을 만들지 말아야 한다. 주어와 서술어가 적절하게 있어 문장의 의미를 명확히 전달하여야 한다. 주어를 생략하거나 지시어를 과도하게 사용하면 문장의 의미가 모호해 진다.

⑥ 문장은 짧고 간결하게 써야 한다. 자신의 의견을 명확히 간결하고 효과적으로 밝혀야 한다.

7. 논술 확인 사항

① 시간의 제한이 시험이다. 논술 시험은 자유롭게 글을 쓴다고 생각하고 주어진 시간을 체크하지 않는 경우가 정말 많다. 대학별로 요구하는 시간에 알맞게 답안을 구성해야 한다.

② 문단의 구성, 맞춤법, 띄어쓰기 등을 무시하면 절대 안 된다. 글쓰기의 기본은 의미의 전달 과정임으로 효율적인 연습과 준비가 되어 있어야 한다.

③ 습관적으로 물어보는 의문문, 같이 할 것을 제안하는 청유형은 사용하지 않는 것이 좋다. 문법의 오류가 아니라 격을 떨어뜨리고 글을 단조롭고 어색한 글 전개가 될 가능성이 높다.

④ 500자 미만이면 서론에 해당하는 도입과정은 과감히 생략하고 바로 논점으로 들어간다.

⑤ 한국어에는 수동태가 없다. 그러나 워낙 영어 번역하며 많이 사용하다 보니 논술 답안에도 수험생들이 자주 사용한다. 문법에 맞는 효과적인 표현이 필요하다. 학생이 수험생이 대학의 논술 고사에 응시하고 답안지에 논술 답안을 쓰는 것이다. 대학의 논술 답안지가 수험생으로부터 답안으로 쓰여지는 것이 아니다.

⑥ 많은 수험생들은 착각을 한다. 논술을 멋진 글쓰기라고 생각해 감상적이거나 비유적인 표현도 많이 사용한다. 그런데 오히려 이러한 표현은 채점자가 수험생의 사고능력 파악이 힘들어지고, 오히려 논제 해결을 했는지 판단하는데 혼동을 준다. 또한 일상에서 사용하는 구어체도 사용하면 안 된다. 논술은 글쓰기에서 쓰는 조금 딱딱한 문어체를 사용하는 것이다.

⑦ 아무리 강조해도 글씨의 중요성은 지나치지 않을 것이다. 채점하는 교수님들의 한결같은 큰 애로점은 이해할 수 없는 학생의 글씨라고 한다. 글씨체를 갑자기 바꿀 수 없지만 타인이 알 수 있게 규칙적으로 줄을 맞춰 쓰고, 분량에 맞는 큰 글씨로, 흘려 쓰지 않는 정자체로 답안을 작성하여야 한다.

IV. 인문계 논술 실전

1. 각 대학별 논술 유의사항을 파악하라!

많은 대학에서 글자수 제한을 확인하여야 한다. 그래서 원고지 형이 많지만, 문항별 칸을 만들거나 밑줄 답안 형식도 있다. 논술 시험 시간은 각 대학별로 다양하다. 60분 즉, 한 시간을 시작으로 많게는 2시간까지 (120분)까지 다양하게 있다. 대학별로 준비해야 하는 중요한 이유이다. 답안을 작성하는 필기구도 다양하다. 연필(샤프펜)의 사용이 꾸준히 증가하지만 아직까지 검정색 볼펜이나 청색 볼펜으로 사용하는 학교도 많다. 주의할 것은 수정법이다. 수정은 학교에 따라 수정액, 수정테이프의 사용을 제한하는 경우도 있고 틀리면 두줄을 긋고 써야 하는 곳도 있다. 그러므로 각 대학별 특징을 파악하고, 미리 납안 삭성 연습은 물론이고 작성할 때도 대학별로 금시하는 내용을 숙지하고 시험장에 가야 한다.

각 대학별 유의사항 사례
사례 1) **가. 답안은 한글로 작성하되, 글자수 제한은 없다.** **나. 제목은 쓰지 말고 특별한 표시를 하지 말아야 한다.** **다. 제시문 속의 문장을 그대로 쓰지 말아야 한다.** **라. 반드시 본 대학교에서 지급한 필기구를 사용하여야 한다.** **마. 수정할 부분이 있는 경우 수정도구를 사용하지 말고 원고지 교정법에 의하여 교정하여야 한다.** **바. 본 대학교에서 지급한 필기구를 사용하지 않거나, 수정도구를 사용한 경우, 답안지에 특별한 표시를 한 경우, 또는 원고지의 일정분량 이상을 작성하지 않은 경우에는 감점 또는 0점 처리한다.** **사례 2)** **Ⅰ. 필요한 경우 한 개 또는 여러 개의 제시문을 선택하여 논의를 전개하고, 사용한 제시문은 꼭 참고문헌 형태로 표시하시오.** **예) …[제시문 1-4].** **예) …되며[제시문 2-4], …의 경우는 ~을 보여준다[제시문 2-1].** **Ⅱ. [문제 1]부터 [문제 4]까지 문제 번호를 쓰고 순서대로 답하시오.** **Ⅲ. 연필을 사용하지 말고, 흑색이나 청색 필기구를 사용하시오.** **Ⅳ. 인적사항과 관련된 표현을 일절 쓰지 마시오.** **Ⅴ. 문제당 배점은 동일함.** **사례 3)** **◇ 각 문제의 답안은 배부된 OMR 답안지에 표시된 문제지 번호에 맞춰 작성하시오.** **◇ 각 문제마다 정해진 글자수(분량)는 띄어쓰기를 포함한 것이며, 정해진 분량에 미달하**

거나 초과하면 감점 요인이 됩니다.
◇ 답안지의 수험번호는 반드시 컴퓨터용 수성 사인펜으로 표기하시오.
◇ 답안은 검정색 필기구로 작성하시오. (연필 사용 가능)
◇ 답안 수정시 원고지 교정법을 활용하시오. (수정 테이프 또는 연필지우개 사용 가능)
◇ 답안 내용 및 답안지 여백에는 성명, 수험번호 등 개인 신상과 관련된 어떤 내용, 불필요한 기표하면 감점 처리됩니다.

사례 4)
◆ 답안 작성 시 유의사항 ◆
□ 논술고사 시간은 90분이며, 답안의 자수 제한은 없습니다.
□ 1번 문항의 답은 답안지 1면에 작성해야 하고, 2번 문항의 답은 답안지 2면에 작성해야 합니다. 1, 2번을 바꾸어 작성하는 경우 모두 '0점 처리'됩니다.
□ 연습지는 별도로 제공하지 않습니다. 필요한 경우 문제지의 여백을 이용하시기 바랍니다.
□ 답안은 검정색 또는 파란색 펜으로만 작성하며 연필, 샤프는 사용할 수 없습니다.
□ 답안 수정은 수정할 부분에 두 줄로 긋거나 수정테이프(수정액은 사용 불가)를 사용해서 수정합니다.
□ 답안지에는 답 이외에 아무 표시도 해서는 안 됩니다.
□ 답안지 교체는 고사 시작 후 70분까지 가능하며, 그 이후는 교체가 불가합니다.

2. 제시문에 먼저 눈을 두지 말고 문제를 파악하라!!!

대학별 고사인 논술의 어려운 점은 시간의 제한이 있는 글쓰기 시험이라는 것이다. 자유롭게 잘 쓸 수 있는 내용일지라도 시간의 제한이 있으면 얘기가 달라진다. 특히 지금과 같이 각 대학별로 다양하게 등장하는 시험에 익숙하지 않은 수험생에게는 더 큰 부담으로 작용을 한다.

대학에서는 다양하게 제시문과 문제를 분포시킨다. 문제를 등장시키고 제시문이 등장하는 경우, 그림과 도표, 그래프 등과 같이 자료를 제시하고 제시문과 문제를 함께 등장시키는 경우, 제시문을 많이 등장시키고 마지막에 문제를 제시하는 경우 등... 이렇듯 다양한 문제에 시간의 적절한 활용은 대학별 고사의 실전에서는 당락을 결정하는 중요 요소이다.

이러한 실전적 논술에서 핵심은 바로 목적을 가지고 제시문의 읽기가 선행되어야 한다. 글 읽기의 핵심은 문제을 통해 논제를 구체적으로 파악하고 그 논제에 부합하게 제시문을 분석하는 것이다.

① 문제를 먼저 확인하라!! - 제시문을 읽고 문제를 보면 다시 긴 제시문을 또 읽어 시간을 낭비한다.
② 세부 논제 확인하라!! - 한 문제라도 그 문제 속에 다루는 논제는 여러 개가 될 수 있

다. 그 질문 내용을 파악하라. 그리고 요구한 논제에 맞게 글을 구성한다.
③ 전제적 요건 파악하라!! - 각 문제의 전제적 요건 및 글로 표현된 부연 설명 등이 중요한 키워드가 될 수 있다.

V. 한국외국어대학교 기출

1. 2024학년도 한국외대 수시 논술 [토요일 T1]

※ 다음을 읽고 물음에 답하시오.

(가)

의사들의 성과 동기를 높이기 위해 전 세계적으로 성과급 제도를 도입하는 병원들이 늘고 있다. 이에 A국의 한 의료 연구기관은 자국 민간병원들을 대상으로 의료분야 성과급 제도의 효과를 분석하였다. 연구 결과, 성과급제 도입이 의사의 진료량을 도입 이전 대비 5~6배 증가시키고, 의사들로 하여금 수익성이 높은 검사나 치료를 하도록 유도함으로써 환자들의 의료비용을 높이는 것으로 나타났다. 이로 인해 과잉 진료 현상도 나타나는데, 병원 간 경쟁이 심할 경우 더 강하게 나타나는 것으로 보고되었다. 한편, 병원 인력 의 수는 정해져 있는데 할 일은 늘어나면서 의료서비스의 질은 떨어지는 것으로 확인되었다.

- 은상준, 「의사 성과급: 수익에서 의료의 질로」 재구성

(나)

인류는 약 6천 종의 식물을 먹으며 생존해 왔다. 식물은 특정한 지역의 기후와 토양, 물, 고도에 맞춰 진화했고, 사람들은 그런 식물들을 재료로 음식을 만들어 먹었다. 독일 남부 알프스 산지에서는 토양이 척박해 다른 식물은 못 자라지만, 알브린제(알프스 렌틸)라고 알려진 재래 품종 콩과 작물은 잘 자랐고, 이 지역 사람들은 이 렌틸콩으로 음식을 만들어 먹었던 것처럼 말이다. 그런데 재래종보다 생산성이 좋은 벼 와 밀 품종이 개발되고, '소품종 대량생산'의 농업 방식이 일반화되면서 이제 전 세계 사람들은 밀과 벼, 옥수수 단 3종에만 전체 칼로리의 50퍼센트를 의존하게 됐다. 알브린제 품종의 렌틸콩 역시 소출이 많은 렌틸 품종이 개발되면서 경쟁력을 잃고 멸종 위기에 처했다.

이러한 '음식의 균질화'는 곡물뿐 아니라 육류, 과일, 치즈 등 다양한 음식에서 동일한 방식으로 나타나고 있다. 미국에서 중국에 이르기까지 전 세계의 돼지고기 생산은 단 한 품종, '라지화이트'라는 돼지 유전자를 근거로 이뤄지고 있다. 라지화이트 품종 돼지는 다른 품종과 달리 몸체가 길고 체중이 빨리 불어난다. 바나나도 1,500가지 이상의 품종이 있지만 '캐번디시'라는 품종만 거래되고 있다. 이렇듯 무역, 기술, 산업 분야에서 권력을 가지고 있는 이들이 생산성과 효율성을 최우선시하고 이윤만을 추구한 결과로 '생물 다양성'이 현저하게 감소하게 되었다. 가축 전염병, 바나나 역병 등의 충격이 거대한 식량 재앙으로 확산될 수 있는 위험이 상존하게 된 것이다.

- 양선아, 「음식이 '멸종'하고 있다」 재구성

(다)

2000년 이후 패스트패션(fast fashion) 기업들은 크게 유행성, 모방성, 일회성, 휴대

성, 변형성, 통합성으로 특징지을 수 있는 현대인들의 욕구에 대응하여 패스트패션 산업을 비약적으로 확장시켰다. 속도감에 적응된 현대인들은 모든 현상의 유행성에 관심을 가지고 모방의 소비 패턴을 보였다. 또한 일시적이고 빠른 속도로 변화되는 사회는 일회적으로 구매하고 교체하는 행동 습관을 낳게 했고, 이동성을 강조하는 현대 사회의 유목성은 휴대하기 편한 복장을 선호하는 경향을 만들었다. 패스트패션 기업들은 변화 지향적 사회, 급변하는 생활 방식을 반영하여 다양한 변형 상품을 빠르게 생산하고 유통했다. 여기에 세계적 보편성과 지역적 특수성이 공존하는 흐름은 문화의 융합을 통해 패스트패션의 글로벌 확산을 가져왔다. 패스트패션 기업은 이와 같이 현대 사회의 유행과 욕구에 빠르게 대응하면서 소비자들의 구매 만족도를 높였다.

- 노주현, 「패스트패션 현상에 대한 사회문화적 해석」 재구성

(라)

세계 주요국들은 지구 온난화 문제에 대한 책임 의식을 가지고 2015년 파리협정을 체결한 이후 온실가스 감축을 위해 공동의 노력을 기울여 왔다. 지구 온난화로 인한 기온 상승을 산업화 이전 대비 2℃ 이하로 유지한다는 파리협정상의 목표를 달성하는 것으로는 한계가 있음을 직시하면서 보다 적극적인 노력에 대한 논의가 강화되었고, 2018년 기후변화에 관한 정부 간 협의체(IPCC) 총회에서는 지구 온난화 피해를 방지하기 위해 지구 기온 상승을 1.5℃로 제한할 것을 권고하는 '지구 온난화 1.5℃ 특별보고서'가 만장일치로 채택되었다. 이 1.5℃ 목표를 달성하기 위해서는 2030년까지 전 세계 온실가스 배출량을 2010년 대비 약 45% 감축할 필요성이 있는 것으로 전망되었다. 현재 우리나라와 중국을 제외한 주요국들은 온실가스 감축 노력의 결과로 경제성장과 온실가스 배출량과의 탈동조화(decoupling)에 진입한 상태이며, 우리나라와 중국 역시 배출량의 증가세가 완만해진 상태이다. 또한 탄소중립 목표들이 이미 다수 국가에서 설정되고 법상으로도 명문화되어 국가 단위에서의 목표 설정 단계는 지난 상황이다. 주요국들은 매년 기후변화 협약 당사국총회에 참여하여 목표 달성을 위한 성실한 이행과 이에 대한 투명한 모니터링이 이루어질 수 있도록 국제 협력을 강화하고 있다.

- 전은진, 탄소중립… 재구성

(마)

19세기 프랑스 화가들은 미술 단체의 정기 관람회인 살롱전을 통해 작품을 발표하곤 했다. 당시 살롱전의 심사위원들은 곱고 예쁜 그림, 교훈적인 그림만을 선호하였기 때문에 각자의 특성과 개성이 드러난 그림으로 승부하려는 신진 화가들은 이름을 알리기가 어려웠다. 그래서 프랑스의 몇몇 신진 화가들이 독자적인 전시회를 기획하였고, 모네는 세잔, 부댕, 드가, 르누아르, 피사로 등과 함께 '무명협동협회'를 결성하여, 작품 165여 점을 전시하였다. 모네의 그림 <인상, 해돋이>를 본 평론가 르루아가 조롱의 의도를 담아 '인상주의자들의 전시회'라는 글을 쓰면서 곧 이들의 화풍을 인상주의라 부르게 되었다. 이들의 그림과 전시회는 처음에 관객과 평론가 모두에게서

외면을 받았으나 점차 큰 화제가 됐다. 한순간의 인상을 담기 위해 매우 신속하게 붓질을 하고, 구체적인 형상은 과감히 생략하면서까지 느낌을 전달하려고 노력하는 인상주의 화풍은 자연의 변화무쌍한 힘을 선으로 묘사하는 대신 색조로 기록한 것이다. 이로써 인상주의는 현대 미술의 탄생을 가능하게 했다는 기념비적인 의의를 가지게 되었다.

- 김광우, 순간의 빛을 영원에 담은 모네 재구성

(바)

성북동 산에 번지가 새로 생기면서
본래 살던 성북동 비둘기만이 번지가 없어졌다.
새벽부터 돌 깨는 산울림에 떨다가
가슴에 금이 갔다.
그래도 성북동 비둘기는
하느님의 광장 같은 새파란 아침 하늘에
성북동 주민에게 축복의 메시지나 전하듯
성북동 하늘을 한 바퀴 휘 돈다.
(중략)
예전에는 사람을 성자처럼 보고
사람 가까이서 사람과 같이 사랑하고
사람과 같이 평화를 즐기던
사랑과 평화의 새 비둘기는
이제 산도 잃고 사람도 잃고
사랑과 평화의 사상까지
낳지 못하는 쫓기는 새가 되었다.

- 김광섭, 「성북동 비둘기」 중에서

(사)

현대 사회에 많은 편리함을 제공하고 있는 인공지능(AI)이 발달할수록 이미 나타나고 있는 부작용이 계속 커져서 장기적으로는 인간에게 혜택보다 더 큰 피해를 줄 수 있다는 우려가 있다. 인간이 AI에 의존하는 경향은 인간의 사고력을 떨어뜨릴 수 있고, AI를 활용할 수 있는 경제적, 지적 수준을 가지고 있는 집단과 그렇지 않은 집단 사이에 기술 격차로 인한 불평등이 커질 수 있다. 또한 네트워크로 정보를 수집하고 생산하는 과정에서 개인정보 침해가 증가할 뿐만 아니라, 텍스트, 영상, 음향 합성 기술을 바탕으로 가짜뉴스를 생성하는 문제도 심화할 수 있다. AI 기술 연구와 활용에 필요한 반도체 제작, 전력 생산 과정에서도 이미 상당한 수준의 환경 파괴가 나타났으며 앞으로 더 심각해질 것으로 예측되고 있다.

또한 AI 기술이 다양한 분야에서 활용되면서 기술 발달의 욕구와 속도를 조절하는 것이 더 어려워지는 상황인데도 AI의 활용이나 AI 그 자체가 인간에게 위협으로 작용하는 기술 연구를 통제하는 방안이 없다는 문제도 지적되고 있다. AI를 활용하여

사이버 공격을 하거나 대량 살상 무기를 개발하는 수준에는 이미 도달했으며, AI가 스스로의 권력을 추구하거나 인간이 동의할 수 없는 목표를 설정하고 그것을 달성하기 위해 인간을 기만할 정도로 고도화되는 수준도 머지않았기 때문이다.

전 세계, 전 영역에 영향을 미치고 있는 인공지능의 작용이 인간의 의도, 기대와 다르게 나타나는 경우 미래 세대에게까지 고통을 줄 수 있다는 점이 이러한 우려들을 더욱 증폭시키고 있다.

- CAIS, 「AI 위험에 대한 성명」 재구성

[문제 1]

(가) ~ (바)는 어떤 '변화'와 그 결과를 보여주고 있다. 결과가 긍정적인지 부정적인지에 따라 (가) ~ (바)를 분류하고 요약하시오. (400자 내외, 240점)

[문제 2]

<보기 1>을 바탕으로 (다)와 (라)를 대조·평가하시오. (450자 내외, 240점)

<보기 1>

'지속가능발전(Sustainable Development)'은 현재 세대의 필요를 충족시키기 위하여 미래 세대가 사용할 경제·사회·환경 등의 자원을 낭비하거나 여건을 저하시키지 않고 서로 조화와 균형을 이루는 것을 뜻하는 지속가능성 개념에 기초하여 경제의 성장, 사회의 안정과 통합 및 환경의 보전이 균형을 이루는 발전을 의미한다. 이는 현재의 욕구와 편리만을 생각하는 것이 아니라 미래 세대와 생태계에 대한 '책임감을 가지는 윤리 의식'을 기반으로 한다.

이러한 지속가능발전을 위해서는 첫째, 환경에 대한 고민 없이 무분별하게 생산하고 일회적으로 소비한 후 폐기하는 행태에서 벗어나 친환경적 소비를 생활화해야 한다. 둘째, 관련 제도를 마련하고 확대하고, 셋째, 국가 간 협력 체제도 강화해야 한다.

[문제 3]

<보기 3>의 요나스(Jonas)의 관점에서 (사)를 설명하고, 이를 바탕으로 <보기 3>의 벤담의 관점에서 <보기 2>의 밑줄 친 주장이 왜 타당한지를 추론하시오. (500자 내외, 320점)

<보기 2>

인공지능(AI) 기술이 급속히 발전하고 적용 분야가 확대되면서, 일상에서의 편의성, 업무 효율성, 산업 생산성이 향상되는 등 세계 경제에 긍정적인 영향을 미치고 있다. 그런데 AI 개발 및 규제에 있어 국제적 협력을 도모하기 위해 설립된 국제기구 A는 AI의 부작용과 관련된 최근의 우려들을 고려하여 <u>모든 국가들이 AI 기술 개발에 대한 노력을 잠정적으로 중단해야 한다</u>는 선언문을 발표하였다.

<보기 3>

(A) Hans Jonas, a distinguished German-born philosopher, presents three compelling reasons why ethical responsibility is essential in modern science and technology. The first reason is the ambiguity of outcomes. This implies that even when science and technology are used for good purposes, they may contain elements that could have potentially harmful effects in the long term. The distinction between good and evil does not solely depend on intentions or goals; even technologies employed for legal aims can also pose potential threats. The second reason is the compulsion to apply new technologies. As science and technology open up new opportunities, the demand for their application arises, resulting in an uncontrollable desire for more. The third reason concerns the extensive spatio-temporal* impact of technologies. Their reach extends beyond immediate geographical limits, potentially affecting many generations to come. The power of modern science and technology is inescapable; the actions we undertake today for our own benefit can have significant consequences in other places and for our descendants.

*spatio-temporal: 시공간의

(B) 벤담(J. Bentham)은 행복을 쾌락으로 보았다. 쾌락을 옳고 그름의 판단 기준으로 삼아 쾌락의 증가와 고통 의 감소에 도움이 되는 행위는 옳고, 그렇지 못한 행위는 그르다고 주장하였다. 벤담은 개인뿐만 아니라 사회적 차원에서도 쾌락의 증가와 고통의 감소를 고려해야 한다고 보았다. 옳은 행위란 이해 당사자들을 공평하게 고려 하여 결과적으로 최대 행복을 낳는 행위이다. 즉, 하나의 행위는 얼마나 많은 사람들이 얼마나 큰 행복을 얻느냐 에 따라 옳고 그름이 결정된다. 그래서 공리의 원리를 최대 다수의 최대 행복의 원리라고 한다.

지원학부(과)

수 험 번 호				

주민등록번호 앞6자리(예:040512)					

성 명

1번

50

100

150

200

250

300

350

400

450

이줄 아래에 답안 작성시 무효 처리됨

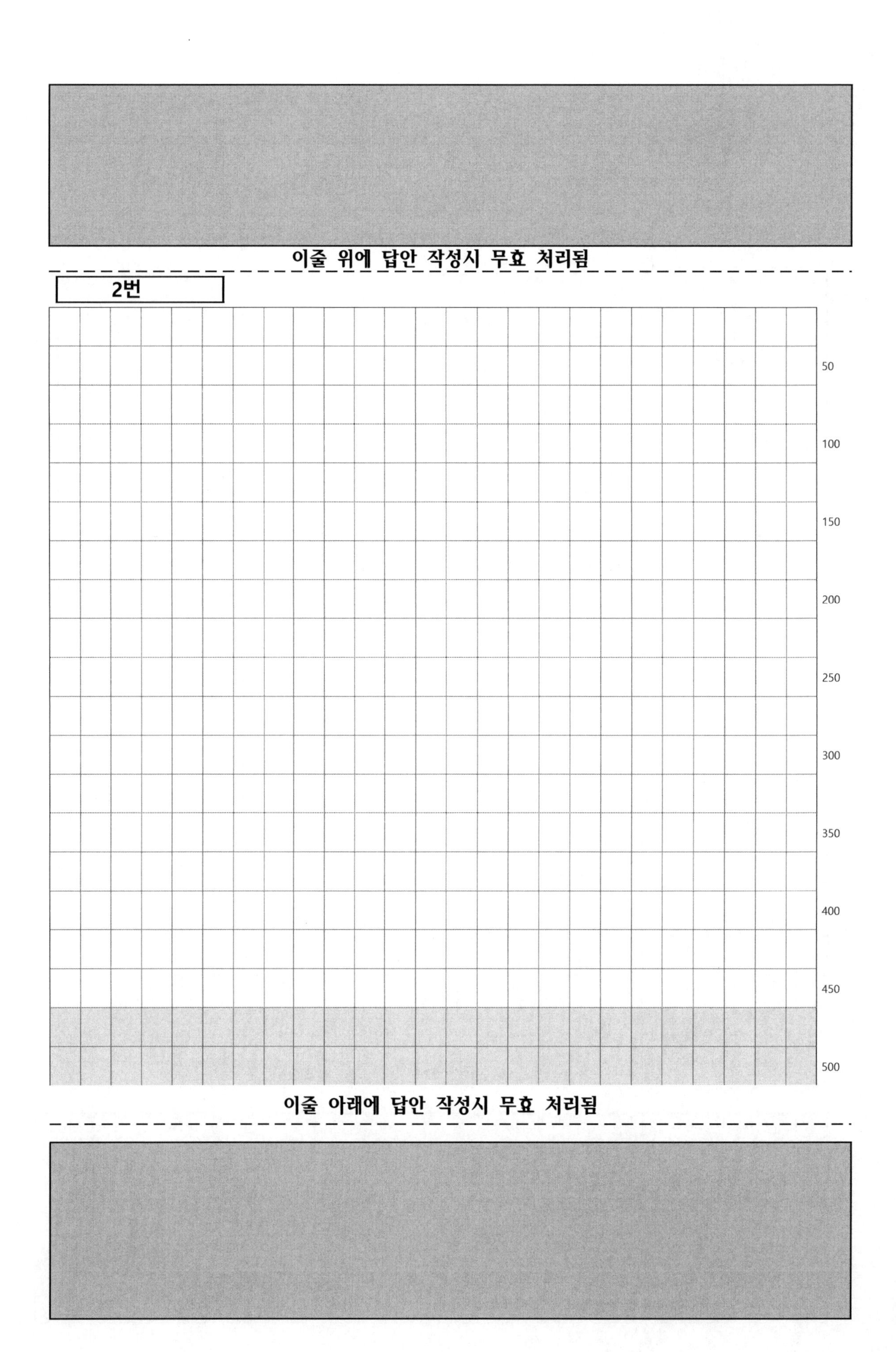
이줄 위에 답안 작성시 무효 처리됨
2번
50
100
150
200
250
300
350
400
450
500
이줄 아래에 답안 작성시 무효 처리됨

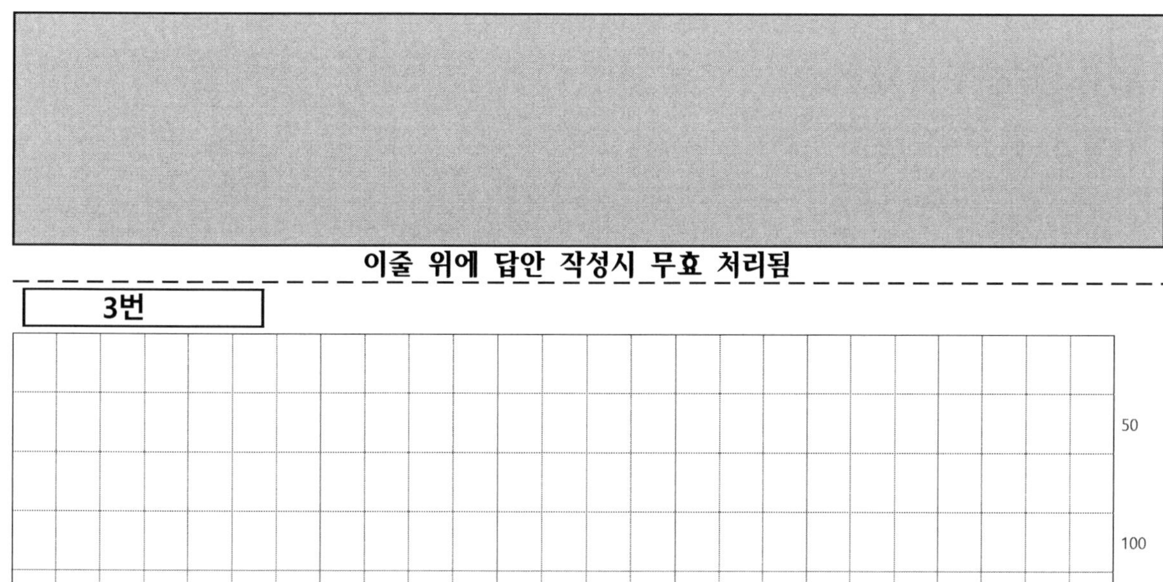

이줄 위에 답안 작성시 무효 처리됨

3번

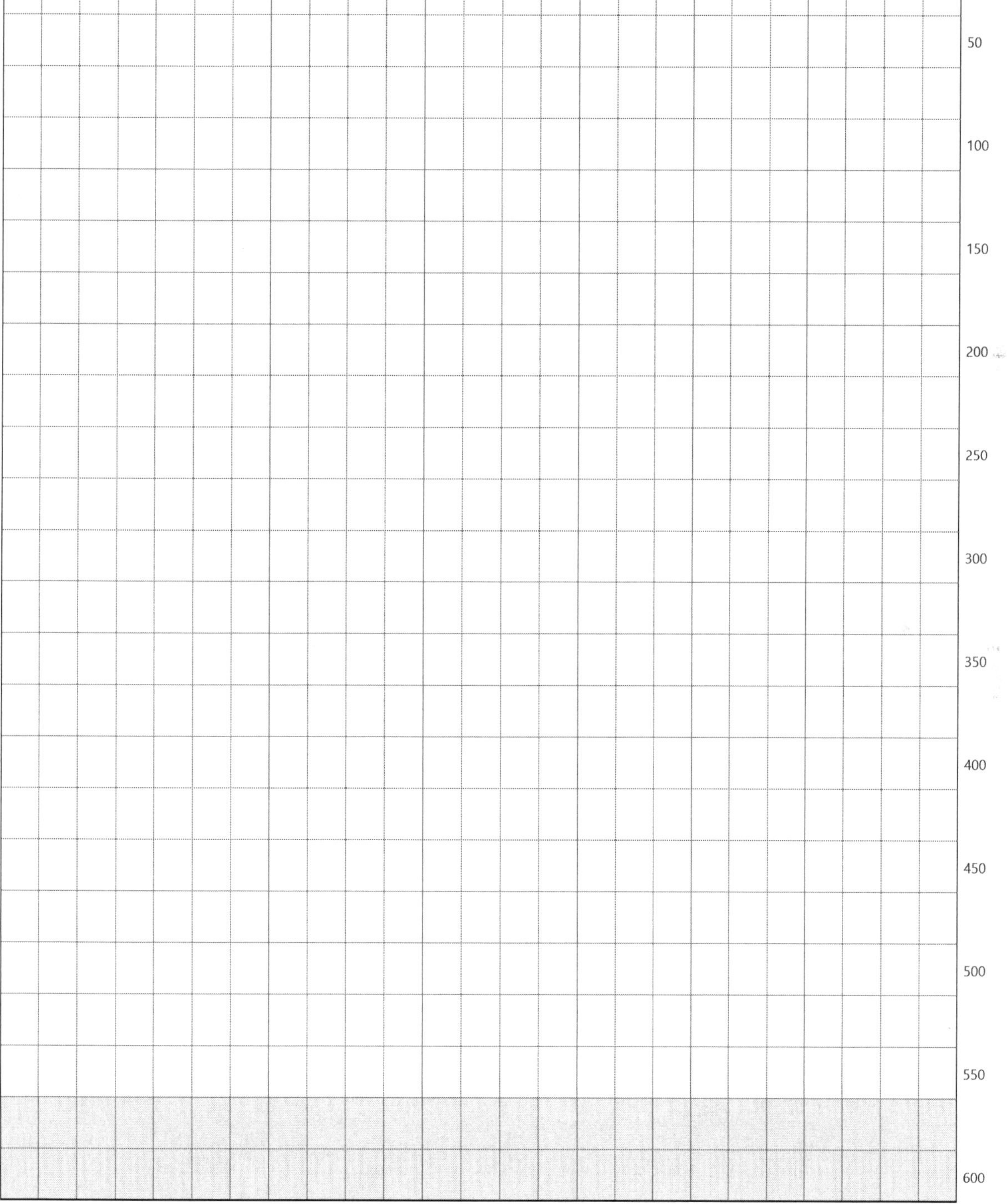

2. 2024학년도 한국외대 수시 논술 [토요일 T2]

※ 다음을 읽고 물음에 답하시오.

(가)

노자는 이렇게 말한다. "잘하는 사람을 나는 잘 대해준다. 잘 못하는 사람 또한 나는 잘 대해준다. 그럼으로써 잘함을 얻는다. 미더운 사람을 나는 믿는다. 미덥지 않은 사람 또한 나는 믿는다. 그럼으로써 미더움을 얻는다." 관용에 대한 노자의 이러한 생각은 무위(無爲)의 사유에서 나온 것이다. 무위의 반대는 작위(作爲)이다. 작위란 타인이나 자기 바깥의 세계를 자신의 의도대로 바꾸려는 행위이다. 가령 어떤 사람이 다른 사람의 생각을 바꾸고자 한다면 관용의 철학자는 그를 불관용적인 사람이라 부를 것이다.

- <한겨레21> (2020.5.2.) 재구성

(나)

'촉법소년'은 형벌을 받을 범법행위를 한 만 10세 이상 14세 미만의 형사 미성년자로, 형법 제9조는 '14세가 되지 아니한 자의 행위는 벌하지 아니한다'라고 규정하고 있다. 이들은 형사책임능력이 없기 때문에 형법에 저촉되는 행위를 하더라도 형사처벌을 받지 않고 보호처분을 받을 수 있다. A 교수는 "최근 소년범죄는 죄질, 계획성, 잔인함, 지능성이 성인범죄 못지않다"라며 촉법소년 연령 하향의 필요성을 언급했다. 법무부는 "촉법소년은 중한 범죄를 저질러도 최장 2년의 소년원 송치로 처분이 종결돼 국민의 법 감정과 맞지 않는다는 지적이 있었다"라며 "형사 미성년자 연령을 현행 만 14세에서 만 13세로 낮추겠다"라고 말했다. 형사 미성년자 기준이 만 13세로 낮아지면 촉법소년에 대한 법적 관용이 일정 부분 제한되는 효과가 발생하게 된다.

- <중앙SUNDAY> (2022.11.26.) 재구성

(다)

오늘날 많은 국가는 복지 제도의 한계를 극복하기 위한 노력으로 생산적 복지 정책을 펼치고 있다. 생산적 복지는 복지 제도에 따른 효율성 저하와 복지 축소에 따른 형평성 저하를 모두 해결하기 위해 등장한 것으로, 복지와 노동을 연계하는 복지 제도이다. 즉 소외 계층이 자활 사업에 참여하거나 노동하는 것을 조건으로 지원하는 새로운 형태의 복지이다. 이를 통해 국가는 일할 능력이 있는 사람의 근로 의욕을 높여 경제 활동 참여를 장려함으로써 경제적 효율성을 달성하고 사회적 약자도 보호하고자 한다. 이와 더불어 어려움을 겪고 있는 많은 사람이 노동을 제공하고 소득을 얻을 수 있도록 일자리를 만들어 일할 환경을 조성하고, 사회 구성원도 복지의 혜택만 누릴 것이 아니라 일할 의지를 높이려는 자세를 가져야 한다.

- 고등학교 교과서『사회·문화』재구성

(라)

관용을 제한 없이 허용하면 본래의 관용을 부정하게 되는 관용의 역설에 빠질 수 있다. 칼 포퍼는 "만약 우리가 심지어 관용적이지 않은 사람들에게까지 무제한적 관

용을 베푼다면, 만약 우리가 편협한 자들의 맹공격에 대항해 관용적 사회를 지켜낼 각오가 되어 있지 않다면, 관용적인 사람들은 파멸할 것이고, 관용도 그들처럼 소멸할 것이다. 그래서 우리는 관용적이지 않은 사람들에게는 관용을 베풀지 않을 권리를 주장해야 한다"라고 말한다. 우리는 이를 관용의 역설이라고 한다. 불관용의 태도를 관용하면 관용의 기반 자체를 무너뜨리며, 구성원의 기본적 자유와 권리를 침해할 수 있으므로 불관용의 태도를 관용해서는 안 된다. 또한, 관용은 보편적 가치를 추구하는 범위 안에서만 보장되어야 한다. 따라서, 착취·억압·폭력 등과 같은 보편 윤리에 어긋나거나 사회의 이익을 해치는 행위 등은 관용의 대상이 될 수 없음을 알아야 한다.

- 고등학교 교과서『생활과 윤리』및 칼 포퍼,『열린 사회와 그 적들』재구성

(마)

2009년 5월 1일, 정부는 안산시 단원구 원곡동 일대를 '다문화 마을 특구'로 지정했다. 본래 안산시는 반월· 시화 산업단지의 배후 도시로 세워진 계획도시인데, 집값이 싸고 공단에 가까우면서도 교통이 편리한 원곡동에 외국인이 몰려들면서 하나의 마을을 형성하게 된 것이다. 당시 안산에 거주하던 외국인은 56개국 출신으로 3만 3천여 명에 달하여 이들이 지역 공동체의 일원으로 살아가기 위한 체계적 지원이 필요했다. 안산시는 특구 운영을 위해 다문화 인프라 구축, 다문화 의식 함양 사업, 다문화 브랜드 특화사업 등 다양한 세부 사업들을 전개해 많은 성과를 이뤄냈다. 외국인 근로자를 위한 원스톱 행정서비스를 운영하고, 다문화가족지원센터 및 글로벌청소년센터 를 통해 다문화 아동들의 복지, 건강, 교육 등 맞춤형 서비스를 제공하였다. 안산시는 국내 최초로 외국인 주민인권조례를 제정했으며, 조례의 실행과 시책 추진을 위해 외국인 인권 증진위원회를 운영하고 있다. 안산시 관계자는 다문화 시대를 맞아 내·외국인들이 똑같이 존중되고 보호받는 환경이 만들어져야 한다며, 외국인들이 지역 사회에 안정적으로 정착할 수 있도록 지원을 확대할 계획이라고 말했다.

- 고등학교 교과서『통합사회』및 <경기일보> (2019.4.17.) 재구성

(바)

땅 위에 살 자격이 있다는 뜻으로 '재곤(在坤)'이라는 이름을 가진 앉은뱅이 사내가 있었습니다. 성한 두 손으로 멍석도 절고 광주리도 절었지마는, 그것만으론 제 입 하나도 먹이지를 못해, 질마재 마을 사람들은 할 수 없이 그에게 마을을 앉아 돌며 밥을 빌어먹고 살 권리 하나를 특별히 주었었습니다.

"재곤이가 만일에 제 목숨대로 다 살지를 못하게 된다면 우리 마을 인정은 바닥난 것이니, 하늘의 벌을 면치 못할 것이다." 마을 사람들의 생각은 두루 이러하여서, 그의 세 끼니의 밥과 추위를 견딜 옷과 불을 늘 뒤대어 돌보아 주어 오고 있었습니다.

그런데, 그것이 갑술년이라던가 을해년의 새 무궁화 피기 시작하는 어느 아침 끼니부터는 재곤이의 모양은 땅에서도 하늘에서도 일절 보이지 않게 되고, 한 마리 거북이가 기어 다니듯 하던 살았을 때의 그 무겁디무거운 모습만이 산 채로 마을 사람들의 마음속마다 남았습니다. 그래서 마을 사람들은 하늘이 줄 천벌을 걱정하고 있었습

니다.

그러나, 해가 거듭 바뀌어도 천벌은 이 마을에 내리지 않고, 농사도 딴 마을만큼은 제대로 되어, 신선도(神仙道)에도 약간 알음이 있다는 좋은 흰 수염의 조 선달 영감님은 말씀하셨습니다. "재곤이는 생긴 게 꼭 거북이같이 안 생겼던가. 거북이도 학이나 마찬가지로 목숨이 천 년은 된다고 하네. 그러니, 그 긴 목숨을 여기서 다 견디기는 너무나 답답하여서 날개 돋아나 하늘로 신선살이를 하러 간 거여……."

그래 "재곤이는 우리들이 미안해서 모가지에 연자 맷돌을 단단히 매어 달고 아마 어디 깊은 바다에 잠겨 나오지 않는 거라." 마을 사람들도 "하여간 죽은 모양을 우리한테 보인 일이 없으니 조 선달 영감님 말씀이 마음적으로야 불가불 옳기사 옳다."고 하게는 되었습니다. 그래서 그들도 두루 그들의 마음속에 살아서만 있는 그 재곤이의 거북이 모양 양쪽 겨드랑에 두 개씩의 날개들을 안 달아 줄 수는 없었습니다.

- 서정주,「신선 재곤이」중에서

(사)

3T 이론은 기술혁신과 창의성이 발현되기 위한 세 가지 전제 조건을 이야기하고 있다. 관용(Tolerance)이 재능(Talent) 있는 사람들을 모으고, 이를 바탕으로 기술(Technology)이 발전할 수 있다는 것이다. 3T 이론은 ○○ 지역의 사례를 바탕으로 논의를 펼친다. 이 지역은 정보기술 분야의 메카라 할 수 있는데, 이를 가능케 한 것이 인재들이 모여들었기 때문이며, 인재들은 관용 수준이 높은 지역에 모였다는 것이다. 해당 지역은 실제로 미국 내에 서도 관용의 수준이 높은 지역으로 평가된다. 특정 지역의 관용 수준을 보여주는 대표적인 근거로 다양성 지표 (diversity index)가 있는데, ○○ 지역의 다양성과 관용 정도는 다른 지역보다 높다.

- 리처드 플로리다,『도시와 창조 계급』재구성

[문제 1]

아래 두 사람의 대화 내용의 핵심어와 화자의 입장을 바탕으로 (가) ~ (마)를 두 유형으로 분류하고 각 제시문을 요약하시오. (400자 내외, 240점)

image: Freepik.com

[문제 2]

(바)의 '마을 사람들'의 행위를 <보기>의 구성 요건과 비교분석하고, 해당 행위의 관용 성립 여부를 평가하시오. (450자 내외, 240점)

<보기>

관용이 성립하기 위한 다음의 세 가지 요건이 있다고 가정하자. 첫째, 어떤 행위가 도덕적으로 선하다는 믿음이 있어야 한다. 둘째, 베푸는 자와 베풂을 받는 자 모두에게 유익해야 한다. 셋째, 위의 두 요건이 상충하지 않아야 한다.

[문제 3]

<그림 1>은 도시 '갑'과 도시 '을'의 특정 시점에서의 정보기술 분야 일자리 창출 성과 지표 현황이다. <그림 1>에 드러난 도시 '을'의 문제점을 제시하고, 이 문제점의 원인 및 해결 방안을 제시문 (사)의 관점에서 <그림 2>와 <표>를 활용하여 추론하시오. (500자 내외)

한국외국어대학교
HANKUK UNIVERSITY OF FOREIGN STUDIES

지원학부(과)

수 험 번 호				

주민등록번호 앞6자리(예: 040512)					

성 명

1번

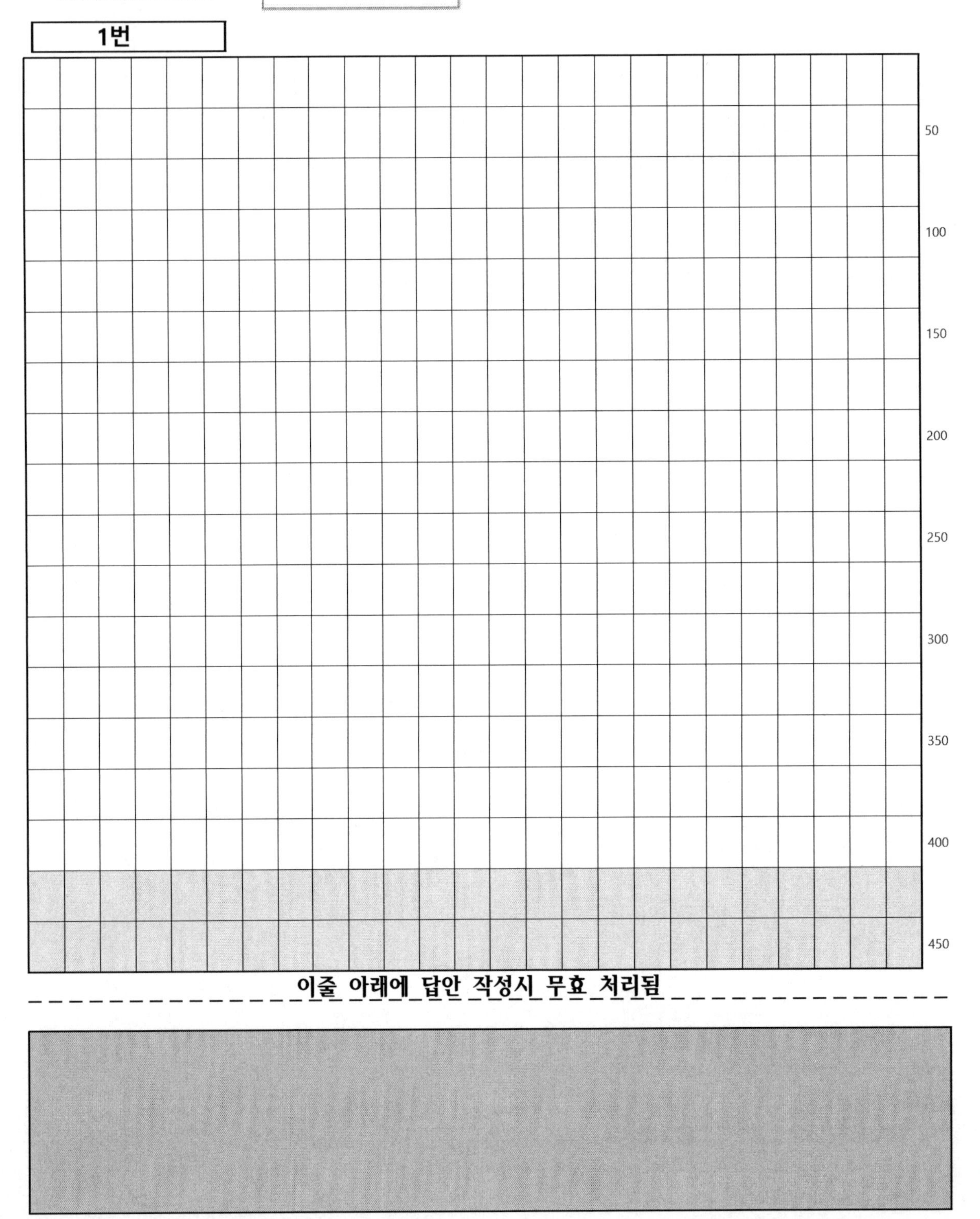

이줄 아래에 답안 작성시 무효 처리됨

이줄 위에 답안 작성시 무효 처리됨

2번

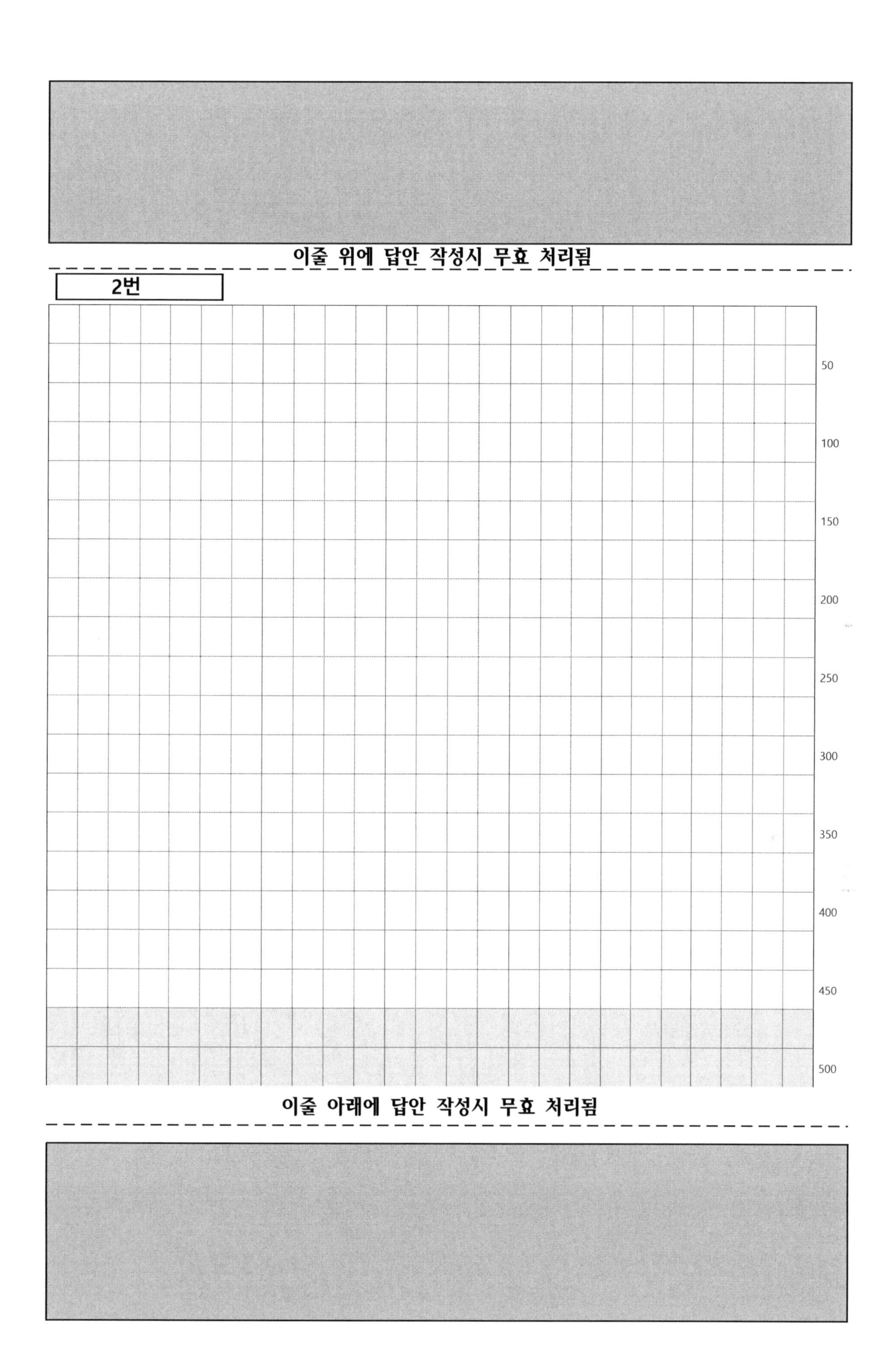

이줄 아래에 답안 작성시 무효 처리됨

이줄 위에 답안 작성시 무효 처리됨

3번

50
100
150
200
250
300
350
400
450
500
550
600

3. 2024학년도 한국외대 수시 논술 [일요일 T3]

※ 다음을 읽고 물음에 답하시오.

(가)

마르쿠스: 법은 하나요, 그것으로 인간 사회가 결속되어 있다네. 유일한 법률이 그 법을 제정했으니, 그것은 바른 이성, 명령하고 금지하는 이성일세. 그것을 인정하지 않는 사람이 불의한 인간이네, 그 법을 문자화하든 결코 문자화하는 일이 없든 예외 없이 말일세. 만일 정의(正義)라는 것이 인민들이 문서화한 법률이나 제도에 대한 복종이라고 한다면, 또는 혹자들이 이야기하듯이 모든 것을 효용에 의거해서 측정해야 한다면, 누구라도 법률을 소홀히 대할 것이고, 가능하기만 하다면 법률을 위반할 것이네. 그러면서 그 행동이 자기한테 이득을 가져다준다고 여길 것이네. 그러면 정의라는 것은 도무지 찾아볼 수 없는 결과가 오네. 자연 본성에서 우리나 인간을 사랑하고 싶은 경향이 있다는 사실에서 이 모든 것이 생겨나며, 이것이 법의 토대일세.

- 키케로,『법률론』재구성

(나)

독일 극작계의 거장 **브레히트**는 관객의 몰입을 차단하고 끊임없이 관객에게 이성을 찾으라고 다그치는 연극을 창시했다. 재미보다는 교훈, 감동보다는 비판적 거리두기가 브레히트 연극의 주된 미덕이다. 현실에 마주하는 방법과 자세에 혁신을 가져온 그의 새로운 시도는 2천 년을 이어온 아리스토텔레스의 전통 연극론의 틀을 깨는 전위적인 것이었다. 그의 연극에서는 조명 장치가 노출되고, 배우가 무대에서 옷을 갈아입거나 관객을 상대로 토론을 벌인다. 무대의 전환과정도 객석에 그대로 노출되면서 관객의 몰입을 최대한 억제한다. 그래서 이러한 효과는 '소외효과' 또는 '낯설게 하기'라고 불린다.

- 이상일,『브레히트, 서사극, 낯설게 하기 수법』재구성

(다)

정약용은 **직업인**이 갖추어야 할 중요한 조건으로 청렴을 제시하였다. 자기 또는 자신과 관련된 사람의 이익을 도모하려는 부정부패가 사회에 만연해 있을 때 사람들은 불안한 삶을 살 수밖에 없다. 이익을 위해 공정한 절차를 무시하거나 말과 행동을 쉽게 바꿀 경우 사람들 간의 믿음이 사라질 것이다. 직업인의 말과 행동이 도덕적으로 일치할 때 사람들은 안정적이고 행복한 삶을 영위할 수 있다. 또한 일상생활에서 이기적인 태도가 다른 사람에게 피해를 주듯이, 직업 생활에서도 직업인이 부정한 이익을 취하고 청렴하지 못할 때 사회 전체에 큰 해악을 줄 수 있다. 그러므로 우리는 직업 생활을 하면서 자신의 이익 추구가 도덕적 양심과 사회 정의에 어긋나지 않는지 반성해 보고, 직업 생활에서 반드시 청렴 정신을 실천해야 한다.

- 고등학교 교과서『생활과 윤리』재구성

(라)

데페이즈망(depaysement)은 초현실주의 회화 기법이다. **마그리트**의 '골콘다'는 데

페이즈망 기법을 사용한 대표적인 작품이다. 이 기법은 객관적인 묘사를 통해 현실의 객체와 사건을 정확하게 포착하는 기존의 사실주의적 표현을 거부한다. 데페이즈망은 특정한 대상을 상식에서 벗어난 이질적인 상황에 배치함으로써 기이하고 낯선 장면을 연출한다. 이는 통념에 맞지 않는 설정으로 예술적인 상상력을 자극해 사람들이 논리적이고 합리적인 것 너머의 세계를 인식하도록 하는 표현법이다. 푸른 하늘과 집들을 배경으로 검은 옷과 모자를 쓴 남자들이 부유하는 모습은 현실에서 불가능한 상황이다. 화가는 이 그림에서 중력을 제거해 버렸다. 그리고 그들은 자로 잰 듯 일정한 간격으로 배치되어 있다. 이처럼 현실의 법칙을 벗어나 있지만, 그 비상식적 조합이 볼수록 매력적이다. 기이하고 낯설다는 느낌이 보는 이에게 숨겨진 미스터리와 신비에 대한 환상을 불러일으킨다. 그림은 우리의 마음을 움직이고 우리를 현실에서 벗어나게 하여 무한한 자유와 상상의 공간으로 넘어가게 한다.

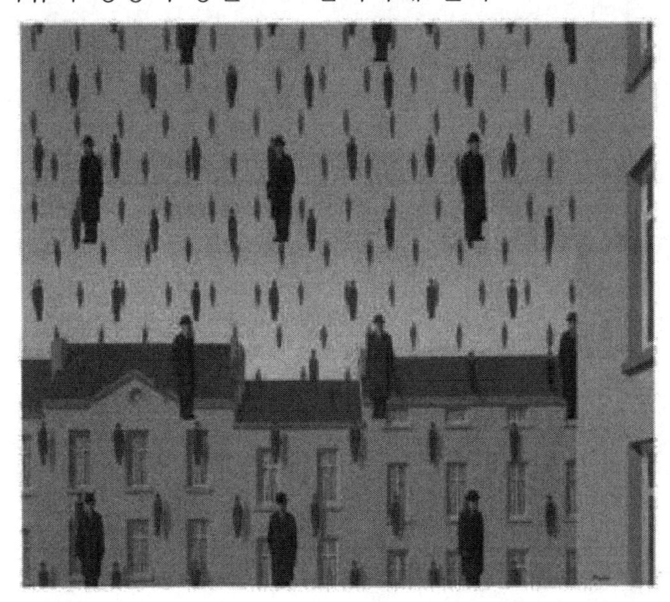

- 이주헌, 『지식의 미술관』 재구성

(마)

The New Deal was a series of programs to restore prosperity to Americans during the Great Depression in the 1930s. When the President **Franklin D. Roosevelt** took office in 1933, he acted swiftly to face the challenge at hand: to stabilize the economy and provide jobs and reliefs to those who were suffering. Over the next eight years, the government took action to bring about economic reforms, vastly increasing the scope of the federal government's activities. Roosevelt's New Deal fundamentally changed the U.S. federal government in its role in the economy. Maintaining the traditional market economy, in which the power of government should be limited, the New Deal generally embraced the concept of a government-regulated economy in order to meet the social needs and consequently overcome the national crisis.

- 『브리태니커 백과사전』 재구성

(바)

서로 다른 사고방식을 가진 문화권의 사람들이 함께 일을 할 때는 적지 않은 갈등을 보일 수 있다. 예를 들어 최근 1년간의 성과를 기준으로 직원의 재계약 혹은 해고를 결정하는 원칙을 가진 조직이 있다고 하자. 어떤 직원이 지난 15년 동안 회사를 위해 매우 지대한 공헌을 해 왔지만, 최근 1년 동안의 업무 실적은 기준에 미치지 못하였다고 하자. 앞으로 그가 업무수행 능력이 더 향상될 가능성이 없는 상황이라면 어떻게 할 것인가?

1) 최근 1년 동안의 업무 성과만을 고려하여 그를 해고할 것이다.

2) 그간의 조직에 대한 공헌을 참작하여 그와 재계약할 것이다.

이 질문에 대하여 **A 문화권의 사람들**은 1)을 선택한 반면, B 문화권의 사람들은 2)를 선택했다.

- 리처드 니스벳,『생각의 지도』재구성

(사)

S#13. 광화문 앞 (낮)

혜강 맨 앞에 앉아 있고, 유생들 뒤에 앉아 "전하!" 하며 시위하고 있는데, 순간, 광화문이 활짝 열리면서, 내시와 궁녀들이 의자와 괘도 등을 들고 와, 시위하는 유생들의 앞에 놓는다. 이게 뭔가 싶은데 이때 이도가 걸어 나와 혜강의 앞에 앉는다. 경비를 서고 있던 채윤도 그런 이도를 의아하게 본다.

혜강 (그런 이도를 보며) 전하! 어찌 성리학을 버리시고 스스로 이적이 되려 하시옵니까?

이도 좋소! 허면 글자를 만드는 일이 어찌 성리학을 버리는 일인지부터 논하도록 합시다. (하고는 유생들 모두에게) 누구든 나와 자유로이 얘기하라!

cut. 이도의 괘도에 크게 쓰여 있는 '武(무)'자. 앞엔 혜강이 있다.

혜강 중국의 한자는 그냥 글자가 아니옵고…… 그 자체로 유학의 도이며, 개념이옵니다. (화면은 '무'자 보이며) 보시옵소서. 싸울 무 자에는 '창'과 '그치다'라는 두 개의 글자가 들어 있사옵니다.

이도 (보고)

혜강 즉 싸울 무 자 자체에 싸움을 그치게 하라는 의미와, 싸움을 하지 않기 위한 싸움이라는 '유학의 도'가 들어 있는 것이옵니다. 헌데…… 다른 이적의 글자에 이런 도가 있을 수 있사옵니까?

이도 …….

혜강 전하의 글자는 이것을 표현할 수가 있사옵니까?

채윤 (보는데)

이도 아니오, 없소.

혜강 (그럼 그렇지) 헌데 어찌 유학을 버리는 것이 아니라 하시옵니까?

이도 허면 말이오. (하며 괘도로 간다.)

cut. 괘도엔 '作開言路 達四聰'이라 써 있고, 앞엔 이도가 서 있다.

이도 작개언로 달사총, 즉 언로를 틔워 사방 만민의 소리를 들으라. 이것은 유학에서 임금에게 가장 강조하는 덕목이오.

혜강 예, 전하. 백성의 소리를 들으시면 되옵니다.

이도 (무시하고) 삼봉 정도전의 《경제문감》에 이르기를.

혜강 (멈칫) / **모두** (멈칫)

이도 요순 3대에는 간관*이라는 관리가 없었음에도 언로는 넓었으나 진나라 때 모든 비방을 금지한 뒤, 한나라에 이르러 언로를 터 주기 위해 간관을 만들었으나 간관이라는 관리가 생기면서 언로는 더욱 막히었다. 이런 말이 있지요?

채윤 (보는데) / **혜강** …….

이도 이는 말이오. 한자를 아는 자가 관료가 된 시기와 정확히 맞아떨어지오. (점점 강한 목소리로) 한자가 어렵기에, 백성이 그들의 말을 임금께 올리려면 관료를 거칠 수밖에 없었고!

채윤 (보는데)

이도 그 관료들은 백성의 소리를 왜곡, 편집하여 올린 것이오! 하여 언로가 막혔다 쓴 것이오! 삼봉은!

혜강 …….

이도 난 유학에서 가장 중시하는 덕목, 언로를 틔워 주고 싶고, 하여 백성의 글자가 필요하다 판단하였소. 내가 어찌 유학을 버린 것이오?

- 김영현·박상연, 『뿌리 깊은 나무』중에서

* 간관: 임금의 잘못을 고치도록 말하고 모든 벼슬아치의 비행을 규탄하던 관리

[문제 1]

아래 대화 내용의 핵심어와 이에 대한 화자의 태도를 바탕으로 (가) ~ (바)에서 밑줄 친 주체를 두 유형으로 분류하고 각 제시문을 요약하시오. (400자 내외, 240점)

image: Freepik.com

[문제 2]

(라)와 (마)의 입장을 <보기>의 '변화의 방식'을 기준으로 비교하고, 각 입장을 <보기>의 '더 나은 방향'의 관점에서 평가하시오. (450자 내외, 240점)

<보기>

우리는 주어진 시스템 안에서 생활하고 있다. 하지만 때때로 그 시스템에 대해 비판적 태도를 보이거나 약간의 거리를 두고 시스템을 바라보기도 한다. 일부는 기존 시스템 자체의 문제와 한계를 고민하면서 그 제도와 규칙 속에서 개선책을 모색하고자 한다. 하지만 과거의 역사를 돌아보면 시대마다 그 시대를 지배하던 시스템이 새로운 형태로 대체됨으로써 세계가 발전해 온 측면도 있다. 그래서 또 다른 이들은 우리가 활용하고 있는 시스템을 새로운 것으로 교체하려고 노력하기도 한다. 이렇게 보면 궁극적으로 세상에는 좀 더 나은 방향을 지향하는 두 가지 변화의 방식이 존재한다. ① 기존 시스템을 받아들이면서 개선책을 모색하는 방식 ② 기존 시스템을 그대로 받아들이지 않고 새로운 것으로 바꾸는 방식

[문제 3]

(사)에서 '글자를 만드는 일'에 대한 이도의 생각을 요약하고, <보기>에서 언급한 듀이의 관점을 적용하여 이도의 생각이 도구주의적 인식이 되는 근거를 추론하시오. (500자 내외, 320점)

<보기>

존 듀이(John Dewey)에 의하면 인식은 문제를 성공적으로 해결하려는 도구이다. 그가 말하는 도구주의에서의 인식이란 ①당면한 문제를 인지하고, ②그에 대한 해결 방법을 알 뿐만 아니라, ③일어날 수 있는 결과를 미리 예측할 수 있는 사고 능력을 말한다. 다시 말하면 어떠한 지식도 도구에 지나지 않으며, 도구의 가치는 도구 속에 있는 것이 아니라 그것을 잘 사용한 결과에 있다는 것이다. - 박해용·심옥숙, 『다시 읽는 서양철학사』 재구성

한국외국어대학교
HANKUK UNIVERSITY OF FOREIGN STUDIES

지원학부(과)

성 명

수 험 번 호				

주민등록번호 앞6자리(예:040512)					

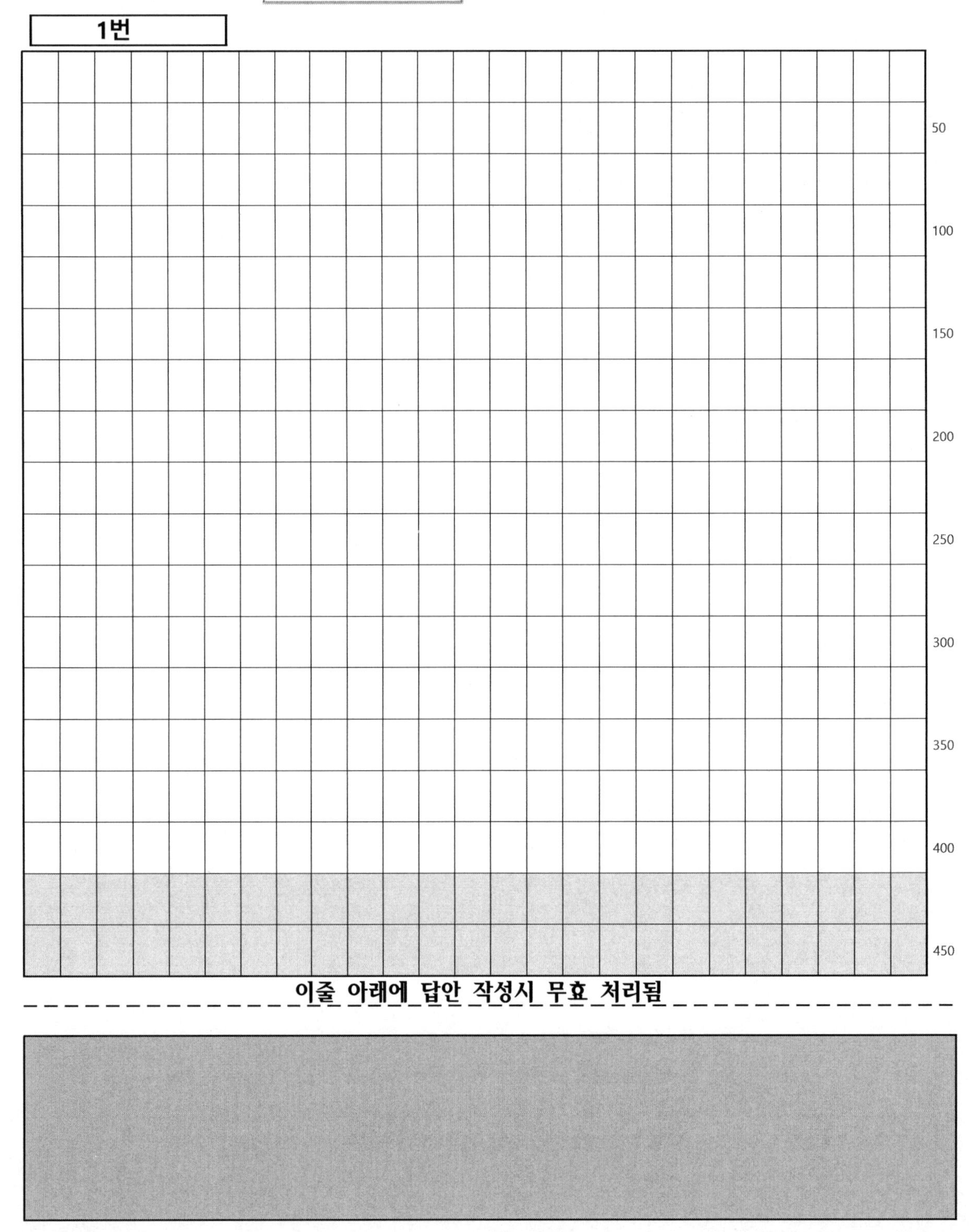

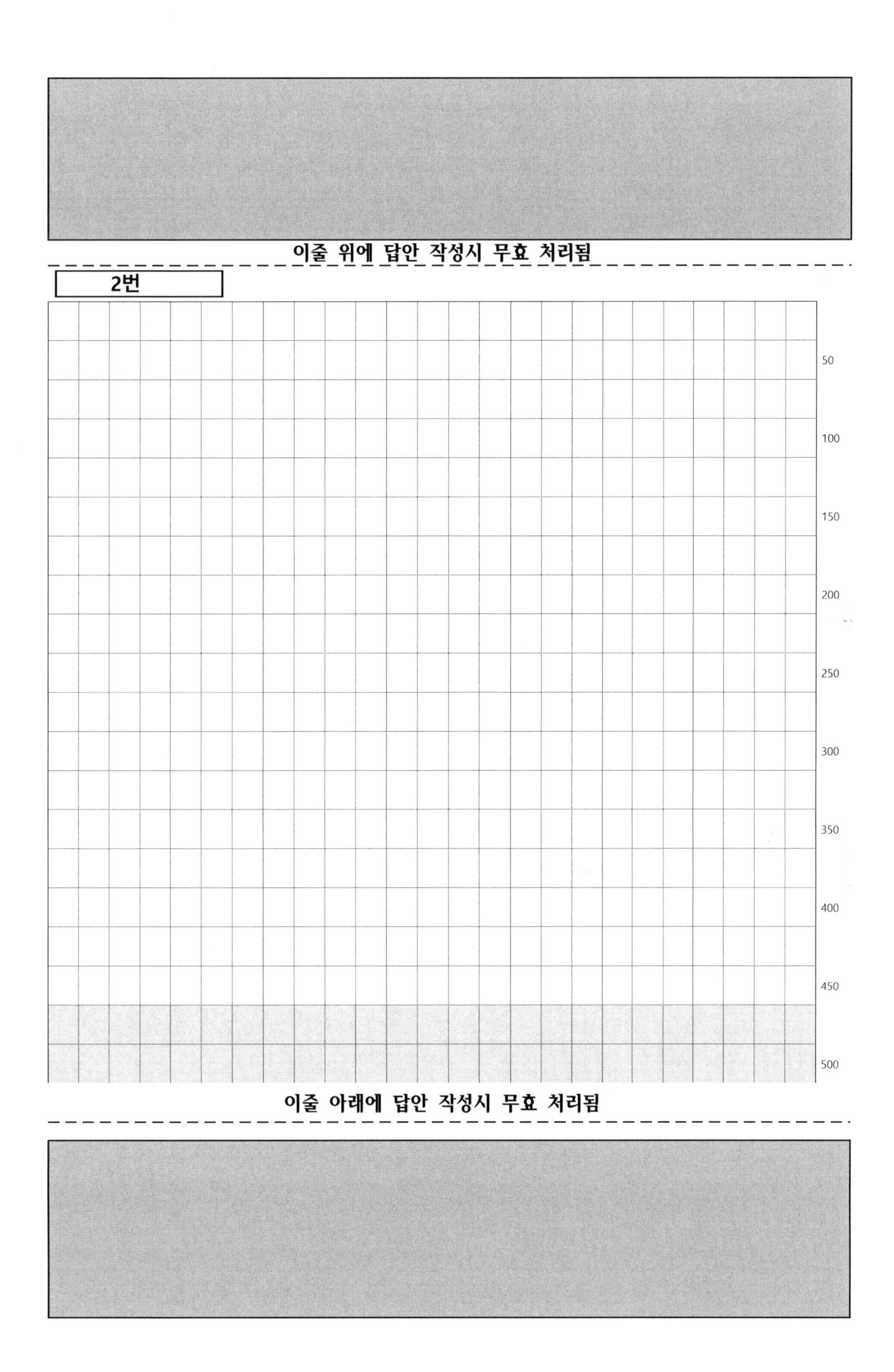
이줄 위에 답안 작성시 무효 처리됨
2번
50
100
150
200
250
300
350
400
450
500
이줄 아래에 답안 작성시 무효 처리됨

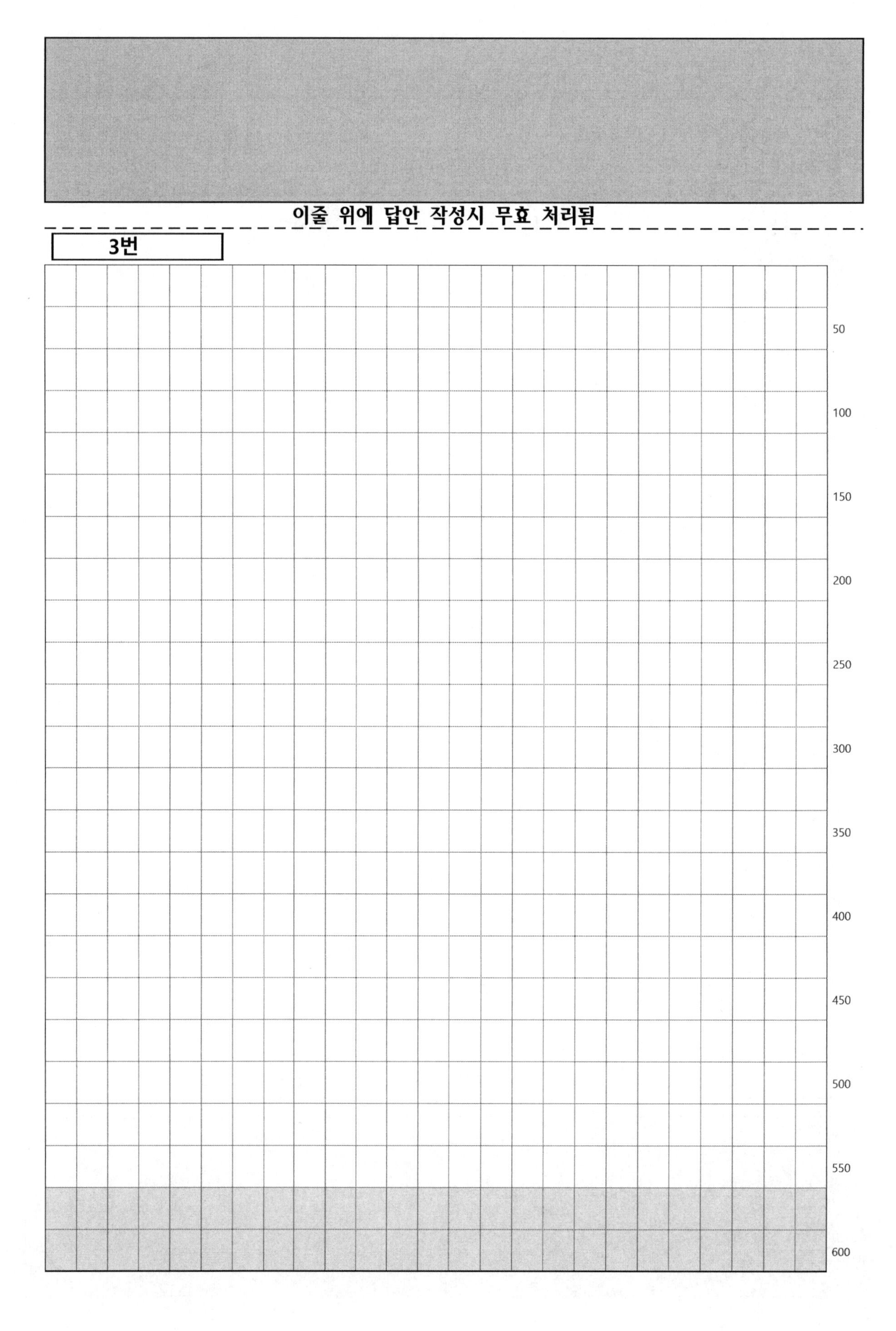
이줄 위에 답안 작성시 무효 처리됨
3번
50
100
150
200
250
300
350
400
450
500
550
600

4. 2024학년도 한국외대 수시 논술 [일요일 T4]

※ 다음을 읽고 물음에 답하시오.

(가)

하이에크(F. Hayek)가 사용한 사회과학 방법론은 주관주의와 긴밀하게 연결된다. 하이에크는 사회과학이 사회의 복합적 현상을 설명해야 하지만, 복합적 현상은 추상적 개념일 뿐 직접적인 관찰이 불가능하다고 보았다. 따라서 사회과학은 전체 현상을 구성하는 요소들에 대한 분석으로부터 출발해야 하며, 개별 인간들이 생각하고 행동하는 것이 바로 분석 대상이 된다고 보았다. 이때 행동의 내적 동기인 견해가 궁극적인 분석 대상이 되는데, 견해는 인간이 가진 주관적 신념이며, 외부 세계에 대해 행동하는 인간의 지식이 된다. 그런데 이런 지식은 일관적이고 모여 있는 형태로 존재하는 것이 아니라, 다수의 인간들에게 비일관적이고, 불완전하며 분산된 형태로 존재한다고 하이에크는 주장한다. 따라서 사회현상은 인간 심리의 창조적 산물이고, 인간들이 상이한 지식을 가지고 행동한다는 점을 강조하면서 사회과학 연구는 바로 여기에서 출발해야만 한다고 보았다.

- 고재철, 「하이에크의 경제학 방법론에 관한 연구」 재구성

(나)

스티븐 존슨은 『이머전스』에서, 부분 수준에서는 확인할 수 없는 특성이나 행동이 전체 수준에서 나타나는 자기조직화 현상, 곧 이머전스(창발성)에 주목하고 있다. 전체의 특성은 부분들로 환원해서는 발견할 수 없다. 왜냐하면 부분들이 상호작용을 함으로써 비로소 부분들에서는 찾아볼 수 없는 새로운 특성이 나타나기 때문이다.

사람의 뇌는 수백억 개의 신경세포가 거미줄처럼 연결돼 있으며 증권시장은 수많은 투자자들로 들끓고 있다. 이러한 복잡계의 행동은 언뜻 보아서는 무질서해 보이지만, 결국 혼돈 대신에 질서를 형성해 낸다. 단순한 구성요소가 상호 간의 끊임없는 적응과 경쟁을 하면서 질서와 혼돈이 균형을 이루는 경계면에서, 복잡계는 완전히 고정된 상태나 완전히 무질서한 상태에 빠지지 않고 항상 더 높은 수준의 새로운 질서를 형성해 낸다. 생물을 형성하는 단백질 분자는 살아 있지 않지만 그들의 집합체인 생물은 살아 있다. 하위 계층인 단백질에는 없는 생명이 상위 계층인 생물체에서 창발하는 것이다.

- 스티븐 존슨, 이머전스 재구성

(다)

다국적 기업들은 글로벌 경쟁력을 높이기 위해 새로운 차원의 비전과 경영 전략을 수립·실천해 왔다. 특히 글로벌 부품 소싱(sourcing) 관리가 기업 실적의 핵심 요인으로 떠오르면서 **일부 기업들**은 부품과 완제품의 관계를 새로운 관점에서 접근하는 브랜딩 (branding) 전략을 추진해 왔다. 대표적으로 인텔은 '인텔 인사이드(intel inside)'라는 로고를 자사 제품을 이용하는 모든 PC업체의 완제품에 부착하게 하고, 자체적인 광고와 PC업체와의 공동 광고를 하면서 '부품 브랜딩' 활동을 활발하게 추

진해 왔다. 부품 브랜딩은 완제품의 핵심 부품에 브랜드를 부여함으로써 소비자들이 제품 구매를 결정할 때 부품이 중요한 역할을 하도록 만드는 전략이라는 점에서 일반적인 브랜딩 전략과 차이를 보인다.

- 이승재, 「전체로서의 부분, 부분으로서의 전체」 재구성

(라)

인물의 위대함을 기리는 조각상을 제작할 때는 보통 높은 좌대를 만들어서 그 위에 조각상을 올린다. 감상자의 시선을 위로 향하게 해 대상의 위대함을 우러러보도록 한 것이다. 19세기 후반, 백년전쟁 당시 프랑스 칼레의 시민들을 살리기 위해 영국의 왕을 만나러 갔던 6인의 시민 대표를 기리는 조각상을 만들기로 했을 때, 칼레 시민들도 자신을 희생한 지도층의 당당하고 영웅적인 모습이 높은 좌대 위에 모셔지길 기대했다. 하지만 **로댕**은 좌대를 높이지 않았을 뿐만 아니라 시민 대표들을 절망한 듯 두 손으로 머리를 감싸고 있는 모습, 피할 수 없는 운명 앞에 머리를 떨구고 손을 펼친 모습, 두려움 속에서 뒤를 돌아보는 모습으로 표현했다. 로댕은 당시 한 걸음 한 걸음 성문 밖으로 향했던 이들 각자가 느꼈을 고통과 공포, 죽음을 눈앞에 둔 인간의 나약함을 고스란히 드러냈다. 또 한 좌대를 높이지 않음으로써 시민들이 조각상의 부분적 요소들, 즉 인물의 표정, 거칠고 무거운 옷자락, 사슬을 찬 커다란 손과 발 등을 같은 눈높이에서 감상하게 하여 대상에 깊이 공감하게 했다.

- 이수연, 「내 코앞에 선…」 재구성

(마)

(남쪽의 현실에 실망하였을 뿐만 아니라 월북한 아버지 때문에 경찰 당국에 끌려가 수모를 겪은 이명준은 월북한 아버지를 찾아 북쪽으로 간다. 북쪽에서 <노동신문> 신문사에서 일하던 이명준은 개인의 경험과 의견을 기사로 쓸 수 없는 현실에 좌절한다. 그리고 아버지를 찾아가 북의 현실을 비판한다. 아랫부분은 이명준이 아버지에게 하는 말 의 일부이다.)

"이게 무슨 인민의 공화국입니까? 이게 무슨 인민의 소비에트입니까? 이게 무슨 인민의 나랍니까? (중략) **편집장**은 저한테 이런 말을 했습니다. '이명준 동무는, 혼자서 공화국을 생각하는 것처럼 말하는군. 당이 명령하는 대로 하면 그것이 곧 공화국을 위한 거요. 개인주의적인 정신을 버리시오'라구요. 아하, 당은 저더러는 생활하지 말라는 겁니다. 일이면 일마다 저는 느꼈습니다. 제가 주인공이 아니고 '당'이 주인공이란 걸. '당'만이 흥분하고 도취합니다. 우리는 복창만 하라는 겁니다. '당'이 생각하고 판단하고 느끼고 한숨지을 테니, 너희들은 복창만 하라는 겁니다. 우리는 기껏해야 '일찍이 위대한 레닌 동무는 말하기를……' '일찍이 위대한 스탈린 동무는 말하기를……' 그렇습니다. 모든 것은, 위대한 동무들에 의하여, 일찍이 말해져 버린 것입니다. 이제는 아무 말도 할 말이 없습니다. 우리는 인제 아무도 위대해질 수 없습니다. 아, 이 무슨 짓입니까? 도대체 어쩌다 이 꼴이 된 겁니까?"

- 최인훈, 광장 중에서

(바)

19세기 남극 연구가 활발하게 진행된 이후로 **생태학자들**은 펭귄이 '몸비빔(허들링, huddling)'으로 남극의 혹독한 겨울을 이겨내는 모습에 주목해 왔고, 이를 생존을 위한 필수적 상호작용으로 설명한다. 수컷은 넉 달 동안 배를 곯으며 알을 품는데 그동안 암컷은 수 킬로미터 떨어진 바다로 나가 먹이활동을 한다. 암컷이 배불리 먹고 살을 찌운 뒤 다시 무리로 돌아와 육아 교대를 할 때까지 수컷은 아무것도 먹지 못하고 혹독한 겨울을 난다. 수천 마리의 수컷이 둥그렇게 밀착하여 서로의 체온을 나누며 겨울을 버텨낸다. 원 바깥쪽에서 매서운 눈보라를 막던 녀석들이 한계에 다다르면 모임의 안쪽으로 들어와 자리바꿈을 한다. 무리의 내부는 바깥에 비해서 덜 춥기 때문이다. 남극의 밤은 때로 영하 70도를 넘기에 펭귄 들의 허들링은 모두의 생존을 위한 몸비빔이다.

- 이상헌, 「펭귄과…」 재구성

(사)

국민의 건강권을 확보하고 의료비 부담을 줄여 주기 위해 운영되는 실손보험 제도가 도수치료로 인해 몸살을 앓고 있다. 지난해 도수치료 명목으로 지급된 실손보험금이 1조 1,000억 원을 웃돈 것으로 나타났다. **일부 가입자**의 과잉 진료 문제가 해결되지 않으면서 3년 새 80% 가까이 늘어난 것이다. 한 가입자는 특이 질환이 없는데도 2017년부터 5년간 총 576회에 걸쳐 도수치료를 받으며 1억 4,000만 원의 보험금을 청구했다. 70대 고령자가 소아과에서, 20대 남성이 산부인과에서 도수치료를 받은 사례도 있다. 2020년 기준 실손보험 가입자 중 70%는 보험금을 단 한 번도 수령하지 않았는데, 0.27%가 연간 1,000만 원이 넘는 보험금을 타고 있는 상황이다.

이런 문제가 누적되면서 실손보험료를 매년 13.4%씩 올려도 향후 10년간 보험사의 누적 적자는 100조 원을 넘을 전망이다. 이에 손해보험사들은 매년 실손보험료를 인상해 왔지만 이후에도 상당 수준의 인상이 필요하다고 주장한다. 일부의 도덕적 해이에 기인한 과잉 진료가 전체 가입자들의 보험료 인상 요인으로 작용하고 있는 것이다.

이런 상황은 다른 환자들의 권리가 침해 받는 결과로도 이어지고 있다. 과잉 진료를 받는 환자로 인해 병원의 업무 부담이 증가하면 의사가 치료에 집중하기 어려운 환경이 조성되고, 결국 다른 환자들이 받는 의료 서비스의 질이 악화되는 것이다.

- 이인혁, 「도수치료에만 1.1조 지급…」 재구성

[문제 1]

(가) ~ (바)의 밑줄 친 주체들은 '부분' 또는 '전체'를 중시하는 입장을 가지고 있다. '부분'과 '전체' 중 어느 쪽을 중시하는지에 따라, 주체들을 둘로 나누고 요약하시오. (400자 내외, 240점)

[문제 2]

(마)의 '편집장'과 (사)의 '일부 가입자'를 <보기 1>을 바탕으로 구분하고, <보기 2>의 관점에서 대조·평가하시오. (450자 내외, 240점)

<보기 1>

'집단주의'는 개인의 이익이나 목표보다는 집단의 이익이나 목표를 우선시하는 관점이다. '전체가 있으므로 개인이 존재한다'는 논리에 근거하여 집단의 존속과 발전을 위해 개인의 자유나 권리가 어느 정도 제한되는 것을 인정하며 미덕으로 삼기도 한다. 집단주의는 공동체의 목표를 추진하는 데 있어 매우 효율적으로 작용한다. 하지만 집단과 개인의 경계를 무시하고, 공동체의 목표를 위해 개인의 희생만을 강요하면 집단주의는 '전체주의'로 변질된다. 한편, '개인주의'는 집단보다 개인의 존재와 가치를 중시하는 사상과 태도를 일컫는다. 개인의 자유와 권리, 개인의 자율성과 독립성 등을 중시하고, 개인의 목적·욕구·성취 등에 관한 권리가 국가, 공동체 등의 통제나 간섭을 받는 것을 거부한다. 개인주의는 개인의 창의성과 다양성을 통해 공동체의 발전에 도움을 줄 수 있다. 하지만 타인에 대한 배려와 존중 없이 나만의 이익만을 추구하는 태도는 타인 또는 공동체의 이익을 훼손하는 '이기주의'로 전락한다.

<보기 2>

자유주의에서는 시민의 자유가 모든 권리의 바탕이 된다. 이때 시민의 자유는 외부의 간섭을 받지 않고 스스로 하고 싶은 일을 선택하여 실행할 수 있는 자유로, 불간섭으로서의 자유라고도 부른다. 이러한 자유의 바탕에는 개인이 이성에 따라서 스스로 규범을 세우고 지켜나갈 수 있다는 믿음이 깔려 있다. 따라서 자유주의는 국가를 비롯한 누구도 개인의 자유와 권리를 침해해서는 안 된다고 본다. 이러한 자유주의의 개념을 다른 각도에서 보면, 한 개인이 타인에게 간섭받지 않을 자유를 누리기 위해서는 동시에 타인의 자유를 침해해서는 안 된다는 것을 의미한다. 따라서 개인에 대한 사회적 제재는 오직 타인에게 해를 끼친 행위에 대해서만 가해질 수 있다. 다시 말해, 개인은 타인에게 해를 끼치지 않는 한도 내에서 자신의 자유를 누릴 수 있다는 것이다.

[문제 3]

기업 A는 개인주의 문화가 지배적인 국가 B에서 현지인으로 구성된 해외 법인을 설립하려고 한다. 기업 직원들의 인식과 태도에 관한 일반적인 연구 결과를 보여주는 <그림 1> ~ <그림 3>에 기초하여, 국가 B의 문화적 특성에 적합한 직원 관리전략을 추론하시오. (500자 내외, 320점)

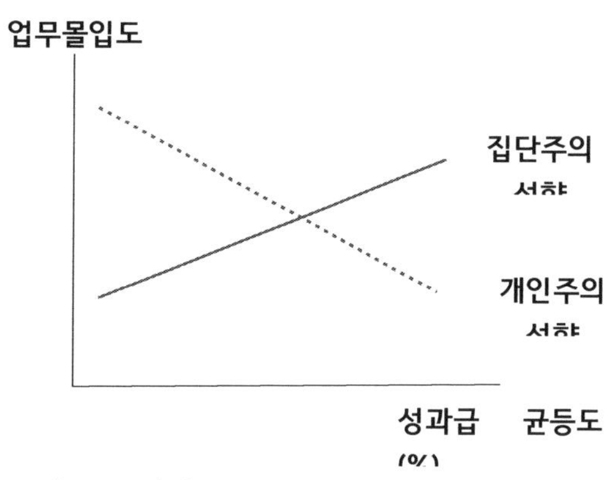

<그림 1> '성과급 균등도'와 '업무 몰입도'의 관계

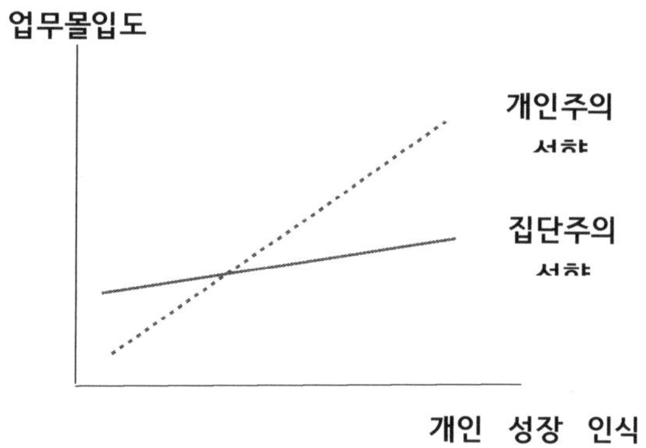

<그림 2> '개인 성장 인식도'와 '업무 몰입도'의 관계

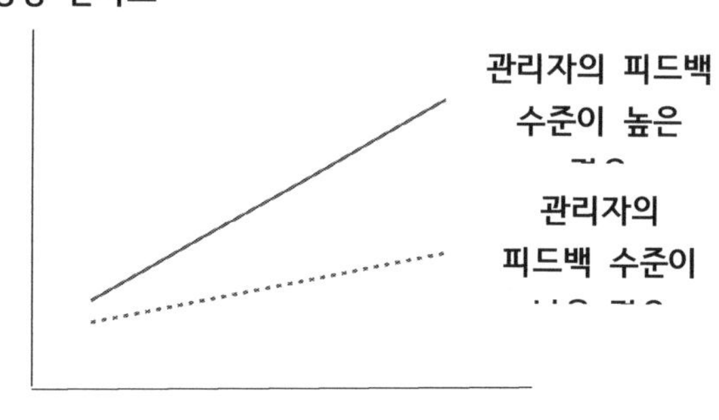

<그림 3> '업무 자율성'과 '개인 성장 인식도'의 관계

*개인 성장 인식도: 업무가 자신의 성장에 기여한다고 인식하는 정도

한국외국어대학교
HANKUK UNIVERSITY OF FOREIGN STUDIES

지원학부(과)	수 험 번 호	주민등록번호 앞6자리(예 040512)

성 명

1번

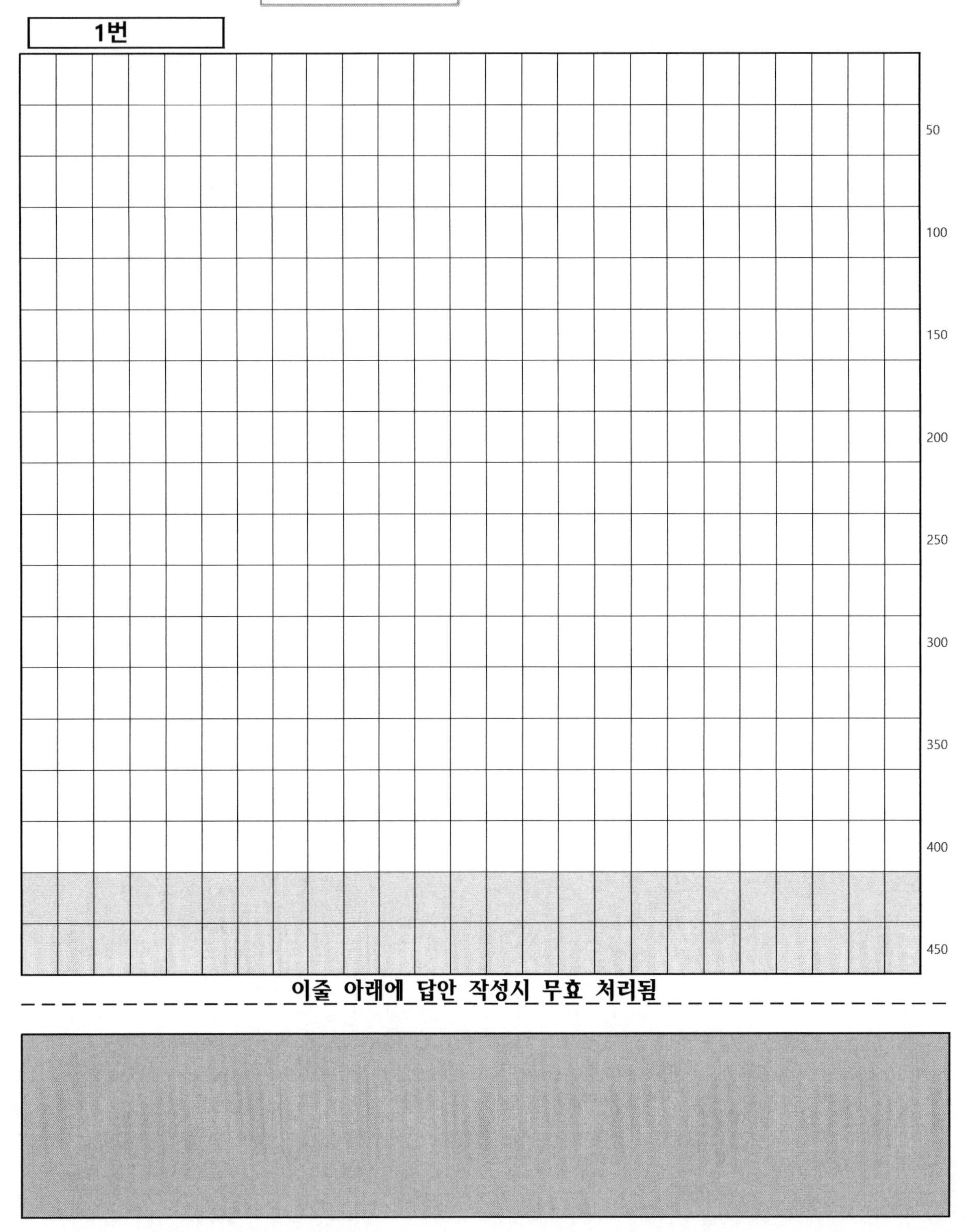

이줄 아래에 답안 작성시 무효 처리됨

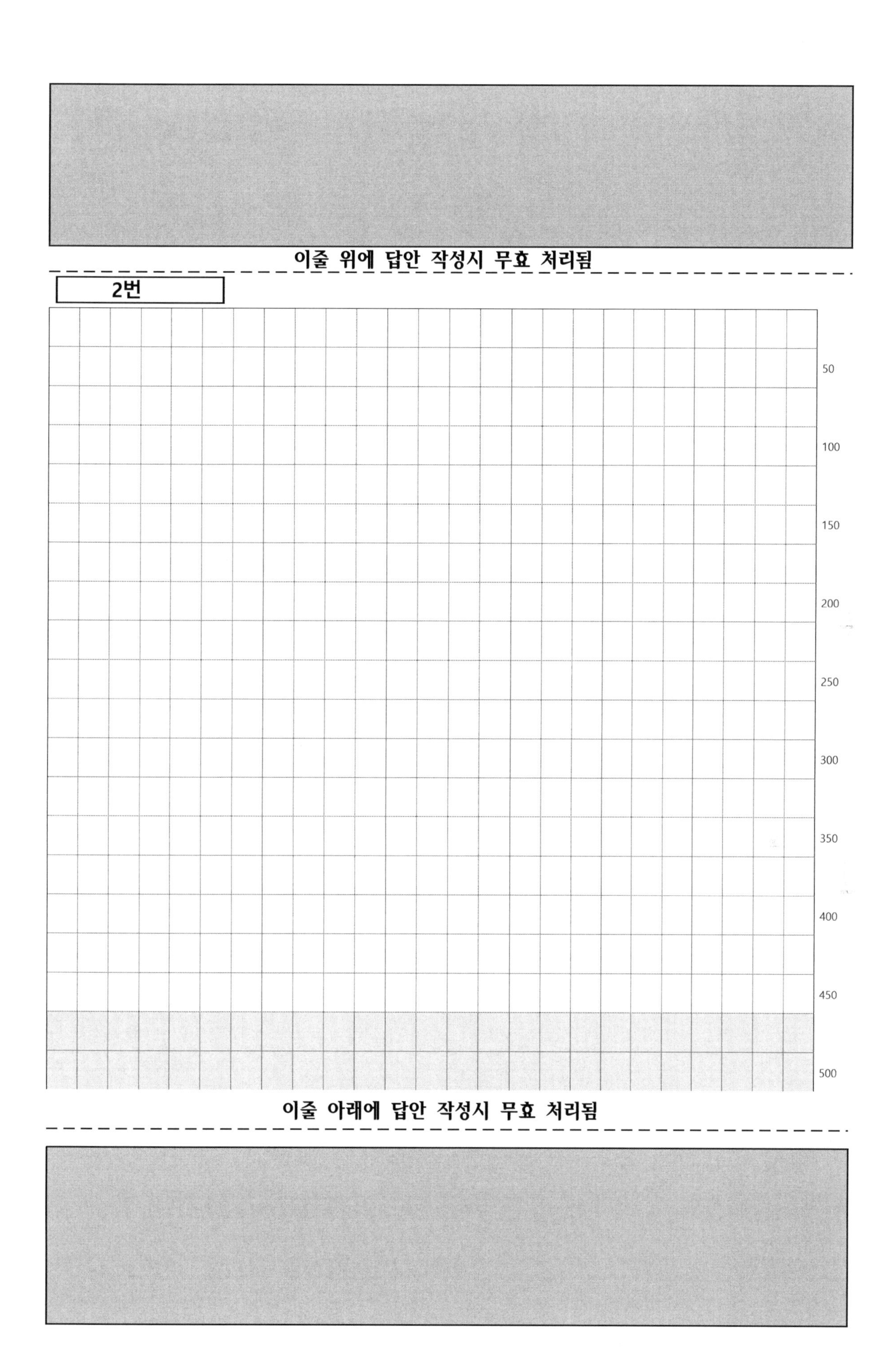
이줄 위에 답안 작성시 무효 처리됨
2번
50
100
150
200
250
300
350
400
450
500
이줄 아래에 답안 작성시 무효 처리됨

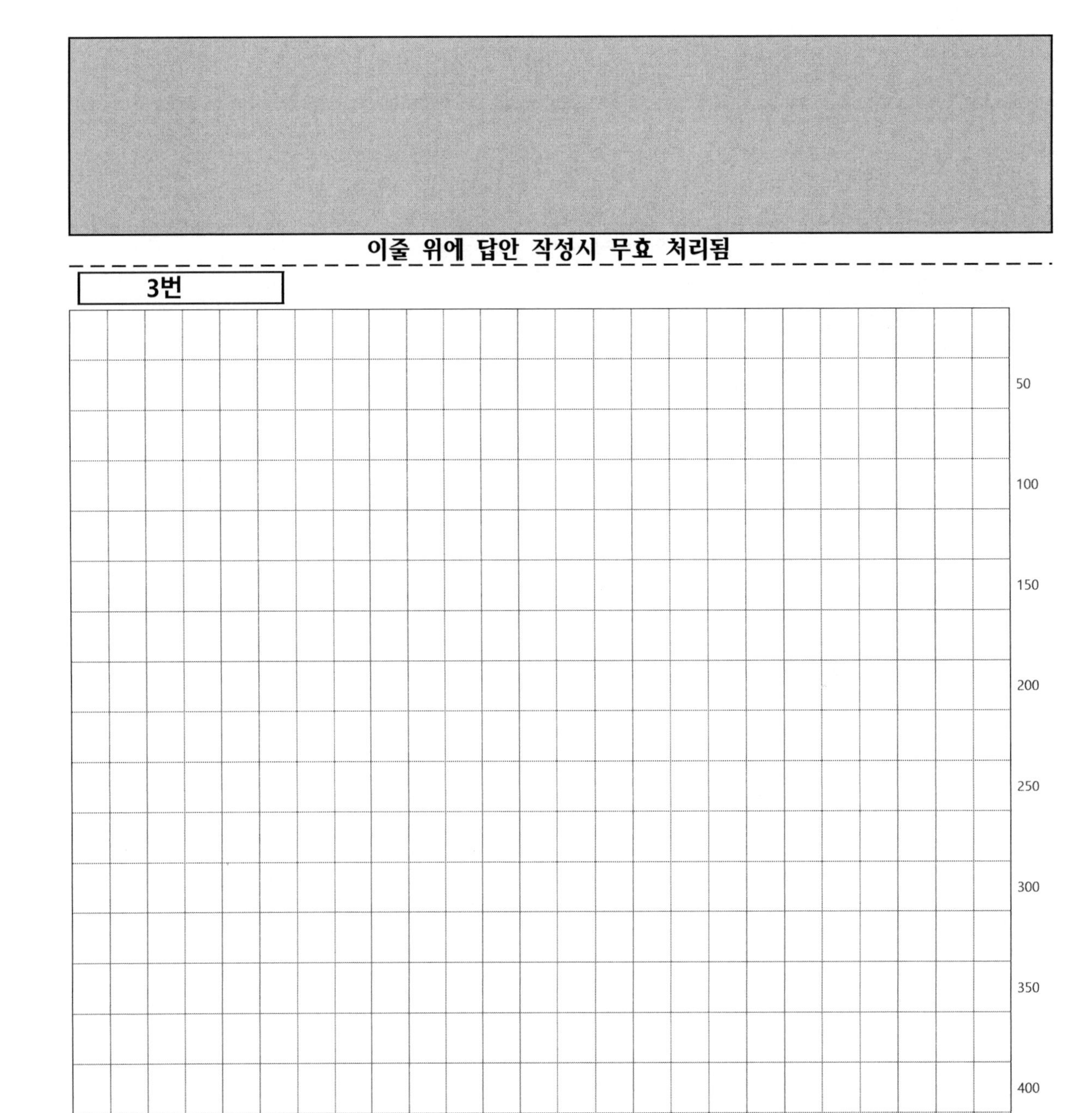

이줄 위에 답안 작성시 무효 처리됨

3번

5. 2023학년도 한국외대 수시 논술 [토요일 T1]

※ 다음을 읽고 물음에 답하시오.

(가)

인천국제공항공사의 비정규직을 정규직으로 전환한 이른바 '인국공 사태'는 청년세대의 불공정에 대한 인식을 강화하는 계기가 되었다. 인국공 사태 이후, 청년세대 가운데 상당수는 "능력주의는 공정한 사회를 만들기 위한 중요한 조건의 하나"라는 인식을 나타냈다. 32세 대학원생 K씨는 "할당제는 다른 사람의 기회를 박탈하고 또 다른 차별을 낳을 수 있다."라고 말하며, "학교든 회사든 각 조직이 본연의 설립 목적을 잘 달성하려면 능력에 따른 인재 선발이 이루어져야 한다."라는 견해를 밝혔다. IT 기업을 창업하여 성공한 L씨는 "창의적인 재능과 능력을 바탕으로 정당한 절차를 통해 부를 축적했다면 재산권을 충분히 보장해야 한다."라고 말하며, "부유세와 같이 개인의 재산권을 침해할 우려가 있는 과도한 세금 부과에 반대한다."라고 밝혔다.

- 고등학교 교과서 『생활과 윤리』 및 <한국경제> (2021. 6. 8.) 재구성

(나)

대한민국 임시정부는 1941년 11월에 민족독립을 앞두고 건국의 원칙과 방안을 담은 건국강령을 발표했다. 이 강령은 1장 총강, 2장 복국(復國), 3장 건국 등 총 22개 항으로 이루어져 있었다. 임시정부는 삼균주의(三均主義)*를 핵심 골자로 한 헌법을 제정하여 정치, 경제, 교육의 실질적 균등을 도모하고, 전국의 토지와 주요 산업의 국유화를 이룩하며, 전국의 학령 아동 전체에 대한 무상 의무 교육을 시행하여 호혜 평등의 민주국가를 건설하려는 방도를 제시했다. 그러나 해방 후 임시정부 세력이 주도권을 잡지 못하고 약화됨에 따라 건국강령과 그 기초가 된 삼균주의는 크게 주목받지 못하게 되었다.

* 삼균주의: 정치·경제·교육의 균등을 실현하여 개인·국가·민족 간의 균등을 이룬다는 사상.

– 고등학교 교과서 『한국사』

(다)

반도체 소재 제조업체인 N사의 경영진은 종전의 호봉제를 폐지하고, 기본급을 보장하면서 성과급제를 부분적으로 도입하기로 하였다. 성과급제는 1년 단위로 각 직원의 성과를 평가한 뒤 급여를 결정해 지급하는 제도로, 기본적으로 업적이라는 차등적 기준이 강조되는 보수체계이다. 성과급제의 부분적인 도입 이후 N사 직원들의 직무만족도는 전반적으로 향상되었고, 이는 N사의 성과지표 향상으로 이어졌다.

이에 고무된 N사는 성과에 따른 보수의 차이를 더욱 크게 하는 방향으로 성과급제를 확대 시행하였다. 그 결과 N사는 매출액이 계속 상승하였다. 그러나 성과평점이 높은 소수 직원들은 만족도가 크게 증가하였지만, 상대적으로 낮은 평점을 받은 다수 직원들은 연봉 저하로 불안감이 크게 고조되었다. 이로 인해 직원들 사이의 위화감이 조성되어 근무 환경이 불안정해졌다.

- <한국경제> (2020. 1. 2.) 재구성

(라)

아편전쟁 이후 청나라의 국가적 위신이 크게 떨어지고, 백성들의 생활은 궁핍해졌다. 이러한 상황에서 홍수전은 크리스트교의 영향을 받아 배상제회(拜上帝會)를 조직하고, 만주족을 멸망시키고 한족을 부흥시킨다는 '멸만흥한(滅滿興漢)'의 기치를 내세워 태평천국을 건설하였다. '태평천국'이라는 이름은 상제의 명령과 가호를 받아 평화롭고 평등한 지상천국을 수립한다는 염원을 담고 있다. 태평천국 정부는 그들의 이상향을 '천조전무제도'로 구체화하여 발표하였다. 이는 중국의 전통적인 대동(大同) 이념을 바탕으로 토지를 공유로 하고 남녀 균등히 할당하며, 전체 잉여 물자를 공유로 하여 차별과 대립이 없는 세계를 실현하고자 한 것이다. 실제 홍수전은 거병 이후에 군대 내에서 이러한 세계를 실현하고자 노력했고, 이를 사회 전체에까지 적용하려고 시도했다.

- 고등학교 교과서 『세계사』

<홍수전의 동상>

(마)

중앙아시아 고려인의 상당수가 우즈베키스탄과 카자흐스탄 지역에 몰려 살고 있다. 현재 우즈베키스탄에 17만 명, 카자흐스탄에 11만 명가량의 고려인이 거주하고 있다. 이들 고려인 가운데 노년층의 상당수는 과거 소련연방 시대를 그리워한다는 공통점을 갖고 있다. 중앙아시아 국가들이 소련연방에서 독립한 이후 민족주의 정책을 강화하고 시장경제를 도입함에 따라 이들이 상대적으로 소외되고 경제적으로 어려워진 탓이다.

알마티에서 만난 민족주의 혁명운동가 이동휘 선생의 손녀 류드밀라(82)씨는 "소련연방 시대에는 굶으면 다 굶었고, 일하면 다 일하고, 동지 정신이 있었는데 지금과 같은 시장경제는 그런 게 없어. 모두 다 저 먹고살기만 바쁘지."라며 당시를 그리워했다. 소련연방 시대 집단농장에서 일하며 청춘을 모두 바쳤다는 타슈켄트 인근의 강 할머니는 "여기 사람들은 모두 소련연방 시대를 그리워한다."라고 말했다. 이유가 무엇이냐고 묻자 "아프면 공짜로 치료받고 배우고 싶으면 배우고, 없어서 못사는 사람들은 없었지. 모두가 평등했던 그 시절이 그립지."라고 회상했다.

- <연합뉴스> (2014. 6. 10.) 재구성

(바)

'H시'는 최근 도시기반시설 건설과 복지 정책의 확대로 인해 재정이 크게 부족하게 되었다. 이에 H시는 보유자산 기준 상위 5% 시민을 대상으로 부유세를 신설하여 부족한 재정을 충당하기로 결정하였다. 아울러 H시는 시민의 기초생활을 보장하는 생계급여제를 중심으로 복지정책을 재편하여, 시민들이 건강하고 문화적인 생활을 유지하는데 필요한 최소한의 비용을 지급하기로 하였다. H시는 생계급여 수급자에게 의복, 음식물, 연료비와 그 밖에 일상생활에 필요한 가장 기초적인 물품이나 지원금을 지급하여 생계를 유지할 수 있도록 도와주었다. H시의 선별된 생계급여 대상자는 3만 5천명으로 전체 시민 100만 명 중 3.5%였다.

- <보건복지부 사이트> 재구성

[문제 1] 다음은 평등한 분배에 관한 토론 수업 모습이다. 학생들의 발표를 바탕으로 (가)~(바)를 두 유형으로 분류하고 요약하시오. (400자 내외, 210점)

모든 구성원을 동등하게 대우하며 절대적 평등을 추구해야 한다고 생각합니다.

아닙니다.
개인의 능력이나 업적, 필요 등 상대적 차이를 충분히 고려해야 한다고 생각합니다.

[문제 2] (가)에 나타난 청년세대들의 인식과 (바)에 기술된 H시의 정책을 <보기>의 노직의 관점에서 비교·평가하시오. (450자 내외, 210점)

<보기>

정의와 관련하여 분배기준 자체보다 공정한 분배를 위한 절차를 강조하는 입장이 있다. 이 입장에서는 절차나 과정이 공정하면 결과의 공정성도 보장된다고 본다. 이러한 절차적 정의를 논한 대표적 인물로 롤스와 노직이 있다.

롤스는 구성원들이 기본적 자유를 평등하게 가지면서도 가장 불우한 처지에 놓인 사람에게 최대한의 이익을 주는 방식으로 소득의 재분배 방식을 합의해야 한다고 주장한다. 개인의 기본적 자유를 보장하고, 공정한 기회균등의 원칙을 준수하면서도 복지정책 등을 통해 정의를 구현해야 한다는 것이다.

반면 노직은 개인의 자유를 중시하는 점에서는 롤스에 동의하지만, 차등의 원칙에는 반대한다. 노직은 재화의 취득과 이전의 절차나 과정이 정당하다면, 이를 통해 얻은 소유물에 관해서는 개인이 절대적 소유 권리를 가진다고 보았다. 그는 국가가 강압, 절도, 사기, 강제 계약의 발생을 막는 일 이상의 역할을 해서는 안 되고, 재화의 분배에 적극적으로 관여하기보다 개인의 자유에 최대한 맡겨야 한다고 주장했다.

- 고등학교 교과서 『생활과 윤리』

[문제 3] <그림 1>과 <그림 2>는 호봉제를 폐지하고 성과급제를 도입한 A사와 B사의 보수체계 개편과 그에 따른 성과지표 현황이다. A사와 B사의 성과지표 추이를 해석하고, (다)를 바탕으로 두 회사의 성과지표 차이의 요인을 추론하시오. (500자 내외, 280점)

<그림 1> A사의 보수체계 개편과 그에 따른 성과지표 현황

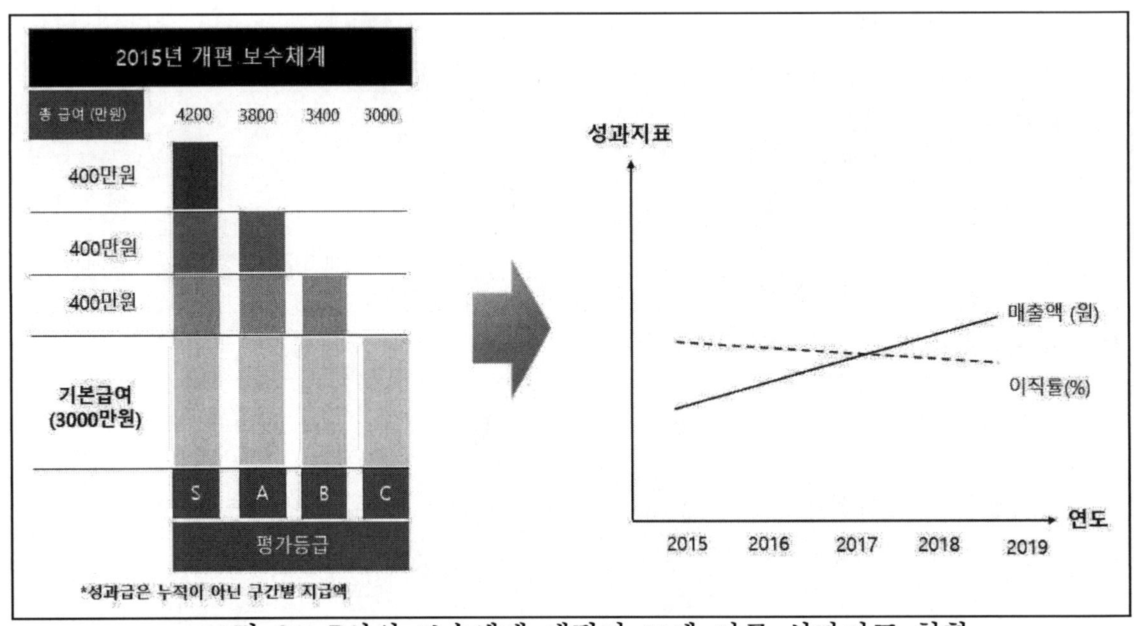

<그림 2> B사의 보수체계 개편과 그에 따른 성과지표 현황

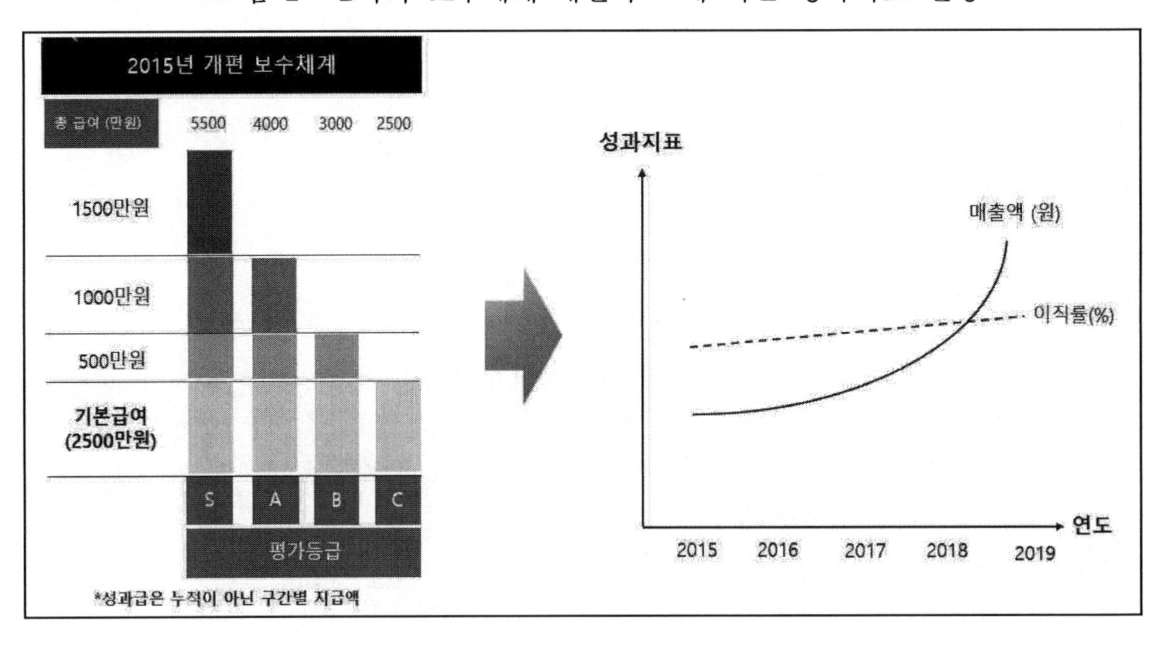

지원학부(과)	수 험 번 호	주민등록번호 앞6자리(예:040512)

성 명

1번

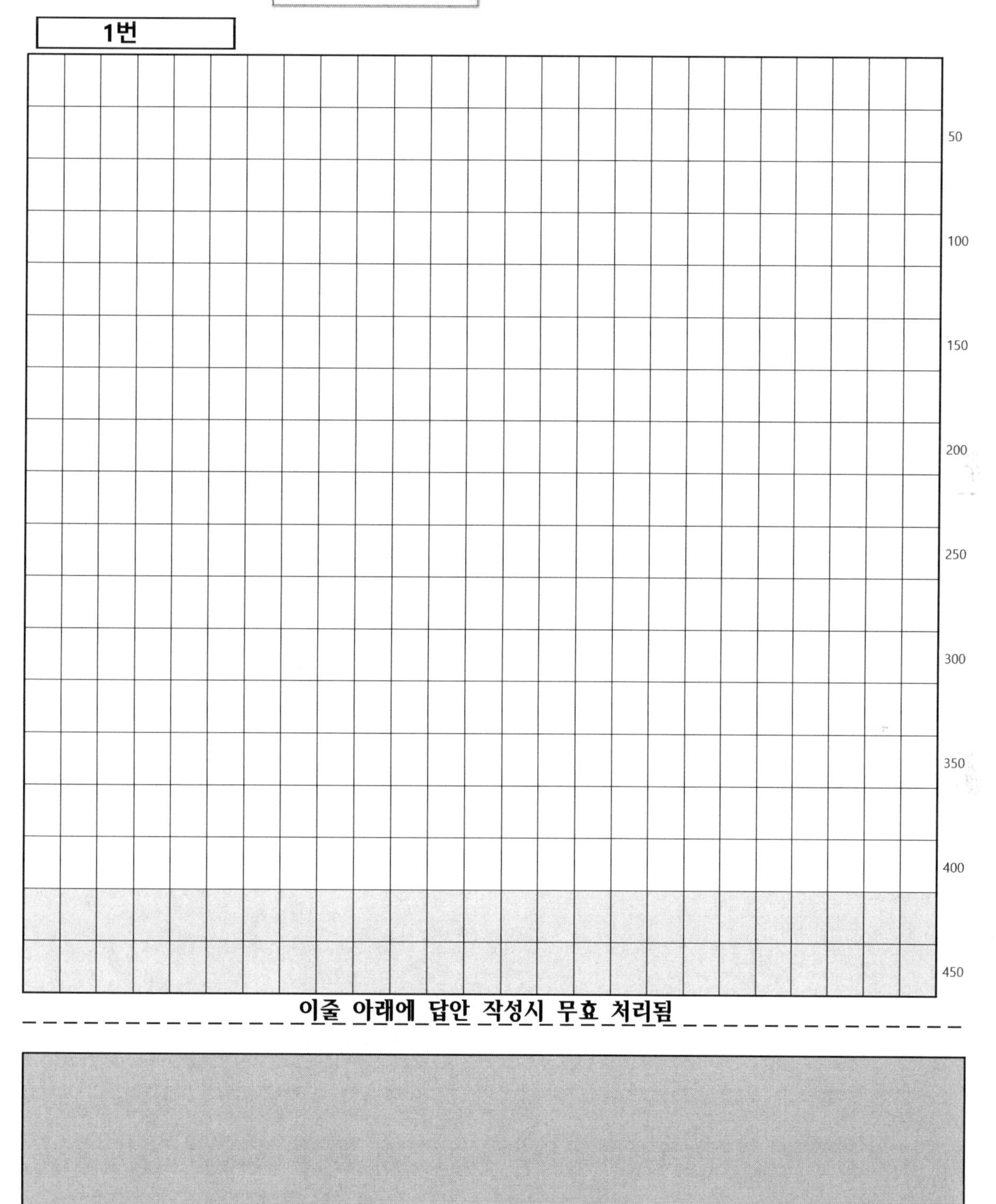

이줄 아래에 답안 작성시 무효 처리됨

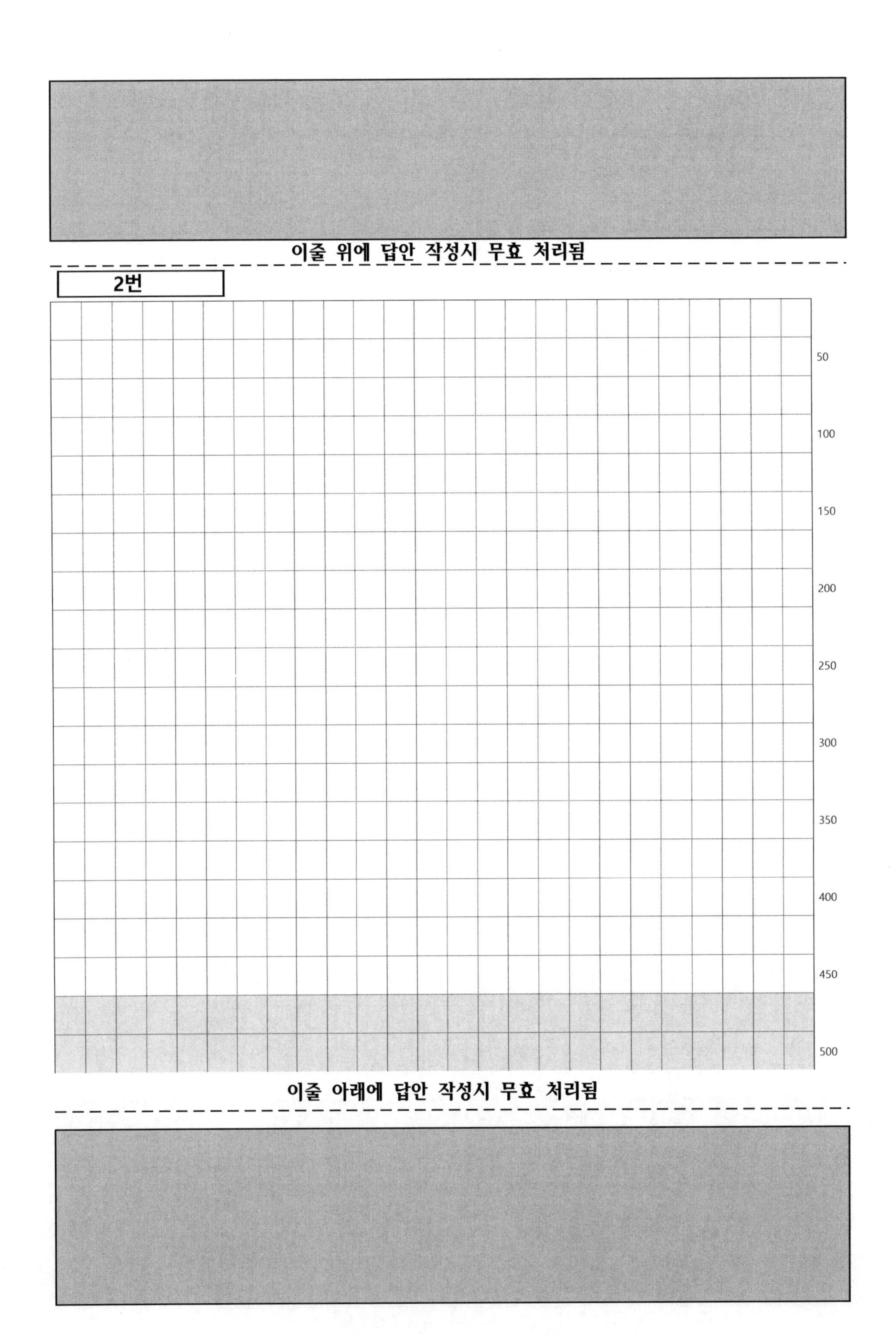
이줄 위에 답안 작성시 무효 처리됨
2번
50
100
150
200
250
300
350
400
450
500
이줄 아래에 답안 작성시 무효 처리됨

이줄 위에 답안 작성시 무효 처리됨

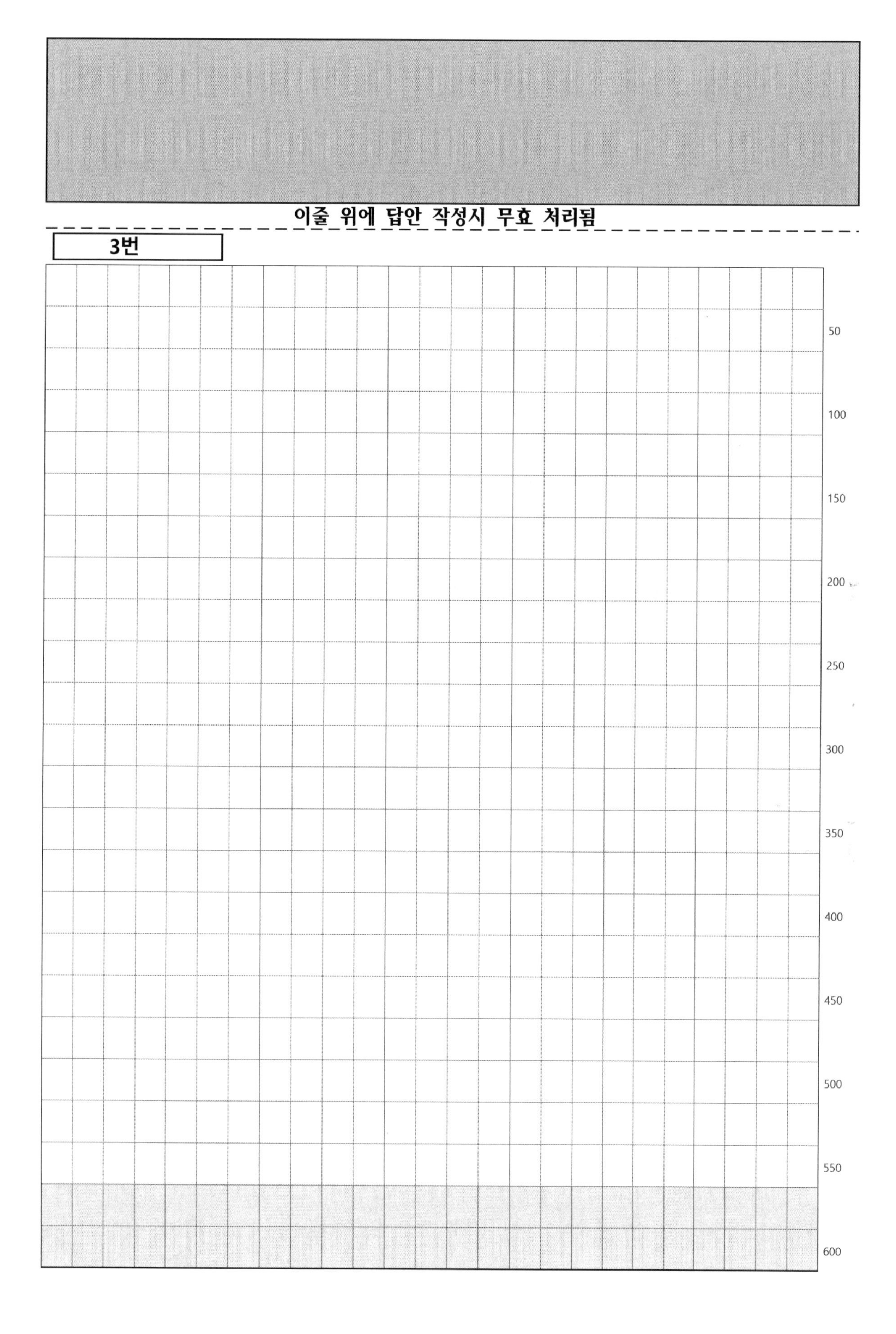

6. 2023학년도 한국외대 수시 논술 [토요일 T2]

※ 다음을 읽고 물음에 답하시오.

(가)

갈등은 집단 구성원 사이 혹은 둘 이상의 집단 사이에서 어떤 중요한 사항에 대한 의견, 주장, 이해, 욕구의 충돌이 일어난 상태로 정의할 수 있다. 갈등은 결과적 측면에 따라 '생산적 갈등'과 '소모적 갈등'으로 구분한다. 생산적 갈등은 갈등 양상이 집단의 동기, 창의성, 결속력, 문제해결, 생산성 등을 촉진했을 때의 갈등을 뜻한다. 반면, 소모적 갈등은 갈등 양상이 당사자 간의 반목 등을 유발해 집단의 목표 달성 등을 방해하고 여러 부정적인 결과를 초래했을 때의 갈등을 말한다.

- 김국현 외, 『고등학교 생활과 윤리』 재구성

(나)

윌버와 오빌 라이트 형제는 몇 달 동안 자신들이 만든 글라이더를 가지고 킬데빌힐스를 오갔다. 풍동(wind tunnel) 실험에서 얻은 데이터를 활용한 덕분에, 그들은 날개를 어떻게 설계해야 가장 잘 날아오르면서 저항을 최소화할 수 있는지 정확히 알 수 있었다. 그러나 시험 비행에서 급강하 문제가 계속 나타났다. 형제 중 한 명이 거의 죽을 뻔하기도 했다. 라이트 형제는 이 문제를 의논하다 곧 논쟁을 시작했다. 하지만 형제는 논쟁 자체를 즐겼다. 윌버는 종종 "오빌은 훌륭한 싸움꾼이죠."라고 애정을 담아 말했다. 수석 정비공 테일러는 형제가 일하던 가게 위층이 "논쟁이 끊이지 않아 겁먹게 되는" 분위기였다고 말했다. 급강하 문제를 어떻게 해결할 것인가에 대해 논쟁하던 날 밤, 오빌은 잠들지 못했다. 형과 논쟁을 벌였기 때문이 아니라 논쟁에서 찾아낸 가능성들을 생각하느라 머리가 바쁘게 움직이고 있었기 때문이다. 그는 윌버의 주장을 다시 검토해보고, 자신의 주장과 합쳐 정리해보았다. 다음 날 아침 식탁에서 오빌이 해결안을 내놓았다. 조절 가능한 방향타였다. 윌버가 내놓은 몇 가지 제안을 더해, 형제는 처음으로 완벽하게 조종 가능한 글라이더를 만들었다.

- 이언 레슬리, 『다른 의견』 재구성

(다)

조선 시대 사림(士林)은 서원과 향약을 기반으로 향촌 사회에서 꾸준히 세력을 확대하였다. 이들은 정치적·학문적 입장을 같이하는 '붕당'이라는 정치 집단을 구성했고,

붕당 내부의 토론을 통해 '공론'을 형성하여 이를 정치에 반영하는 왕도 정치를 실현하려 하였다. 그런데 조선 후기에 궁중 예법을 둘러싼 견해 차이, 국왕의 주도로 집권 붕당이 급격히 교체되는 환국이 나타나면서 정치 권력을 둘러싼 붕당 간의 대립과 갈등이 격화되었다. 왕이 환국을 주도함에 따라 왕과 직결된 외척이나 종친의 정치적 비중이 커졌고, 정치 권력은 점차 고위 관료들에게 집중되었다. 또한 특정 붕당이 정권을 독점하는 일당 전제화가 나타나면서 공론은 개인이나 당파의 이익을 대변하는 데 이용되었으며, 상대 세력의 정당성과 견해를 인정하지 않는 분위기가 강화되었다. 결국 붕당의 공론 형성을 통해 선비들의 다양한 의견을 정치에 반영하던 정치 기반이 무너지게 되었고, 외척 세력이 권력을 잡는 세도정치가 나타나면서 국정의 부패가 가중되었다.

- 송호정 외, 『고등학교 한국사』 재구성

(라)

[앞부분 줄거리] '나'의 가족은 아빠의 직장 때문에 독일에서 살게 된다. 이웃에는 베트남인 호 아저씨, 응웬 아줌마 그리고 아들 투이가 산다. '나'의 가족은 호 아저씨 가족과 서로 의지하며 지낸다. 학교에서 베트남 전쟁에 관한 수업이 있던 날, 호 아저씨네 집에서 두 가족이 함께 저녁 식사를 한다.

"한국은 다른 나라를 침략한 적 없어요." 나는 그 말을 하고 동의를 구하기 위해 엄마 아빠를 쳐다봤다. 아빠는 아무 얘기도 못 들었다는 듯이 내 쪽으로 눈을 돌리지 않았고, 엄마는 조용히 하라는 투의 눈빛을 보냈다. [중략] 나는 마지막 용기를 쥐어짜서 독일어로 말했다. "한국에서 그렇게 배웠는데. 우린 아무에게도 잘못한 게 없다고. 우린 당하기만 했다고. 선생님이 그렇게 말했는데……."

"한국 군인들이 죽였다고 했어." 투이가 말했다. 작은 목소리였지만 식탁의 분위기를 얼려버리기에는 충분했다. "그들이 엄마 가족 모두를 다 죽였다고 했어. 할머니도, 아기였던 이모까지도 그냥 다 죽였다고 했어. 엄마 고향에는 한국군 증오비가 있대." 어떻게 네가 그런 말을 할 수 있느냐고 힐난하는 말투였지만 나는 그 애가 무슨 말을 하는지 도무지 이해할 수 없었다.

"저는 정말 몰랐어요." 엄마가 말했다. "응웬 씨가 겪었던 일, 저는 아무것도 모르지만 그래도 죄송하다고 말씀드리고 싶어요. 죄송합니다." 엄마는 호 아저씨와 응웬 아줌마에게 고개 숙였다.

"저는 모든 걸 제 눈으로 다 봤답니다. 투이 나이 때였죠." 그렇게 말하고 호 아저씨는 붉어진 눈시울로 애써 웃었다. "하지만 그렇게 말씀해 주셔서 감사합니다." 호 아저씨는 거기까지 말하고 힘껏 웃어 보였다. [중략]

아빠는 식탁 의자에 걸친 카디건에 팔을 넣었다. "저녁 잘 먹었습니다." 아빠는 잠시 망설이다가 입을 열었다. "저희 형도 그 전쟁에서 죽었습니다. 그때 형 나이 스물이었죠. 용병일 뿐이었어요."

아빠는 누구의 눈도 마주치지 않으려는 듯 바닥을 보면서 말했다.

"그들은 아기와 노인들을 죽였어요." 응웬 아줌마가 말했다.

"누가 베트콩인지 누가 민간인인지 알아볼 수 없는 상황이었겠죠." 아빠는 여전히 응웬 아줌마의 눈을 피하며 말했다.
"태어난 지 고작 일주일 된 아기도 베트콩으로 보였을까요. 거동도 못 하는 노인도 베트콩으로 보였을까요."
"전쟁이었습니다."
"전쟁이요? 그건 그저 구역질 나는 학살일 뿐이었어요." 응웬 아줌마가 말했다. 어떤 감정도 담기지 않은 사무적인 말투였다.
"그래서 제가 무슨 말을 하길 바라시는 겁니까? 저도 형을 잃었다구요. 이미 끝난 일 아닙니까? 잘못했다고 빌고 또 빌어야 하는 일이라고 생각하세요?"
응웬 아줌마는 자리에서 일어나 천천히 서재로 걸어 들어갔다. 조심히 닫히던 문소리. 나는 겁에 질렸지만 차마 서재로 따라 들어가지는 못했다.

- 최은영, 『씬짜오, 씬짜오』중에서

(마)

A시는 자체 쓰레기소각장이 필요해짐에 따라 B시와의 경계 지역에 소각장을 건설할 계획을 세웠다. 그런데 이 과정에서 A시는 B시와 행정협의를 하지 않은 채 사업추진을 강행하여 B시와 갈등을 빚게 되었다. B시의 시민과 시의회 의원들은 A시가 일방적으로 추진하던 쓰레기소각장 건설계획에 격렬히 반대하면서 A시 측에 소각장 건설부지 선정에 대한 재검토를 요청하였다. A시는 건설부지가 적법하게 선정되었다고 주장하며, 소각장 건설을 계속 추진하겠다는 뜻을 밝혔다. 그러나 B시의 항의가 계속되면서 지자체 간 갈등으로 비화하기에 이르렀다. 한편, B시가 타 도시에 위탁해서 처리하던 생활 하수의 일부를 자체적으로 처리할 수밖에 없는 상황이 생기면서 B시는 자체 하수처리장을 건설하는 과제를 안게 되었다. 결국 쓰레기소각장을 필요로 하는 A시와 하수처리장을 필요로 하는 B시가 환경 기초시설의 빅딜을 논의하게 되었다. 양측은 A시와 B시의 시민, 지역 의원, 전문가를 포함하는 업무 협의회를 구성하였고, 조정 방안이 미치는 영향에 대한 과학적 분석을 실시하였다. 또한 주민공청회를 수차례 개최하여 소각장 건설, 하수처리장 이용에 관한 정보들을 관련 당사자 모두와 공유하면서 갈등을 조정해 나갔다. 마침내 A시가 B시의 하수를 처리해 주고, B시가 A시의 쓰레기소각장 건설에 동의하는 방안에 합의하였다.

- 윤영채, 『입지 갈등… 사례 연구』재구성

(바)

K시 교도소 재건축 및 이전 사안은 약 15년 동안 지속적인 갈등 상황에 놓여 있었다. 이 갈등은 재건축을 추진한 부처가 K시와 K시 시민들의 의견을 반영하여 정책을 추진하기보다는 일방적 방식을 고수하면서 심화되었다. 해당 부처는 갈등 당사자 간의 의사소통을 위한 위원회를 구성하면서도 K시 시민의 참여를 독려하지 않은 채, K시와 시의회, 부처만 포함함으로써 K시 시민들의 불만을 초래하였다. 또한 갈등 발생이 우려되는 상황에서도 이를 과학적으로 진단하고 예측하는 갈등영향분석도 진행하지 않았고, 갈등 요인들과 관련된 정보의 공유를 제한하면서 주민공청회와 설명회를

절차적 정당성 확보를 위한 형식적 수단으로만 사용하였다. 이렇게 법적 정당성만을 갈등 해결의 주요가치로 인식하는 정책 추진 방식은 교정시설에 대한 부정적 인식을 완화하지 못했을 뿐만 아니라 정책에 대한 K시 시민의 신뢰도 떨어뜨렸다. 결국 논의가 최종적으로 마무리되기까지 막대한 경제적, 사회적 비용이 발생했다.

- 김성근, 『갈등해결 이후의 사회적 결과에 관한 연구』재구성

(사)

일본의 N자동차 회사는 1979년 미국 캘리포니아에 디자인센터(NDI)를 설립했다. 해외 시장을 겨냥한 자동차 디자인 개발을 위해 본사의 간섭 없이 창의적인 디자인을 할 수 있는 스튜디오를 구축하기 위해서였다. NDI의 초대 대표 허쉬버그는 디자인 스튜디오의 진용을 꾸리면서 독특한 고용 원칙을 도입했다. 업무 스타일, 가치관 등 모든 면에서 전혀 다른 두 디자이너를 영입해 동일한 프로젝트에서 함께 일하도록 한 것이다. 이른바 '상반된 2인조' 고용 원칙이다. 대표적인 예로 NDI에서 한팀으로 일하게 된 톰 셈플과 앨런 플라워스를 들 수 있다. 셈플은 '디자인이란 예술적 직관을 통해 백지상태에서 전혀 새로운 형태를 창조하는 것'이라고 봤다. 자동차의 공학적 측면은 그에게 주요 고려 대상이 아니었다. 반면 플라워스는 '형태보다 기능이 앞선다'고 믿었다. 자동차 부품과 재료, 각각의 기능에 대한 이해가 우선이고, 그에 따라 디자인이 이뤄져야 한다는 게 그의 지론이었다. 이렇게 다른 두 사람은 많은 사안에서 의견이 충돌했다. 사람들은 디자이너들끼리 갑론을박 싸움만 하다 프로젝트가 산으로 가지 않을까 우려하였지만, 허쉬버그는 적절한 지원을 제공하면서 두 사람을 오랫동안 함께 일하도록 했다. 이러한 결정은 어떤 결과를 낳았을까? 우려와는 달리, 이들은 시장의 호평을 받는 혁신적인 디자인을 잇달아 탄생시켰다.

- 이방실, 『DBR』 재구성

[문제 1] (가)에 나타난 두 가지 갈등 유형을 토대로 (나)~(마)를 분류하고, 갈등의 주체·내용·결과를 중심으로 각 제시문을 요약하시오. (400자 내외, 210점)

[문제 2] 아래 <보기>를 바탕으로 (마)와 (바)를 비교·평가하시오. (450자 내외, 210점)

<보기>

사회학자 ○○에 따르면 기피 시설 설치 등의 공공정책으로 인한 정부 부처, 지자체, 지역주민의 갈등을 원활하게 해결하기 위해 공공기관은 체계적인 갈등관리 방안을 마련해야 한다. 구체적으로, 공공기관은 다음과 같은 노력을 기울여야 한다. 첫째, 주민공청회 등을 통해 관련 정보를 실질적으로 공유해야 한다. 둘째, 주민 생활에 큰 영향을 주거나 이해 상충으로 인한 심각한 갈등이 우려되는 경우 정책의 영향을 분석하는 절차를 거쳐야 한다. 셋째, 이해당사자 및 전문가들이 원활하게 의견을 나누고 협상을 진행할 수 있는 다양한 협의의 장을 마련해야 한다.

[문제 3] 어떤 조직의 관리자가 조직의 성과를 높이기 위해 취해야 할 갈등관리 방법을, (사)의 사례를 참고하고 <그림 1>과 <그림 2>를 적용하여 추론하시오. (500자 내외, 280점)

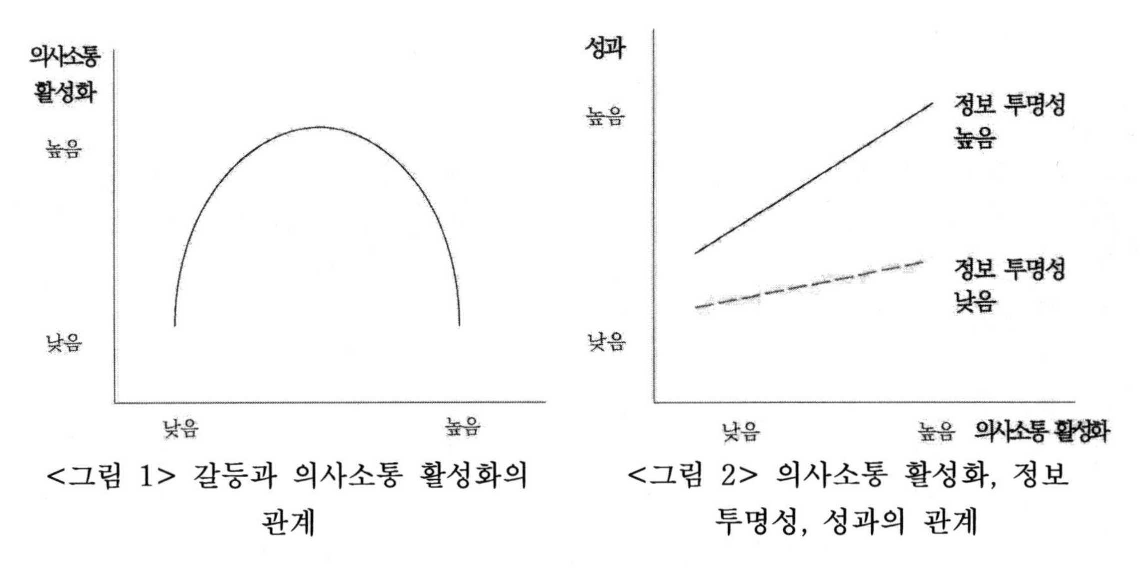

<그림 1> 갈등과 의사소통 활성화의 관계

<그림 2> 의사소통 활성화, 정보 투명성, 성과의 관계

지원학부(과)	수험번호	주민등록번호 앞6자리(예:040812)

성명

1번

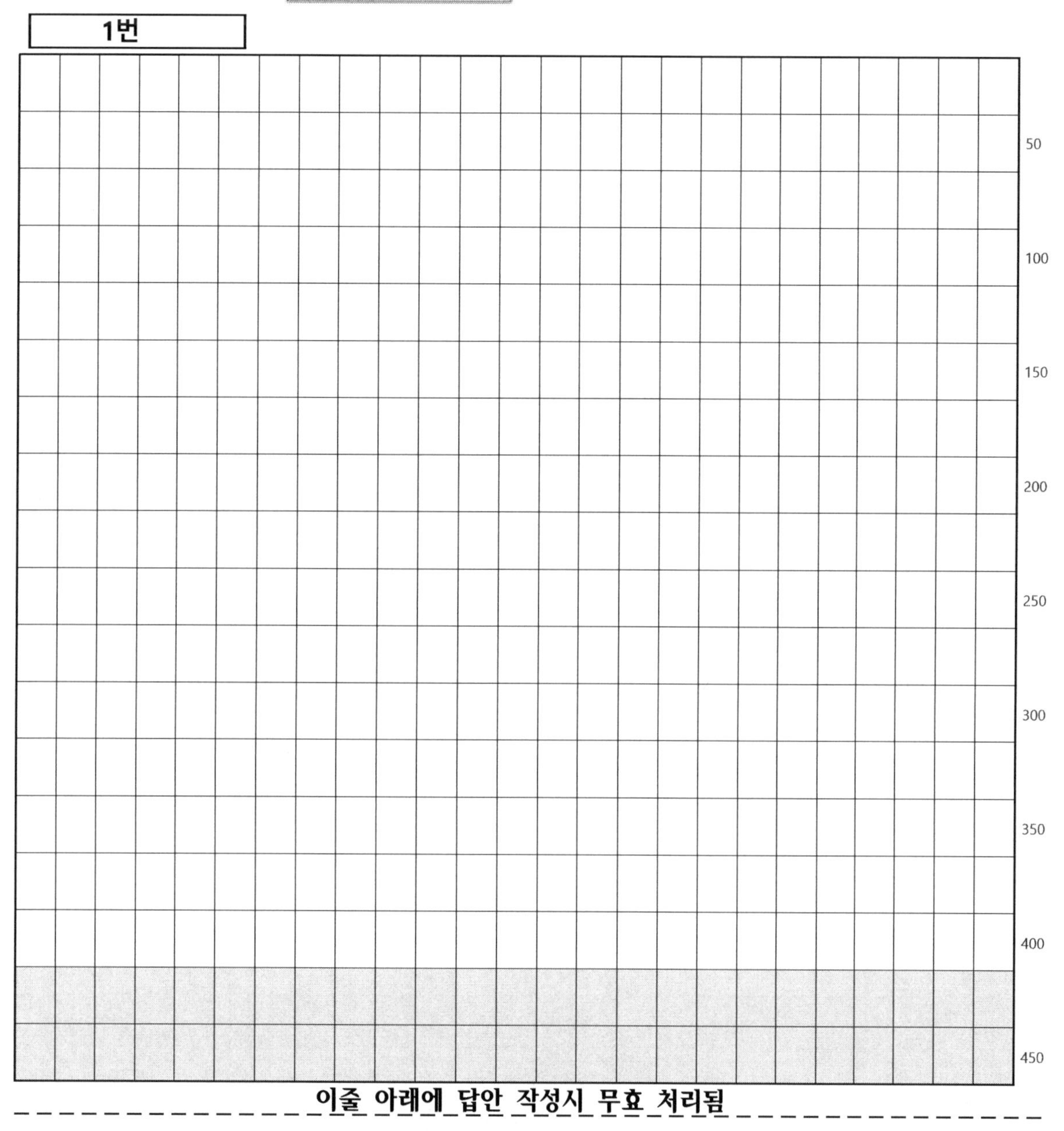

이줄 아래에 답안 작성시 무효 처리됨

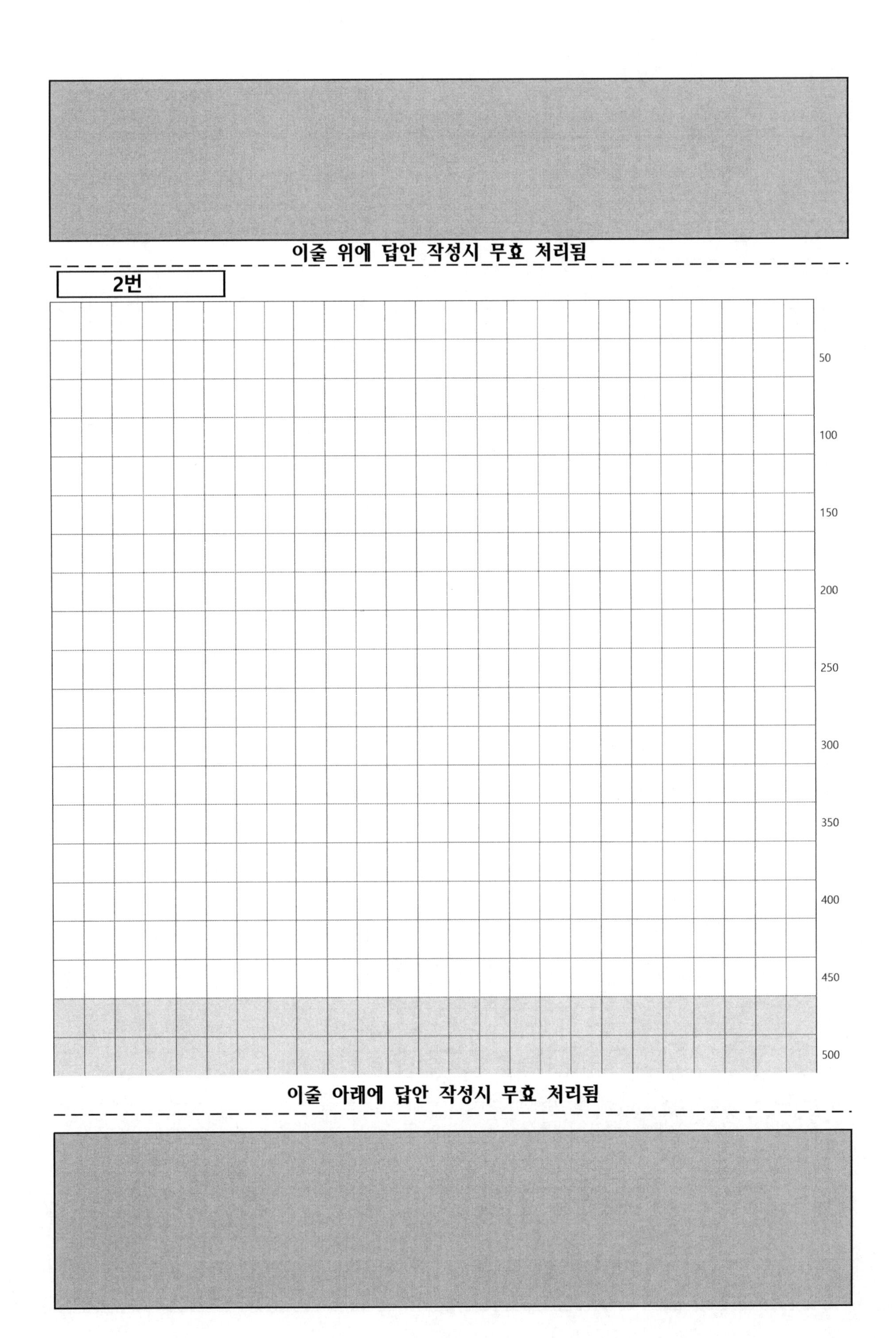
이줄 위에 답안 작성시 무효 처리됨
2번
50
100
150
200
250
300
350
400
450
500
이줄 아래에 답안 작성시 무효 처리됨

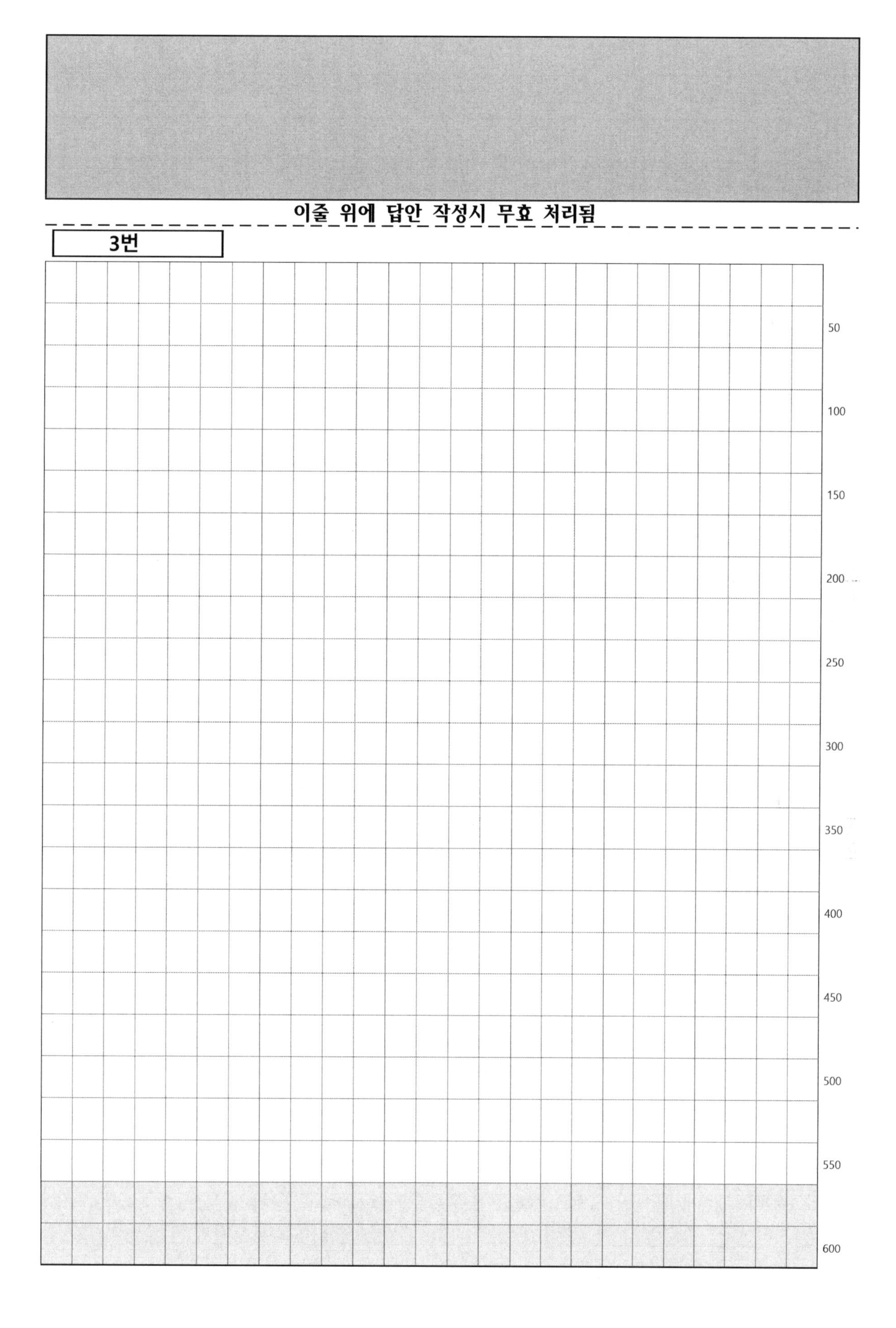
이줄 위에 답안 작성시 무효 처리됨
3번
50
100
150
200
250
300
350
400
450
500
550
600

7. 2023학년도 한국외대 수시 논술 [일요일 T3]

※ 다음 글을 읽고 물음에 답하시오.

(가)

장승은 나무나 돌에 사람의 얼굴 모양을 새겨 마을 입구나 길가에 세운 조각상이다. 보통 위쪽에는 사람의 얼굴 형태를 그리거나 조각하고, 아래쪽에는 '천하대장군'이나 '지하여장군' 등의 글씨를 새긴다. 장승은 마을의 경계를 나타내거나 길을 안내하는 역할과 함께 잡귀와 질병으로부터 마을을 보호해주는 수호신의 기능을 수행했다. 이에 **마을 주민들**은 장승을 신앙의 대상으로 여기며 신성시했다. 마을 주민들은 정기적으로 마을굿을 거행하며 장승을 새롭게 깎아서 세워 전염병을 막고 잡귀를 물리는 기원을 하는 한편, 주민 전체의 결속을 다졌다. 장승제는 농사를 지으며 한 곳에 오랫동안 정착하여 살아왔던 농경사회의 각 마을이 단일 정체성을 형성하는데 핵심적인 역할을 담당했다.

- <한국민족문화대백과사전> 재구성

(나)

'멀티 페르소나*'는 다른 사람으로 변신하고 다양한 정체성을 만들어가는 다중적 자아상을 의미한다. 이러한 다중적 자아상을 지닌 **개인**은 자신의 정체성을 장소와 역할에 맞게 다양하게 변화시킬 수 있다. 한 예로, 요즘 직장인들을 살펴보면 하나 이상의 다양한 직업 정체성을 가지고 활동하는 이들이 많은데, 이들을 'N잡러'라고 일컫는다. 또한 개인의 다양한 정체성이 취미나 여가 활동으로 연결돼 나타나면 '덕질'이나 취향 기반의 여러 활동으로 이어져 '취미 부자'로 불리게 된다. 실제로 SNS 활동과 관련하여, Z세대의 경우 평균 두 개 이상의 계정을 운영하면서 계정별로 상이한 자신의 라이프스타일과 정체성을 표출하는 것으로 조사됐다.

* 페르소나 : 고대 그리스 시대 배우들이 쓰던 가면이라는 뜻으로 심리학과 철학에서는 이성과 의지를 지닌 채 자유로이 책임을 지며 행동하는 주체를 의미한다.

- <동아 비즈니스 리뷰> 재구성

(다)

우즈베키스탄 출신의 귀화 한국인 구00씨가 집 근처 사우나를 찾았다가 **카운터 직원**에게 문전박대를 당했다. 구00씨는 카운터 직원으로부터 외국인은 출입이 안 된다는 이유로 제지를 당하자 "저는 한국 국적을 취득한 한국인입니다."라고 말했다. 그러나 한국인은 단일민족이라는 인식을 가진 카운터 직원은 "당신의 외모는 외국인이기 때문에 한국 국적이 있어도 출입할 수 없습니다."라고 말하며 입장을 막았다. 카운터 직원은 구00씨를 외국인으로 간주하며 "한국 손님들은 사우나에 외국인이 오는 걸 싫어한다."라고 밝혔다.

- 고등학교 교과서『사회문화』재구성

(라)

이 그림은 '재일 조선 미술회' 소속 작가인 표세종이 1958년에 그린 <내년은 우리 학교에>라는 작품이다. 1953년에 설립된 재일 조선 미술회는 백름이라는 미술사학자에 의해 세상에 알려졌다. 백름의 연구에 따르면 재일 조선 미술회 소속 **작가들**은 한반도에 뿌리를 두고 일본에 사는 재일 조선인의 다양한 삶의 모습과 정체성을 그렸다고 한다. 실제 이들은 '재일 조선인의 생활', '재일 조선인의 북한 귀국', '4·19혁명' 등 다양한 테마로 전시회를 개최했다. 백름은 이들에 관한 연구를 통해 성별이나 출신에 상관없이 다양한 삶과 정체성을 존중하는 사회에 관해 늘 생각하게 되었다고 밝혔다.

- <경향신문> (2022. 1. 10.) 재구성

(마)

우리나라는 1990년대부터 결혼 이민자, 외국인 노동자, 유학생 등이 증가하면서 다문화 사회로 진입하기 시작하였다. 우리나라는 초기에는 우리 사회에 대한 외국 출신 이주자의 적응을 중시하는 다문화정책을 시행하였다. 결혼 이민자나 외국인 노동자에 대한 한국어 교육, 우리 민족의 전통문화 전수 등이 대표적인 사례이다. 이러한 초기의 다문화정책은 동화주의에 가까워 소수 집단 문화를 한민족의 주류 문화에 일방적으로 동화시키려 한다는 비판을 받기도 하였다.

이에 **최근 우리나라**는 문화 다원주의적 인식을 강조하는 방향으로 다문화정책을 바꾸어 나가고 있다. 문화 다양성을 보호하기 위한 법을 제정하고, 다양한 집단의 문화가 우리 사회 내에서 공존할 수 있도록 보장하는 여러 정책을 시행하고 있다. 특히 2013년에 다문화가족지원법을 개정하여 한국어 교육뿐만 아니라 결혼이민자등*인 부 또는 모의 모국어 교육을 지원하고 있다.

이러한 문화 다원주의 정책은 각 집단의 다양한 정체성을 존중하여 다문화 사회의 갈등을 방지하고 공존을 도모할 수 있게 한다. 다양한 문화의 공존은 사회 구성원에게 풍부한 문화적 경험의 기회를 제공하고, 새로운 문화 창조의 원동력이 될 수 있다. 또 다문화 사회를 구성하는 각 집단과 모국 사이의 네트워크를 긴밀하게 하여 경제·문화 교류를 활성화하고, 국가경쟁력을 크게 높일 수 있다.

* 결혼이민자등 : 다문화 가족의 구성원으로서 결혼 이민자나 귀화 허가를 받은 자를 일컫는다.

- 고등학교 교과서 『사회문화』 및 『통합사회』 재구성

(바)

삼국통일 직후, **통일신라**는 삼국을 하나로 통일했음을 뜻하는 삼한일통의식(三韓一統意識)이라는 새로운 통합 정체성을 내세우고, 이를 바탕으로 옛 고구려인, 백제인,

<통일신라의 9주 5소경>

신라인을 하나로 묶는 삼국유민 통합정책을 추진했다. 통일신라는 하나의 독립된 천하를 상징하는 중국의 9주제를 도입하여 전국을 9개 주로 편성하였는데, 삼국의 옛땅에 각각 3개 주를 두어 대등하게 대하면서도 하나로 통합하려 했다.

이를 통해 통일신라는 옛 삼국을 통합한 통일국가로서의 단일 국가 정체성을 확립하고, 장기적 국가 발전 전략을 바탕으로 삼국 유민 사이의 갈등을 극복하고, 늘어난 영역과 백성을 효율적으로 다스려 경제적 번영을 누릴 수 있었다. 또 통일신라는 한반도 전체를 지배하려던 당의 동방정책을 무산시키고, 주변국과의 외교교섭을 활발하게 전개해 국제적 위상을 높였다. 아울러 종전의 삼국 문화를 융합하여 새로운 석탑 양식을 창출하는 등 문화적으로도 크게 융성하였다.

- 고등학교 교과서 『한국사』 재구성

[문제 1] 밑줄 친 주체의 정체성에 대한 인식을 기준으로 (가) ~ (바)를 두 유형으로 분류하고 요약하시오. (400자 내외, 210점)

[문제 2] (바)의 통일신라와 <보기>의 영국의 사례에 나타난 정책 결정에 영향을 미친 정체성의 특징을 비교하고, 그 결과를 국가 발전의 관점에서 평가하시오. (450자 내외, 210점)

<보기>

1993년 마스트리히트 조약의 발효로 EU(유럽연합)가 출범하고, 이는 유럽시민이라는 새로운 통합 정체성이 확산되는 계기가 되었다. 이러한 통합 정체성은 2002년 단일화폐인 유로화의 사용으로 더욱 강화되었다. 많은 유럽인들은 국적에 상관없이 유럽인이라는 의식을 가지고, 자국의 국가 정체성도 중요하지만 유럽시민이라는 공동정체성을 널리 확산하는 것이 더 중요하다고 생각하게 되었다.

하지만 영국은 2016년에 EU를 탈퇴하는 브렉시트(Brexit)*를 결정하였다. 브렉시트를 결정한 영국의 정책은 영국인의 국가 정체성과 깊은 연관이 있다고 볼 수 있다. 한 연구에 따르면 영국인의 경우 새롭게 형성된 유럽시민으로서의 초국가적 정체성을 부정하고 오래전에 확립된 기존의 자국 정체성만 인정하는 비율이 EU의 다른 회원국에 비해 월등히 높은 62%라는 수치를 보여주었다.

한편 많은 연구들이 브렉시트를 영국의 장기적 비전 결여와 연관 짓기도 한다. 영국인들은 EU 분담금에 대한 불만 등의 단기적 이해관계에 매몰되어 장기적 발전 전략을 충분히 논의하지 않은 채 투표한 것으로 확인되었다. 브렉시트 이후, 영국은 유럽 집행위원회에 참여하지 못하게 됨에 따라 국제적 입지가 약화되고 있다. 아울러 영국인들은 EU의 후원 아래 개최되는 수많은 행사 및 에라스무스와 같은 교육·학술교류 프로그램에 대한 접근이 크게 제한되어, 사회·문화적인 타격도 불가피할 것으로 예상된다. 2021년 영국 정부의 보고서에서는 브렉시트로 인해 영국의 무역 손실이 크게 확대되고 금융중심지로서의 위상도 약화될 것으로 예상했다.

* 브렉시트(Brexit) : 영국을 뜻하는 Britain과 탈퇴를 뜻하는 exit의 합성어로 영국의 EU 탈퇴를 일컫는다.

- 윤성욱, 2017「양날의 칼로서의 영국 정체성」『영국연구』 재구성

[문제 3] <보기>의 밑줄 친 주체의 희망을 구현하기 위한 독일 정부의 정책 방향과 그에 따른 긍정적 유발 효과를 (마)를 참조하여 추론하시오. (500자 내외, 280점)

<보기>

In the 1960s, without a sufficient workforce to hold an economic boom, the West German government allowed Turkish laborers to enter the country. Over three million Turkish workers immigrated to Germany with their families, building a big Turkish community. West Germany encouraged the immigrants, young children in particular, to learn German for successful assimilation*. Although this strategy appeared effective in uniting different groups of immigrants, Turkish included, it led to serious communication and identity problems.

Many studies find that the second language learning is facilitated when the home language is fully developed. Children of Turkish descent in Germany had difficulty learning German because they were not given enough time to learn their home language, Turkish, due to the assimilation policy. This is why **the Turkish mothers**, who were unable to communicate with their children properly, began to resist the German government's emphasis on assimilation. In other words, they wanted their children to settle down and be successful in Germany without losing their home language and Turkish identity.

* assimilation: 동화, 흡수

- Austin Davis, 2015 "Repairing the Cultural Divide", Pulitzer Center 재구성

한국외국어대학교
HANKUK UNIVERSITY OF FOREIGN STUDIES

지원학부(과)	수 험 번 호	주민등록번호 앞6자리(예:040512)

성 명

1번

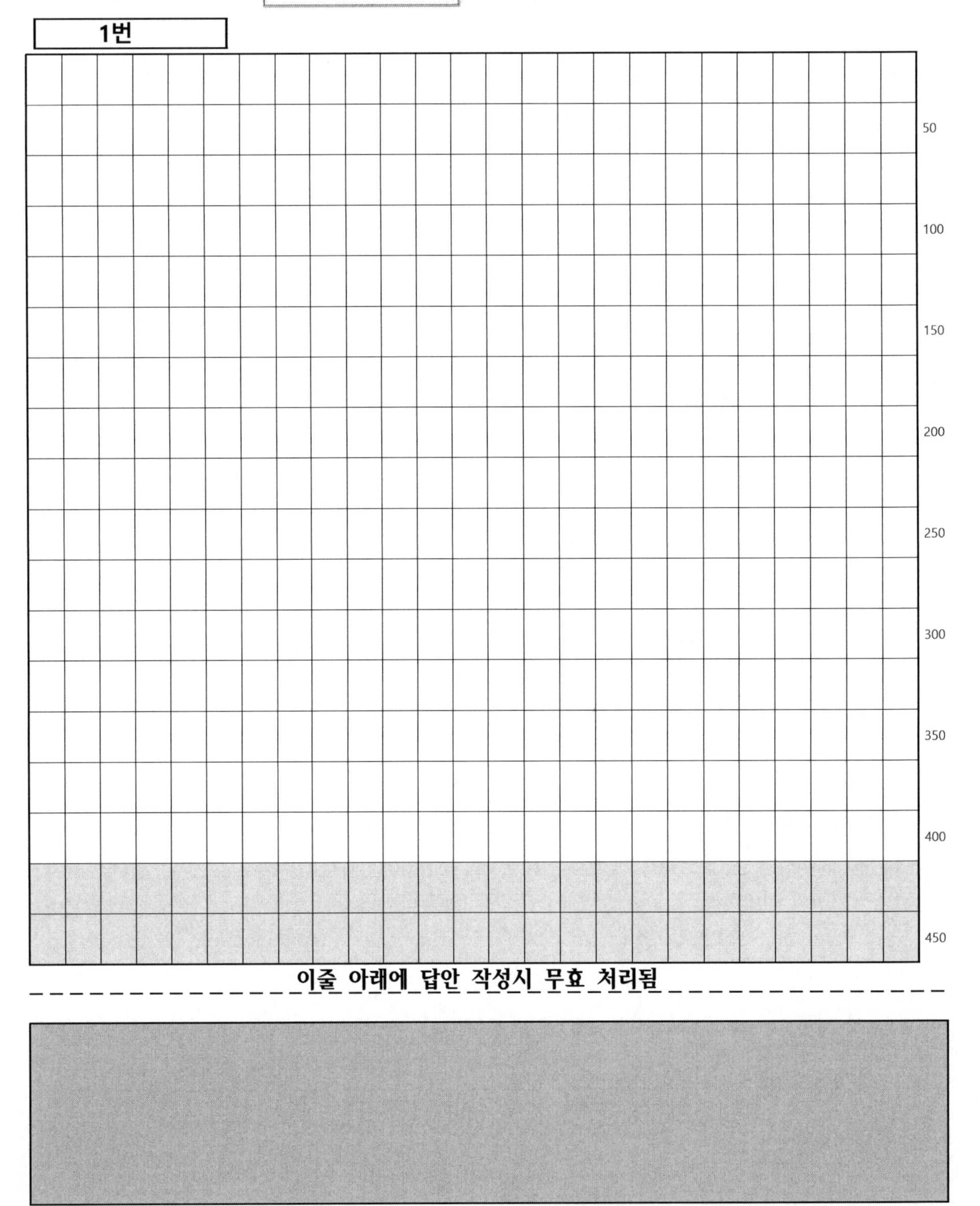

이줄 아래에 답안 작성시 무효 처리됨

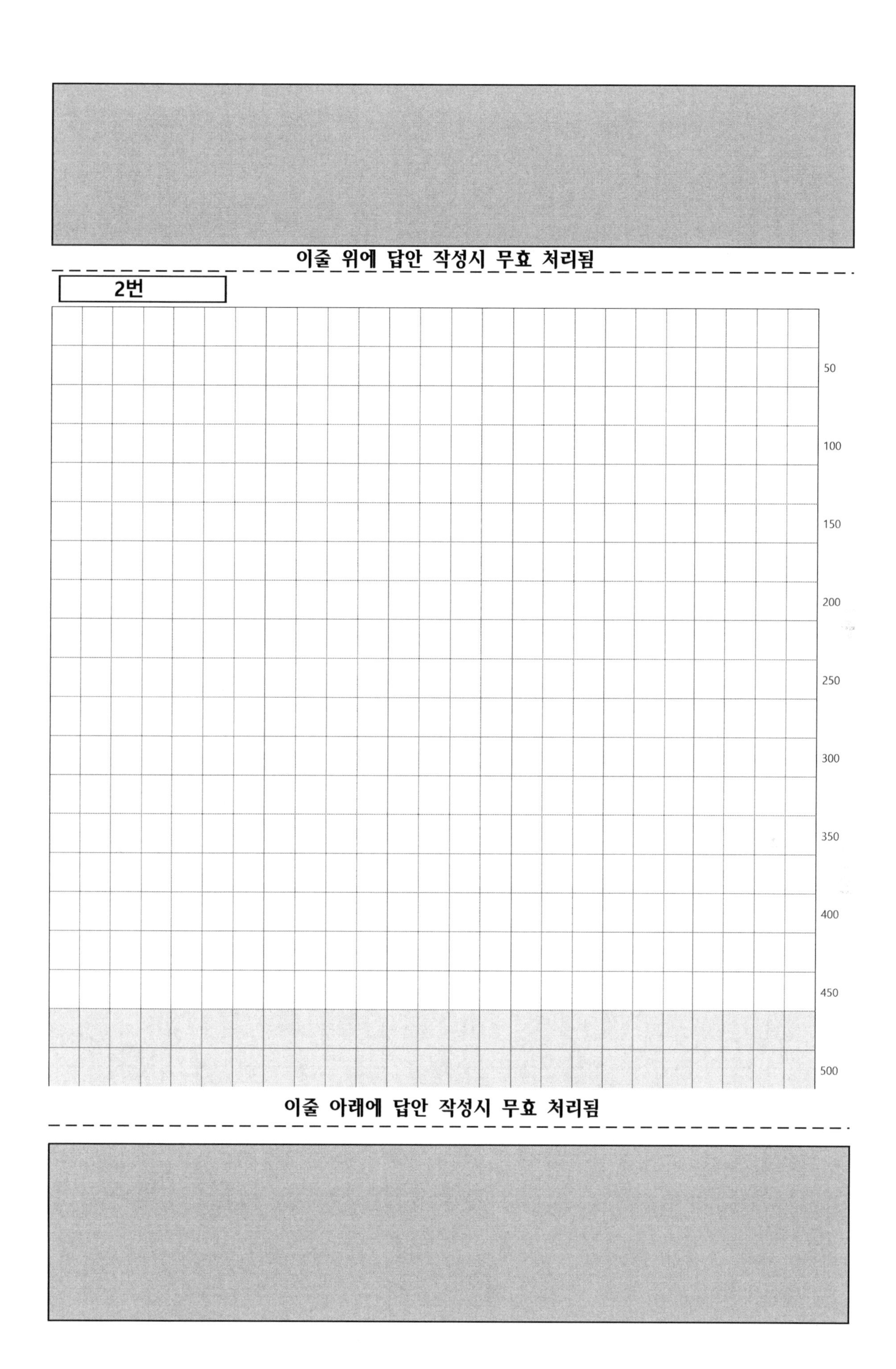
이줄 위에 답안 작성시 무효 처리됨
2번
50
100
150
200
250
300
350
400
450
500
이줄 아래에 답안 작성시 무효 처리됨

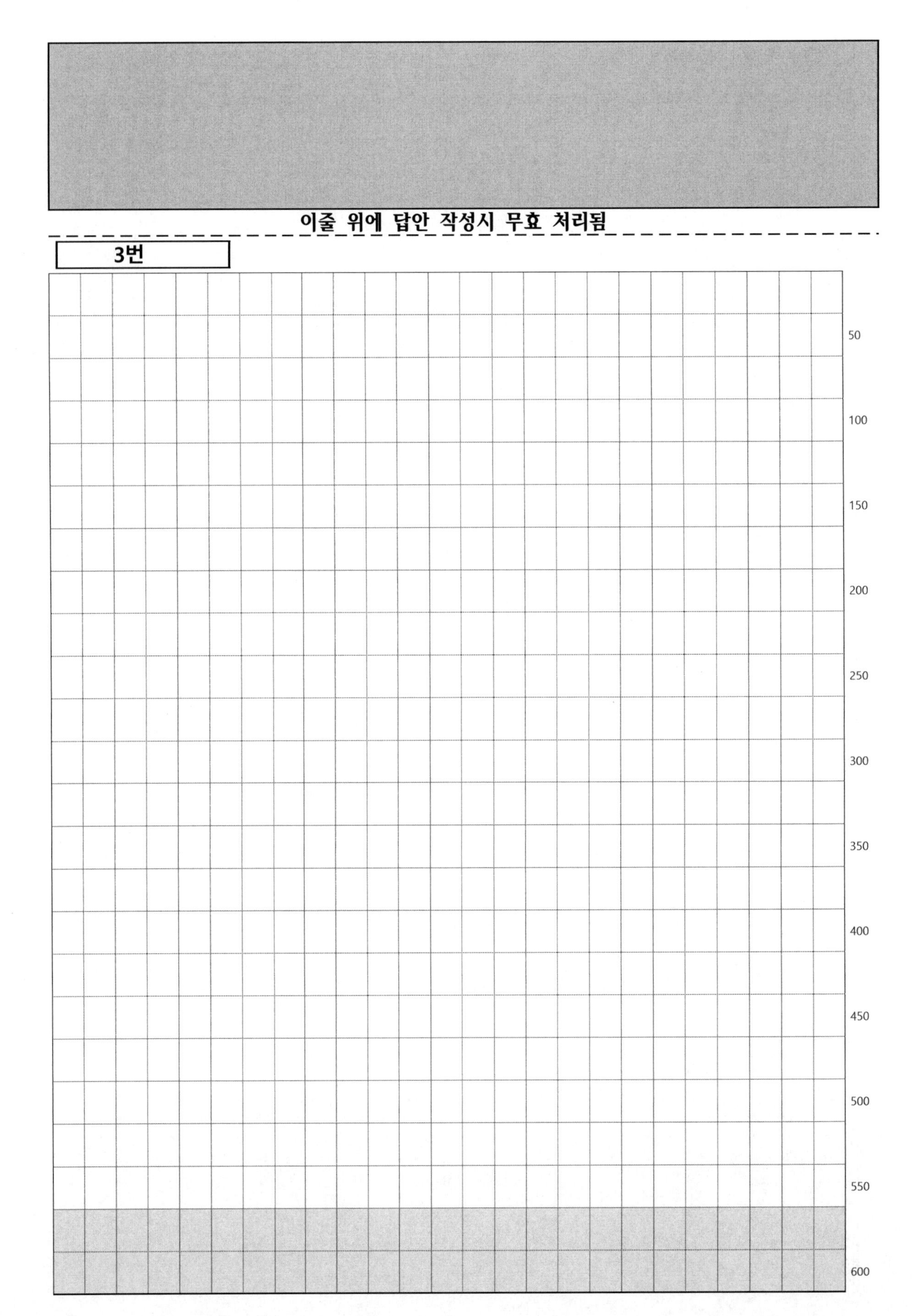
이줄 위에 답안 작성시 무효 처리됨
3번
50
100
150
200
250
300
350
400
450
500
550
600

8. 2023학년도 한국외대 수시 논술 [일요일 T4]

※ 다음을 읽고 물음에 답하시오.

(가)

미래학자 **커즈와일**은 2045년쯤에는 인공일반지능(Artificial General Intelligence, AGI)이 인간의 지능을 넘어서는 특이점이 올 것이라고 주장한다. AGI란 인간이 할 수 있는 모든 지적 업무를 성공적으로 해낼 수 있는 기계지능을 말한다. 많은 과학자들이 인공지능의 출현이 인류를 위협할 것이라고 우려하지만, 커즈와일은 오히려 인류의 이상 세계가 도래할 것이라 주장한다. “인공지능과 인간의 두뇌는 자연스럽게 하나가 될” 것이며, 이렇게 되면 인간은 더 인간적이 되고 더 독특해지며 심지어는 신에 가까워질 것이기 때문이다. 이렇듯 커즈와일에 따르면, 디지털 생활이야말로 우주 진화에서 이상적인 다음 단계이다. 따라서 우리가 좋은 결과를 얻기 위해서는 디지털 마인드를 멈춰 세우거나 노예로 만들려 할 것이 아니라 자유롭게 풀어 놓아야만 한다.

- 유회경, 『AI 곧 ‘인간 지능’ 능가』 재구성

(나)

마키아벨리는 이전의 도덕철학자와 정치철학자를 비판하면서, 가상의 공화국이나 군주정이 아니라 군주가 실제로 활동하는 현실 세계에 관해서 논해야 한다고 말했다. 마키아벨리는 군주가 이익과 욕망에 따라 움직이는 인간의 실제 모습을 외면하고 이상만 추구하면 몰락할 수 밖에 없으며, 권력을 유지하려면 현실의 필요에 따라서 선하지 않을 수 있는 법을 배워야 한다고 주장했다. 그는 위대한 업적을 성취한 군주들이 신의를 중시하기보다는 오히려 기만책에 능한 인물이었음에 주목했다. 그래서 선보다는 악이 우세한 현실 세계 속에서 국가의 보존이라는 현실적 목표를 위해 군주는 선과 악을 적절히 조절할 줄 알아야 한다고 보았다.

- 강정인과 정승현, 『동서양의… 한비자와 마키아벨리』 재구성

(다)

1945년 8월 15일, 역사적인 날.

이날도 신기료장수* 방삼복은 종로의 공원 건너편 응달에 앉아서, 구두 징을 박으면서, 해방의 날을 맞이하였다. 그러나 삼복은 감격한 줄도 기쁜 줄도 모르겠었다. 지나가는 행인이, 서로 모르던 사람끼리면서 덤쑥 서로 껴안고 기뻐하고 눈물을 흘리고 하는 것이, 삼복은 속을 모르겠고 차라리 쑥스러 보일 따름이었다. 몰려 닫는 군중이 오히려 성가시고, 만세 소리가 귀가 아파 이맛살이 지푸려질 지경이었다.

몰려다니고 만세를 부르고 하기에 미쳐 날뛰느라고 정신이 없어, 손님이 없어, 손님이 부쩍 줄었다.
"우랄질! 독립이 배부른가?"
이렇게 그는 두런거리면서 반감이 솟았다.

이삼일 지나면서부터야 삼복에게도 삼복에게다운 해방의 혜택이 나누어졌다.
십 전이나 십오 전에 박아 주던 징을, 오십 전을 받아도 눈을 부라리는 순사를 볼 수가 없었다. 순사가 없어졌다면야, 활개를 쳐가면서 무슨 짓을 하여도 상관이 없고 무서울 것이 없던 것이었었다.
"옳아, 그렇다면 독립도 할 만한 건가 보다."
삼복은 징 열 개를 박아 주고 오 원을 받아 넣으면서 이렇게 속으로 중얼거리기까지 하였다.
그러나 며칠이 못 가서 삼복은 다시금 해방을 저주하여야 하였다. 삼복이 저 혼자만 돈을 더 받으며, 더 받아 상관이 없는 것이 아니라, 첫째 도가(都家)**들이 제 맘대로 재료값을 올리던 것이었었다. 징, 가죽, 고무, 실 모두가 오 곱 십 곱 비싸졌다. 그러니 신기료장수는 손님한테 아무리 비싸게 받는댔자 재료를 비싼 값으로 사야 하니, 결국 도가만 살찌울 뿐이지 소득은 전과 크게 다를 것이 없었다.
"이런 옘병헐! 그눔에 경제겐 다 어디루 가 뒈졌어. 독립은 우라진다구 독립을 헌담."
석양 때 신기료 궤짝 어깨에 멘 채 홧김에 막걸리청으로 들어가, 서너 사발 들이켜고는 그는 이렇게 게걸거렸다. 그럭저럭 구월도 열흘이 되고, 서울 거리에는 미국 병정이 꼬마차와 함께 그득히 퍼졌다.
그 미국 병정들이, 거리를 구경하면서 혹은 물건을 사려면서, 말이 서로 통하지를 못하여 답답해하는 양을 보고 삼복은 무릎을 탁 쳤다.
[중략]
신기료장수 코삐뚤이 삼복이 미스터 방으로 승차를 하여, S라는 미국 주둔군 소위의 통역이 되었다.

*신기료장수: 헌 신을 꿰매어 고치는 일을 직업으로 하는 사람
**도가(都家): 도매상

- 채만식, 『미스터 방』 중에서

(라)

중국 전한(前漢)의 외척 왕망은 젊은 시절 검소한 생활과 어머니에 대한 지극한 효도로 칭송을 받았다. 유교적 이념을 실천하면서 명망을 얻은 왕망은 불과 38세에 재상인 대사마가 되어 왕씨 일족을 대표하는 지위에 올랐다. 권력을 잡은 왕망은 기원후 8년에 '선양(禪讓)'이라는 유교의 이상적 왕위 계승 방식으로 어린 황제에게서 천자의 자리를 양보받고, 국호를 '신(新)'으로 바꿨다. 왕망의 꿈은 유교적 이상 국가를

실현하는 것이었고, 그 방법을 유교 경전인 『주례』에서 찾았다. 관명, 지명 등을 모두 변경하였고, 대토지 소유 제한 및 토지 균등 분배, 노비 매매 금지 등의 개혁 정책을 급진적으로 추진하였다. 그러나 그의 개혁은 현실 상황을 고려하지 않고 책상 위에서 관념적으로 추출한 것이었기 때문에 객관적 현실에서 힘을 얻기 어려웠다. 결국 대부분의 개혁 정책들이 백성의 지지를 얻지 못하고 지방 호족의 거센 반발에 부딪혀 폐지되었다. 기원후 23년, 호족 및 군 내부의 반란과 백성들의 봉기로 신나라는 멸망하고, 왕망도 반군의 손에 죽음을 맞았다.

- 최준채 외, 『고등학교 세계사』 재구성

(마)

경제학은 18세기 말 그 학문이 출발할 때부터 유토피아에 관한 학문이었다. 특히 유토피아의 가장 중요한 조건일 수 있는 물질적 행복을 지속적으로 탐구하였다. 그래서 초창기부터 경제학자들은 사람들이 물질적으로 최대의 행복을 누릴 수 있는 나라 혹은 제도가 어떤 것인지 연구했다. 한 나라의 '부'에 대한 연구인 『국부론』을 쓴 경제학의 아버지 아담 스미스뿐만 아니라, 그의 한 세대 후배들인 맬서스와 리카도도 그랬다. 경제학이 유토피아에 관한 학문인 만큼, 경제학자들도 유토피아를 꿈꾸는 유토피안들이었다. 그러나 경제학자들은 유토피아의 실현 가능성에 대해 현실적이고 냉철하게 분석한다는 점에서 경제학에 입각하지 않은 유토피아 사상가들과는 명백히 다르다. 위대한 경제학자 마셜의 말처럼 경제학자는 "뜨거운 가슴뿐만 아니라 냉철한 이성을 동시에 갖춘" 사람들이다.

- 김세직, 『모방과 창조』 재구성

(바)

독재정권이 들어선 A국에서는 인권 침해 사례가 발생하고 있다. 또한 심각한 기근이 지속되고 어린이들에게 치명적인 전염병까지 확산하면서 수많은 어린이가 목숨을 잃고 있다. 그런데도 독재정권은 정치 권력 장악에 몰두하면서 기근과 질병 관리는 등한시해 국민의 삶을 더욱더 피폐하게 만들고 있다. 이에 따라 각종 국제단체들은 A국 독재정권을 비판하는 공동성명을 발표하기로 하였으며, 대표적인 인권보호단체 W도 여기에 동참하라고 요구하고 있다. 인권보호단체 W는 A국 어린이의 기아 및 전염병 문제를 긴급히 해결해야 한다는 판단하에 구호식량과 백신을 현지에 직접 보급하고자 한다. 하지만 A국 독재정권은 자신들을 비판하는 단체가 A국에 입국하거나 구호 물품을 보내오는 것을 철저하게 막고 있다. 실제로 이 정권을 비판했던 구호단체들은 입국과 모든 구호 활동이 거부되었다. 결국 W는 국제단체들의 요구에 침묵하고 어린이들의 목숨을 구하기로 결정하였다.

- 애덤 파이필드, 『휴머니스트 오블리주』 재구성

[문제 1] (가)~(라)에서 밑줄 친 인물을 '이상 지향'과 '현실 지향'의 두 유형으로 분류하고 각 인물의 관점을 요약하시오. (400자 내외, 210점)

[문제 2] 아래 <보기>의 관점에서 (라)의 '왕망'과 (마)의 '경제학자'를 비교·평가하시오. (450자 내외, 210점)

<보기>

Like oil and vinegar, ideals and reality never fully dissolve into one another and tend naturally to separate if left alone. To combine, they need to be regularly stirred up together if they are to make good vinaigrette*. Also, like oil and vinegar, idealism and realism are better together. Each on their own is never enough. A passion for ideals alone will never make a good leader. She or he also needs a gritty** realism to guide them as they try to bring influence to bear in very worldly situations which are usually not ideal at all.

*vinaigrette: 비네그레트(식초에 갖가지 허브를 넣어 만든 샐러드용 드레싱)
**gritty: 불쾌한 상황을 그대로 보여주는

[문제 3] (바)의 W가 처한 상황을 '이상'과 '현실'을 중심으로 요약하고, 아래 <보기>에서 언급된 원칙을 준용하여 W의 결정이 왜 타당한지를 추론하시오. (500자 내외, 280점)

<보기>

국가는 모든 국민의 기본권을 존중하고 보호하는 것을 이상적인 목표로 하지만, 현실에서는 복잡하고 특별한 요인들을 고려해 국가가 국민의 기본권을 제한하기도 한다. '과잉금지의 원칙'은 국가의 이러한 기본권 제한이 목적의 정당성·수단의 적합성·침해의 최소성·법익의 균형성 중 어느 하나에라도 저촉이 되면 안 된다는 헌법상의 원칙이다.

(1) 목적의 정당성: 기본권 제한의 목적이 정당성을 인정받을 수 있어야 한다.
(2) 수단의 적합성: 기본권 제한의 방법이 그 목적을 달성할 수 있는 효과를 가져야 한다.
(3) 침해의 최소성: 침해가 적은 다른 방법은 없는지를 모색함으로써 피해가 최소한이 되도록 해야 한다.
(4) 법익의 균형성: 기본권 제한으로 얻는 이익이 침해되는 이익보다 더 커야 한다.

지원학부(과)

수 험 번 호				

주민등록번호 앞6자리(예:040512)					

성 명

1번

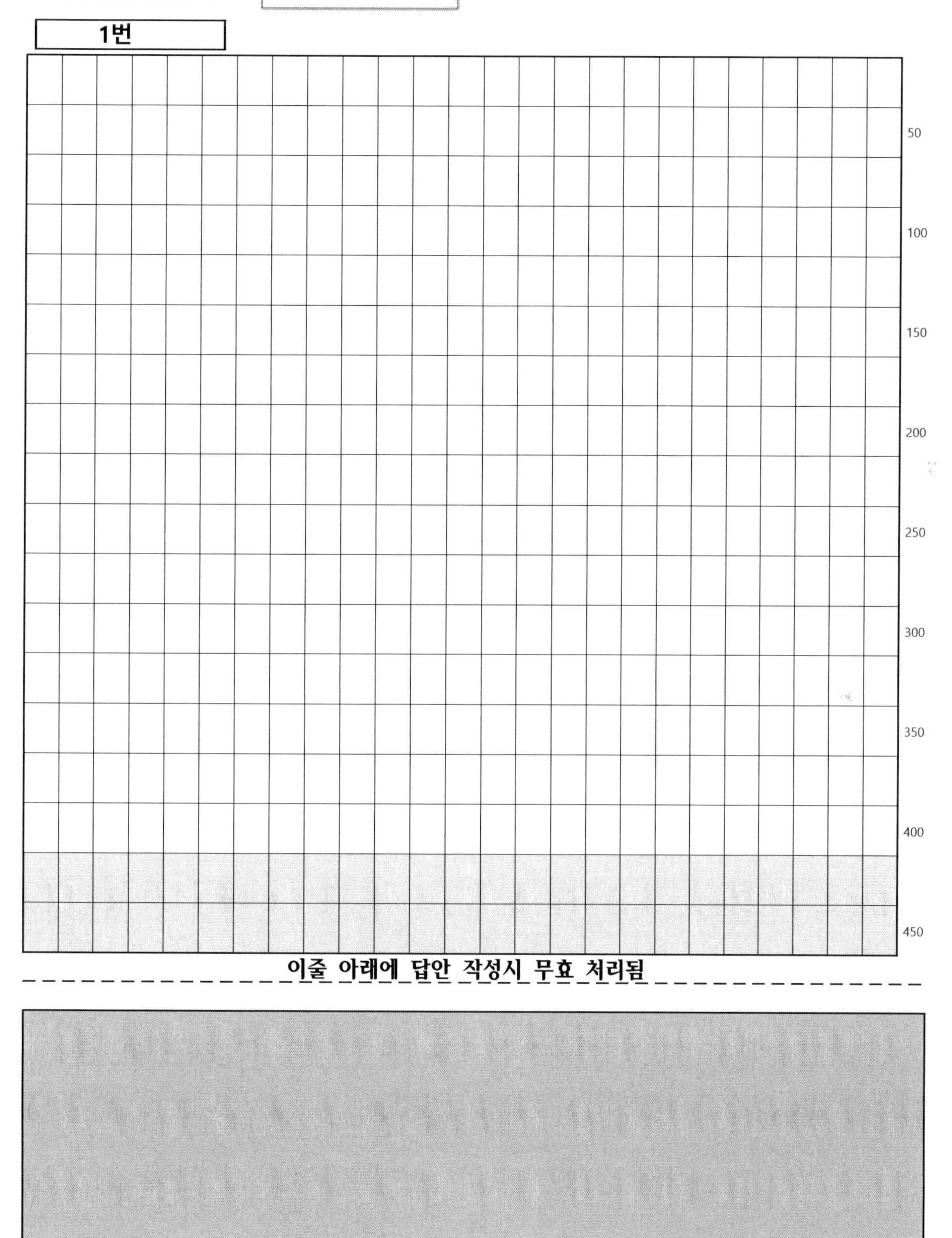

이줄 위에 답안 작성시 무효 처리됨

2번

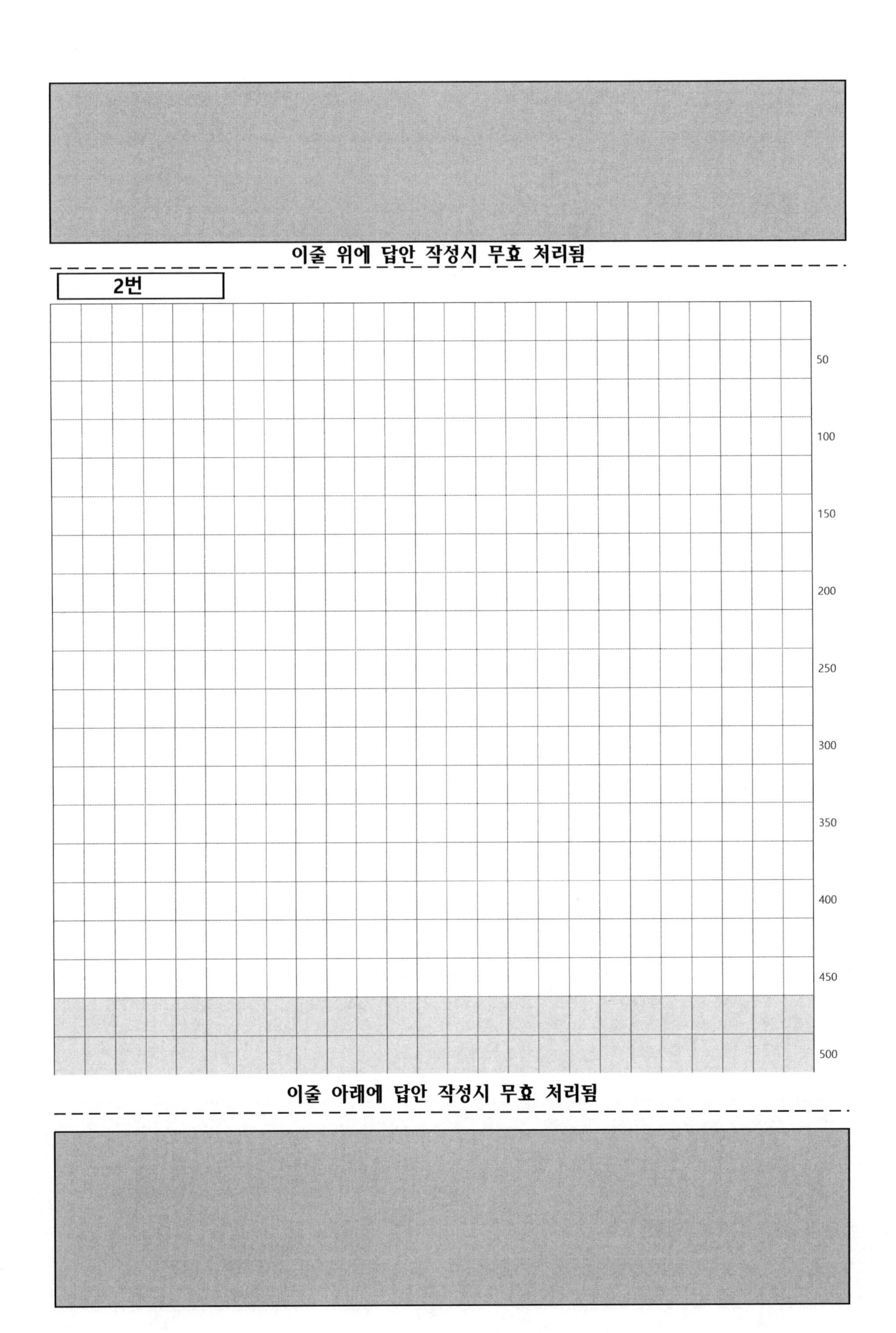

이줄 아래에 답안 작성시 무효 처리됨

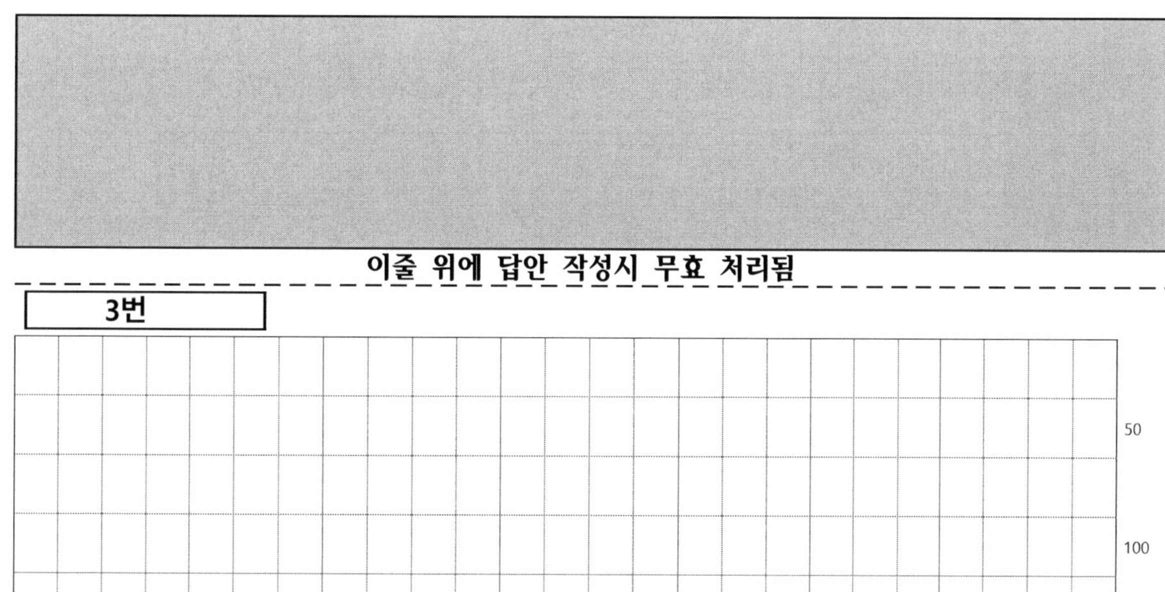

이줄 위에 답안 작성시 무효 처리됨

3번

50
100
150
200
250
300
350
400
450
500
550
600

9. 2023학년도 한국외대 모의 논술 [인문계]

※ 다음 글을 읽고 물음에 답하시오.

(가)

아시아무당벌레는 유전자에 차이가 있어 날개의 색과 반점 무늬가 개체마다 다르다. 이처럼 유전적 차이에 의해 변이가 나타나므로 생물종 내에서 변이가 많을수록 유전적 다양성이 높다. 어떤 생물종의 유전적 다양성이 낮으면 그 생물종은 기온의 변화와 질병의 출현 등 변화하는 환경에 적응하지 못하고 멸종될 가능성이 높다. 그런데 생식이 활발하게 일어나 개체 수가 충분히 유지되고 변이가 다양하게 나타나면 유전적 다양성이 높아진다. 유전적 다양성이 높은 생물종에는 환경이 변해도 그 환경에 잘 적응하는 유전자를 가진 개체가 있어서 멸종될 가능성이 낮다. 따라서 어떤 생물종의 유전적 다양성이 높으면 그 생물종은 보전될 수 있다.

- 김성진 외, 「고등학교 통합과학」

(나)

무릇 수레란 하늘이 낸 물건이로되 다니기는 땅바닥으로 다니기 마련이다. 그러고 보니 뭍에 다니는 배요, 움직이는 방이라 할 수 있을 것이다. 국가에 이바지하는 바이 위에 더할 수 없고 보니, 「주례」에는 임금이 재부를 물을 때에는 반드시 수레의 수효로써 대답하였다. 수레는 단지 짐수레나 사람 타는 수레만 있는 것이 아니라 전투에 쓰는 수레, 공사에 쓰는 수레, 불 끄는 수레, 대포를 실은 수레 등 그 제도는 수백, 수천 가지로 지금 이것을 다 이야기할 수는 없으나 그중 사람 타는 수레와 짐수레가 사람의 생활에 직접 관계되는 물건이므로 무엇보다도 먼저 이것들을 바쁘게 이야기해야만 되겠다. 나는 언젠가 담헌 홍대용과 참봉 이성재와 더불어 수레의 제도를 이야기하면서 한 말이 있었다. 수레를 만들 때 무엇보다 먼저 생각할 것은 궤도를 똑같이 해야 된다는 것, 소위 '동궤(同軌)'라는 것이다. 그러면 동궤란 무엇일까? 두 바퀴 사이의 굴대 길이의 이야기다. 어떤 수레고 두 바퀴 사이의 치수가 규격에 어긋나지를 않고 보면 수없는 수레들이 자국은 한 자국이 되는 법이니, 이것이 소위 동궤라는 것이다. 만일에 수레의 두 바퀴 사이가 제 마음대로 좁았다 넓었다 하고 보면 길바닥에 생긴 바퀴 자국을 궤도로 이용할 수가 없을 것이다. 이번에 천 리나 되는 길을 지나면서 하루에도 수없이 많은 수레들을 보았지만 앞의 수레와 뒤의 수레는 같은 바퀴 자국을 거듭 지나가고 있었다. 그러므로 무엇이든지 약속한 듯이 똑같아지는 경우를 '일철(一轍)'이라고 하고, 뒤에 선 사람이 앞사람 가는 대로 따를 때는 '전철(前轍)'이라고 한다.

- 박지원, 「열하일기」, 「거제(車制)」

(다)

인간은 자신이 살고 있는 사회에서 만들어진 문화를 계승하기도 하고, 다른 나라에서 전파된 문화를 상황에 맞게 수용하면서 문화를 발전시켜 나간다. 이러한 문화는 그 지역의 환경이나 시대의 흐름에 따라 의식주, 언어뿐만 아니라 법과 관습 같은 제도, 종교와 도덕에 대한 생각 등에서 다양하게 나타난다.

다양한 문화를 경험하는 것은 우리들의 삶을 풍부하게 만들어 준다. 특히 오늘날에는 교통과 통신의 발달로 문화 교류가 활발해지면서 이전보다 더 다양한 문화를 많이 접할 수 있게 되었다. 그러나 한편으로는 문화 교류로 문화의 다양성이 파괴되고 문화가 획일화되는 측면도 나타나고 있다. 문화는 그 사회에 속한 사람들이 만든 소중한 물질적·정신적 자산이므로 우리는 특수성와 고유성을 보호할 필요가 있다. 그뿐만 아니라 현재 세대와 미래 세대의 더 나은 삶을 위해 문화의 다양성을 보장하고 이를 증진하기 위해 노력하여야 한다. 세계에 존재하는 다양한 문화들이 정해진 하나의 방향으로만 발전하는 것이 아니므로 어느 문화가 더 우월한지 혹은 더 열등한지는 가릴 수 없기 때문이다.

- 박병기 외, 「고등학교 통합사회」재구성

(라)

만약 우리나라 전국 8도가 서로 다른 화폐를 사용한다고 생각해 보자. 경기도 기업이 충청도에 물건을 팔 때 환전이 수반되며, 이 경기도 기업은 환전수수료를 지불하게 될 것이다. 환율의 불확실성도 비용이다. 경기도가 1년 동안 공들여 만든 물건을 2022년에 수출하고 2021년의 거래조건에 따라 충청도 화폐로 대금을 받았다고 해보자. 그런데 1년 사이 충청도 화폐가치가 경기도 화폐가치에 비해 크게 떨어졌다면 경기도는 뜻하지 않게 손해를 입고, 충청도는 이득을 얻는다. 이것은 무역을 꺼리게 만드는 요인이다.

환율의 변동이 잦아지면 그 순간을 이용해서 돈을 벌려는 사람들이 등장할 것이고, 시장의 변동성은 더욱 확대된다. 자연스럽게 이들을 규율하는 법과 행정조직이 등장하는데, 이 모든 것은 비용이다. 이 모든 불편함은 단일 통화를 사용함으로써 사라질 수 있다. 유로화가 출범한 배경도 이와 같다. 유로존 국가들은 고정환율제도가 주는 이익 때문에 유로화라는 단일 통화를 도입하였다.

- 차성훈,「단일 통화의 유혹」재구성

(마)

언어와 문자의 통일은 체제의 안정과 지속성의 문제에 있어 가장 중요한 요소라 할 수 있다. 중국은 56개 민족으로 구성된 다민족, 다언어, 다문자의 특징을 가지고 있는 국가일 뿐만 아니라 영토도 넓어 의사소통에 어려움이 많다. 1952년 '중화인민공화국 민족 구역 자치 실시 요강' 제15조에 "각 민족 자치구의 자치기관은 자치구 내에서 통용되는 민족 문자를 채택해 정부 정책을 시행하는 주요 도구로 삼아야 한다."라고 명기해 신(新)중국 성립 때부터 소수민족과의 공존과 소통을 중시했다. 2005년 제16기 5중 전회에서 통과된 '십일오(十一五)' 계획에 대한 '중공 중앙 건의' 등의 중요 정책문건도 5대 민족 언어(몽골어, 티베트어, 위구르어, 카자흐어, 한국어)로 각각 번역해 각 자치 구역 주민들이 중앙정부의 정책을 이해하기 쉽게 했다. 중국 정부는 단일 공용어인 보통화의 보급을 중시하면서도 소수민족 언어의 사용을 보장하는 이중

언어정책을 시행했다.

- 김봉철, 「이중언어 정책과 보통화 보급 확대」재구성

(바)

브르타뉴 공국은 16세기 들어 프랑스에 합병되었지만 사회 지배계층을 제외한 일반 계층들은 브르타뉴어를 계속 사용했다. 그러다 1789년 프랑스 혁명 후 브르타뉴는 통일된 프랑스에 편입되었고 브르타뉴어는 프랑스의 다른 지방 언어들처럼 쇠퇴의 길을 걷게 된다. 차츰 많은 귀족과 성직자들은 권위 있는 프랑스어를 일상 언어로 수용하기 시작했고 브르타뉴어는 사회적 신분이 낮은 이들이 주로 사용하는 언어로 인식됐다. 1789년 프랑스 혁명 후 프랑스어를 중심으로 한 중앙집권화 이데올로기는 브르타뉴어를 제거 대상으로 규정하면서 학교에서는 물론 법과 행정 모든 분야에서 배제하였다. 마침내 1880년 프랑스 전역에서 초등의무교육이 시행되었을 때 학교에서 브르타뉴어 사용이 금지되었다.

- 이현정, 「열정적인 지역어 투쟁, 프랑스 브르타뉴어」

(사)

슈타이너는 인간이 생물학적으로 균일한데도 불구하고 왜 여러 언어를 사용하게 되었는지에 대해 의문을 제기한다. 그는 "각각의 인간 언어는 세상을 다르게 보여준다. 어떤 한 언어가 사멸하면 그 언어가 보여줄 수 있는 세계도 함께 소멸한다."라고 답한다. 슈타이너에 따르면 각 언어는 해당 언어 사용자들이 속한 세계를 보여주는 지도이며, 그 세계만의 고유한 형이상학적, 문학적 가능성을 품고 있다. 따라서 한 언어의 사멸은 그 언어가 나타낼 수 있던 세계의 상실을 수반한다.

- 윤성우, 「번역철학」

[문제 1] (400자 내외, 210점) (가)~(라)를 다양성과 단일성 개념을 중심으로 분류하고 요약하시오.

[문제 2] (450자 내외, 210점) 다양성과 단일성 개념을 중심으로 (마)와 (바)를 비교하고, (사)의 관점에서 각각 평가하시오.

[문제 3] (500자 내외, 280점) <자료 1>, <자료 2>, <자료 3>을 바탕으로 기업 A가 장기적으로 생산성을 극대화하기 위한 방안을 추론하시오.

<자료 1>

현재 기업 A는 생산성을 극대화하기 위해 조직 내 다양성(성, 인종, 직무, 배경 등에서의 다양성)과 생산성 관계에 관한 업계 동향자료를 분석하고 있다. 기업 A는 이 자료를 바탕으로 장기 비즈니스 모델을 수립해 운영하려고 한다. 이때 기업 A가 택할 수 있는 방향은 다음과 같다.

(1) 다양성 관리 프로그램을 도입하고 실질적으로 운영하는 경우 (2) 다양성 관리 프로그램을 도입하지 않은 경우 (3) 다양성 관리 프로그램을 도입하나 형식적으로 운영하는 경우

위 세 가지 방향에 따른 생산성 변화는 다음과 같다.
초기에는 (1)과 (3)이 (2)의 경우보다 낮은 생산성을 보인다. 하지만 일정 시점이 되면 (1)이 (2)의 경우보다 생산성이 높아지기 시작하고, 이때부터 (1)과 (2)의 생산성 격차는 더욱 벌어진다. (3)의 경우, 생산성이 증가하는 양상을 보이다가 일정 시점을 넘어서면서부터는 생산성 감소가 지속적으로 이루어진다. (3)에서의 생산성은 시점과 관계없이 (2)의 수준을 상회하지 않는다.

<자료 2>

또한 기업 A는 다음 자료에 주목하고 있다.

다양성 관리 프로그램의 긍정적 효과는 해당 프로그램을 운영하는 주체에 따라 다르다. CEO나 중간관리자가 프로그램의 운영 주체일 경우 직원이직률은 모두 감소하는 경향을 보인다. 다만, CEO가 운영 주체이면 중간관리자가 운영 주체일 때보다 같은 기간 대비 이직률 감소 폭이 훨씬 크다.

<자료 3>

Some diversity programs are not increasing diversity. Companies are basically taking the same approaches they have used since the 1960s—which often make things worse, not better. Firms have long implemented 'mandatory' programs to promote diversity. These programs are basically designed to preempt lawsuits by policing employees' thoughts and actions. Yet laboratory studies show that this kind of force-feeding can activate bias against co-workers rather than promote harmony. As social scientists have found, people often rebel against rules to assert their autonomy. Trainers tell us that workers often respond to compulsory programs with anger and resistance—and many participants actually report more animosity toward other groups afterward.

지원학부(과)

수험번호

주민등록번호 앞6자리(예:040512)

성명

1번

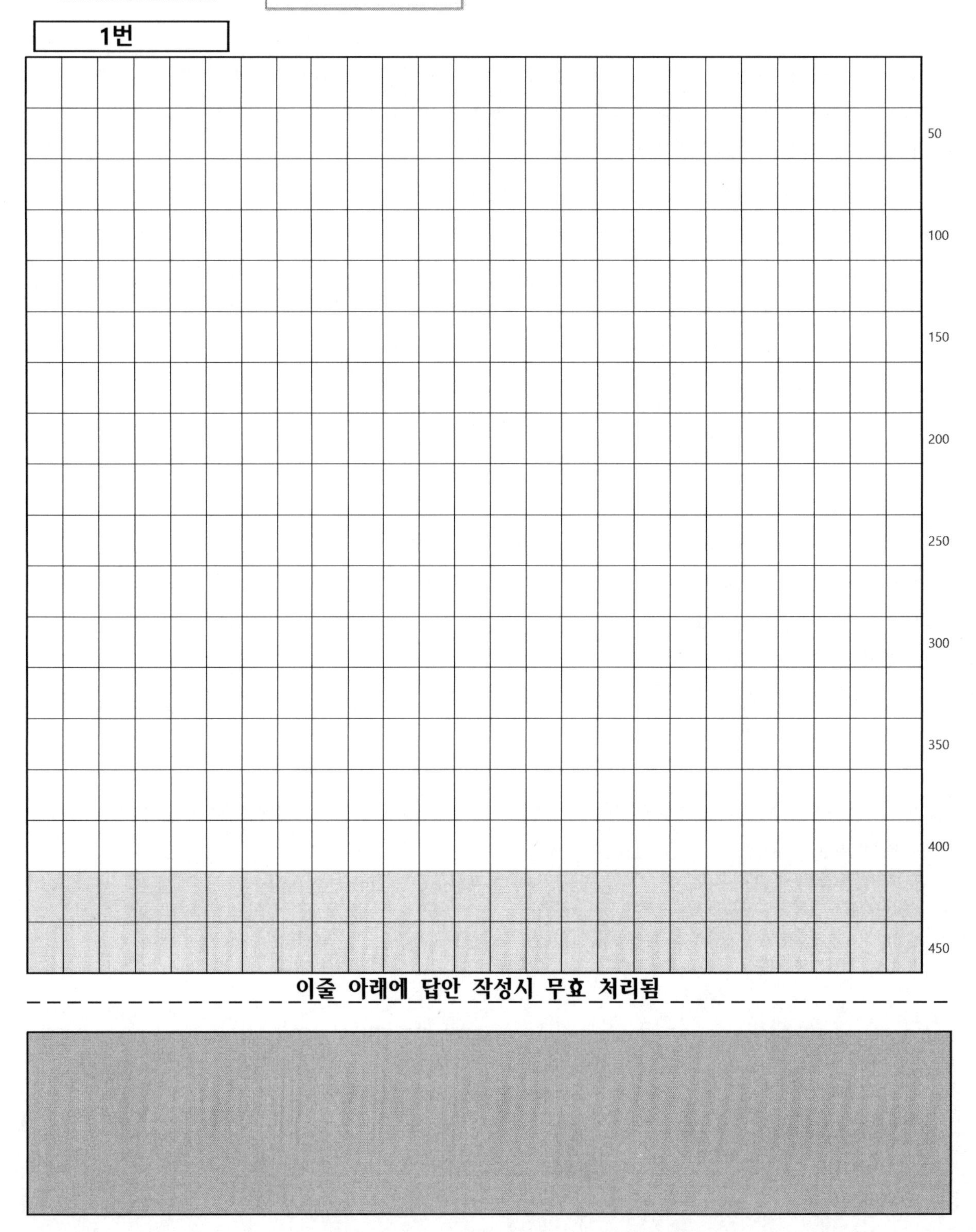

이줄 아래에 답안 작성시 무효 처리됨

이줄 위에 답안 작성시 무효 처리됨

2번

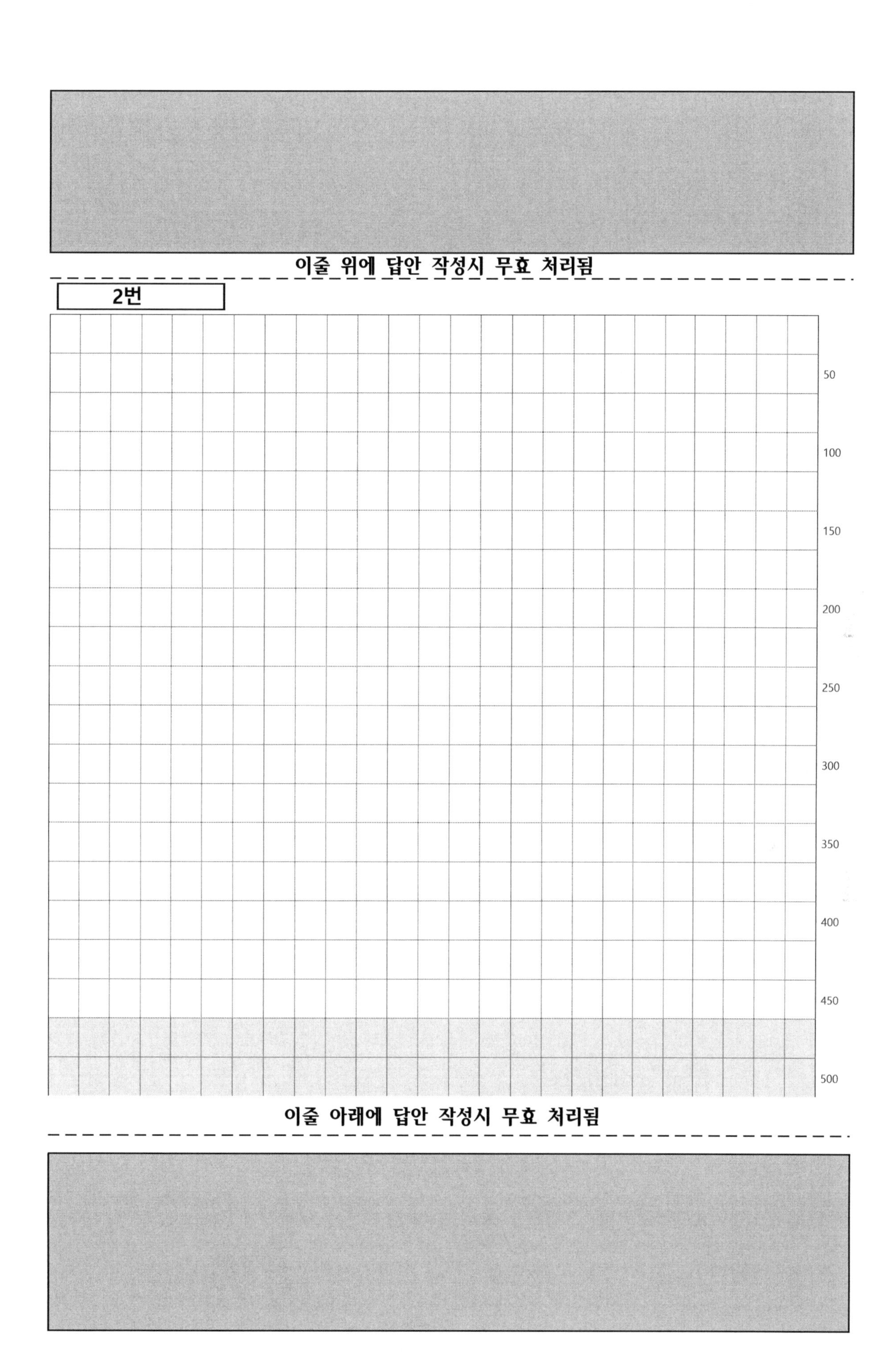

이줄 아래에 답안 작성시 무효 처리됨

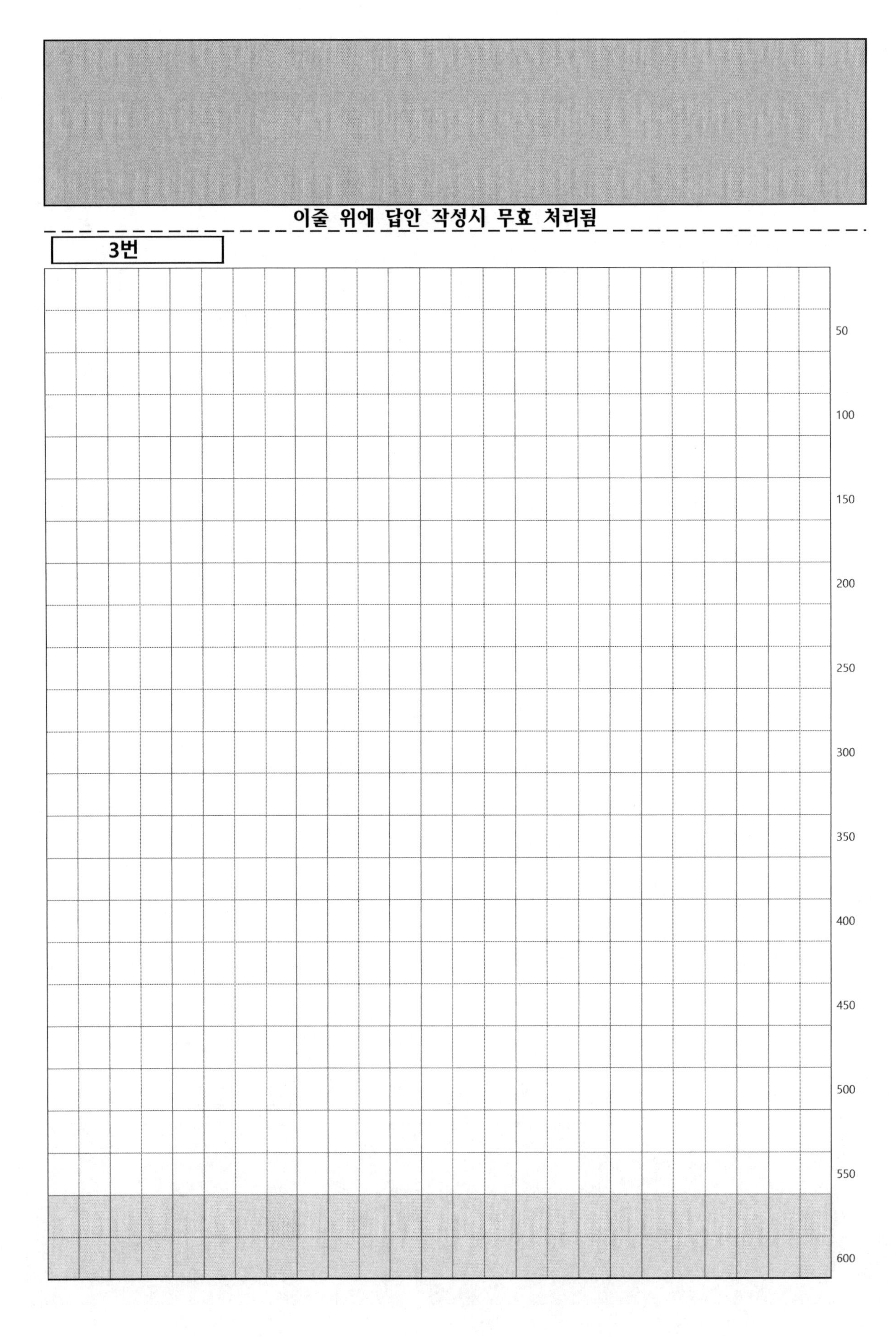
이줄 위에 답안 작성시 무효 처리됨
3번
50
100
150
200
250
300
350
400
450
500
550
600

10. 2023학년도 한국외대 모의 논술 [사회계]

※ 다음 글을 읽고 물음에 답하시오.

(가)

아시아무당벌레는 유전자에 차이가 있어 날개의 색과 반점 무늬가 개체마다 다르다. 이처럼 유전적 차이에 의해 변이가 나타나므로 생물종 내에서 변이가 많을수록 유전적 다양성이 높다. 어떤 생물종의 유전적 다양성이 낮으면 그 생물종은 기온의 변화와 질병의 출현 등 변화하는 환경에 적응하지 못하고 멸종될 가능성이 높다. 그런데 생식이 활발하게 일어나 개체 수가 충분히 유지되고 변이가 다양하게 나타나면 유전적 다양성이 높아진다. 유전적 다양성이 높은 생물종에는 환경이 변해도 그 환경에 잘 적응하는 유전자를 가진 개체가 있어서 멸종될 가능성이 낮다. 따라서 어떤 생물종의 유전적 다양성이 높으면 그 생물종은 보전될 수 있다.

- 김성진 외, 「고등학교 통합과학」

(나)

무릇 수레란 하늘이 낸 물건이로되 다니기는 땅바닥으로 다니기 마련이다. 그러고 보니 뭍에 다니는 배요, 움직이는 방이라 할 수 있을 것이다. 국가에 이바지하는 바이 위에 더할 수 없고 보니, 「주례」에는 임금이 재부를 물을 때에는 반드시 수레의 수효로써 대답하였다. 수레는 단지 짐수레나 사람 타는 수레만 있는 것이 아니라 전투에 쓰는 수레, 공사에 쓰는 수레, 불 끄는 수레, 대포를 실은 수레 등 그 제도는 수백, 수천 가지로 지금 이것을 다 이야기할 수는 없으나 그중 사람 타는 수레와 짐수레가 사람의 생활에 직접 관계되는 물건이므로 무엇보다도 먼저 이것들을 바쁘게 이야기해야만 되겠다. 나는 언젠가 담헌 홍대용과 참봉 이성재와 더불어 수레의 제도를 이야기하면서 한 말이 있었다. 수레를 만들 때 무엇보다 먼저 생각할 것은 궤도를 똑같이 해야 된다는 것, 소위 '동궤(同軌)'라는 것이다. 그러면 동궤란 무엇일까? 두 바퀴 사이의 굴대 길이의 이야기다. 어떤 수레고 두 바퀴 사이의 치수가 규격에 어긋나지를 않고 보면 수없는 수레들이 자국은 한 자국이 되는 법이니, 이것이 소위 동궤라는 것이다. 만일에 수레의 두 바퀴 사이가 제 마음대로 좁았다 넓었다 하고 보면 길바닥에 생긴 바퀴 자국을 궤도로 이용할 수가 없을 것이다. 이번에 천 리나 되는 길을 지나면서 하루에도 수없이 많은 수레들을 보았지만 앞의 수레와 뒤의 수레는 같은 바퀴 자국을 거듭 지나가고 있었다. 그러므로 무엇이든지 약속한 듯이 똑같아지는 경우를 '일철(一轍)'이라고 하고, 뒤에 선 사람이 앞사람 가는 대로 따를 때는 '전철(前轍)'이라고 한다.

- 박지원, 「열하일기」, 「거제(車制)」

(다)

인간은 자신이 살고 있는 사회에서 만들어진 문화를 계승하기도 하고, 다른 나라에서 전파된 문화를 상황에 맞게 수용하면서 문화를 발전시켜 나간다. 이러한 문화는 그 지역의 환경이나 시대의 흐름에 따라 의식주, 언어뿐만 아니라 법과 관습 같은 제도, 종교와 도덕에 대한 생각 등에서 다양하게 나타난다. 다양한 문화를 경험하는 것은 우리들의 삶을 풍부하게 만들어 준다. 특히 오늘날에는 교통과 통신의 발달로 문화 교류가 활발해지면서 이전보다 더 다양한 문화를 많이 접할 수 있게 되었다. 그러나 한편으로는 문화 교류로 문화의 다양성이 파괴되고 문화가 획일화되는 측면도 나타나고 있다. 문화는 그 사회에 속한 사람들이 만든 소중한 물질적·정신적 자산이므로 우리는 특수성와 고유성을 보호할 필요가 있다. 그뿐만 아니라 현재 세대와 미래 세대의 더 나은 삶을 위해 문화의 다양성을 보장하고 이를 증진하기 위해 노력하여야 한다. 세계에 존재하는 다양한 문화들이 정해진 하나의 방향으로만 발전하는 것이 아니므로 어느 문화가 더 우월한지 혹은 더 열등한지는 가릴 수 없기 때문이다.

- 박병기 외, 「고등학교 통합사회」 재구성

(라)

만약 우리나라 전국 8도가 서로 다른 화폐를 사용한다고 생각해 보자. 경기도 기업이 충청도에 물건을 팔 때 환전이 수반되며, 이 경기도 기업은 환전수수료를 지불하게 될 것이다. 환율의 불확실성도 비용이다. 경기도가 1년 동안 공들여 만든 물건을 2022년에 수출하고 2021년의 거래조건에 따라 충청도 화폐로 대금을 받았다고 해보자. 그런데 1년 사이 충청도 화폐가치가 경기도 화폐가치에 비해 크게 떨어졌다면 경기도는 뜻하지 않게 손해를 입고, 충청도는 이득을 얻는다. 이것은 무역을 꺼리게 만드는 요인이다. 환율의 변동이 잦아지면 그 순간을 이용해서 돈을 벌려는 사람들이 등장할 것이고, 시장의 변동성은 더욱 확대된다. 자연스럽게 이들을 규율하는 법과 행정조직이 등장하는데, 이 모든 것은 비용이다. 이 모든 불편함은 단일 통화를 사용함으로써 사라질 수 있다. 유로화가 출범한 배경도 이와 같다. 유로존 국가들은 고정환율제도가 주는 이익 때문에 유로화라는 단일 통화를 도입하였다.

차성훈, 「단일 통화의 유혹」 재구성

(마)

언어와 문자의 통일은 체제의 안정과 지속성의 문제에 있어 가장 중요한 요소라 할 수 있다. 중국은 56개 민족으로 구성된 다민족, 다언어, 다문자의 특징을 가지고 있는 국가일 뿐만 아니라 영토도 넓어 의사소통에 어려움이 많다. 1952년 '중화인민공화국 민족 구역 자치 실시 요강' 제15조에 "각 민족 자치구의 자치기관은 자치구 내에서 통용되는 민족 문자를 채택해 정부 정책을 시행하는 주요 도구로 삼아야 한다." 라고 명기해 신(新)중국 성립 때부터 소수민족과의 공존과 소통을 중시했다. 2005년 제16기 5중 전회에서 통과된 '십일오(十一五)' 계획에 대한 '중공 중앙 건의' 등의 중요 정책문건도 5대 민족 언어(몽골어, 티베트어, 위구르어, 카자흐어, 한국어)로 각각 번역해 각 자치 구역 주민들이 중앙정부의 정책을 이해하기 쉽게 했다. 중국 정부는 단일 공용어인 보통화의 보급을 중시하면서도 소수민족 언어의 사용을 보장하는 이중 언어정책을 시행했다.

- 김봉철, 「이중언어 정책과 보통화 보급 확대」 재구성

(바)

브르타뉴 공국은 16세기 들어 프랑스에 합병되었지만 사회 지배계층을 제외한 일반 계층들은 브르타뉴어를 계속 사용했다. 그러다 1789년 프랑스 혁명 후 브르타뉴는 통일된 프랑스에 편입되었고 브르타뉴어는 프랑스의 다른 지방 언어들처럼 쇠퇴의 길을 걷게 된다. 차츰 많은 귀족과 성직자들은 권위 있는 프랑스어를 일상 언어로 수용하기 시작했고 브르타뉴어는 사회적 신분이 낮은 이들이 주로 사용하는 언어로 인식됐다. 1789년 프랑스 혁명 후 프랑스어를 중심으로 한 중앙집권화 이데올로기는 브르타뉴어를 제거 대상으로 규정하면서 학교에서는 물론 법과 행정 모든 분야에서 배제하였다. 마침내 1880년 프랑스 전역에서 초등의무교육이 시행되었을 때 학교에서 브르타뉴어 사용이 금지되었다.

- 이현정, 「열정적인 지역어 투쟁, 프랑스 브르타뉴어」

(사)

슈타이너는 인간이 생물학적으로 균일한데도 불구하고 왜 여러 언어를 사용하게 되었는지에 대해 의문을 제기한다. 그는 “각각의 인간 언어는 세상을 다르게 보여준다. 어떤 한 언어가 사멸하면 그 언어가 보여줄 수 있는 세계도 함께 소멸한다.”라고 답한다. 슈타이너에 따르면 각 언어는 해당 언어 사용자들이 속한 세계를 보여주는 지도이며, 그 세계만의 고유한 형이상학적, 문학적 가능성을 품고 있다. 따라서 한 언어의 사멸은 그 언어가 나타낼 수 있던 세계의 상실을 수반한다.

- 윤성우, 「번역철학」

[문제 1] (400자 내외, 210점) (가)~(라)를 다양성과 단일성 개념을 중심으로 분류하고 요약하시오.

[문제 2] (450자 내외, 210점) 다양성과 단일성 개념을 중심으로 (마)와 (바)를 비교하고, (사)의 관점에서 각각 평가하시오.

[문제 3] (500자 내외, 280점) <그림 1>과 <그림 2>, <자료>를 바탕으로 기업 A가 장기적으로 생산성을 극대화하기 위한 방안을 추론하시오.

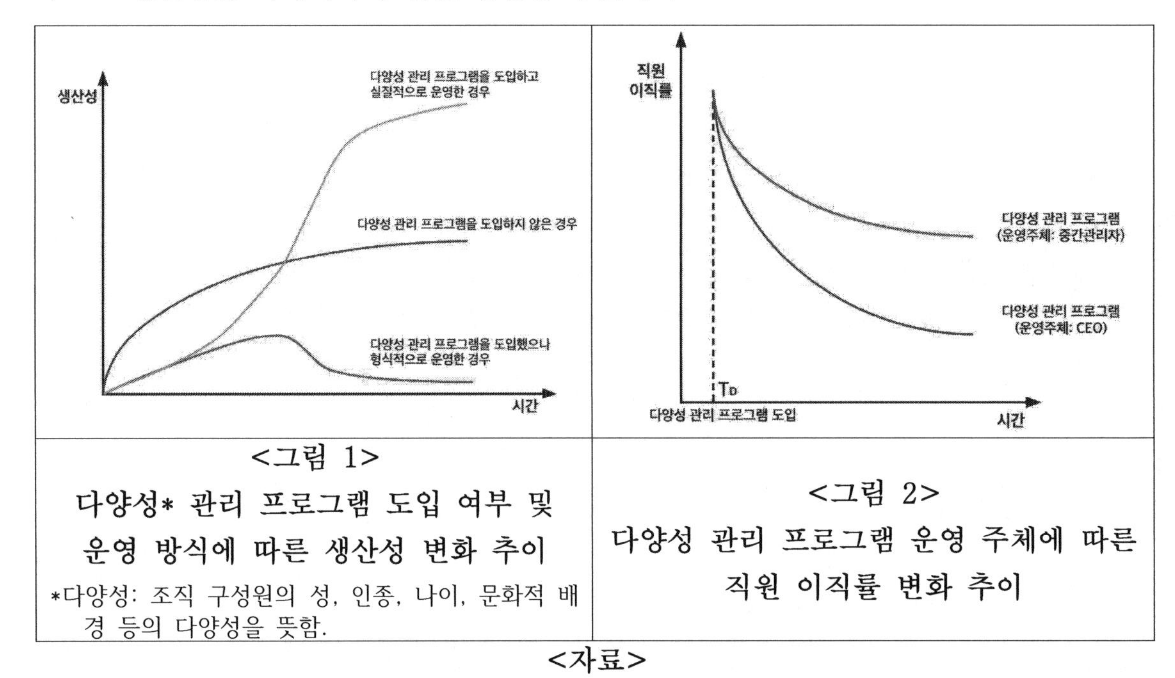

<그림 1>

다양성* 관리 프로그램 도입 여부 및 운영 방식에 따른 생산성 변화 추이

*다양성: 조직 구성원의 성, 인종, 나이, 문화적 배경 등의 다양성을 뜻함.

<그림 2>

다양성 관리 프로그램 운영 주체에 따른 직원 이직률 변화 추이

<자료>

1960년대부터 여러 기업이 다양성 프로그램을 도입·추진해왔으며, 일부 기업은 교육 프로그램을 의무화하기도 했다. 그러나 다양성 프로그램이 반드시 의도한 효과를 내는 것은 아니어서, 상황을 개선하기보다는 오히려 악화시키기도 했다. 조직 내 다양성 관련 법정 분쟁의 소지를 없애는 방편으로 이러한 프로그램을 활용한 기업들이 있었기 때문이다. 최근 연구에 따르면 다양성 프로그램이 강제적으로 진행되다 보니 직장 내 다양성을 보장하기보다는 오히려 구성원 간의 편견과 갈등을 조장하기도 했다. 사회학자들이 주장해 왔듯이 인간은 자율성을 주장하기 위해 때로는 규범에 저항하기도 한다. 프로그램 운영자의 증언에 따르면 실제로 참가자들은 의무교육뿐만 아니라 동료 직원에 대해서도 적대감을 드러냈다.

지원학부(과)

수험번호				

주민등록번호 앞6자리(예:040812)					

성 명

1번

50

100

150

200

250

300

350

400

450

이줄 아래에 답안 작성시 무효 처리됨

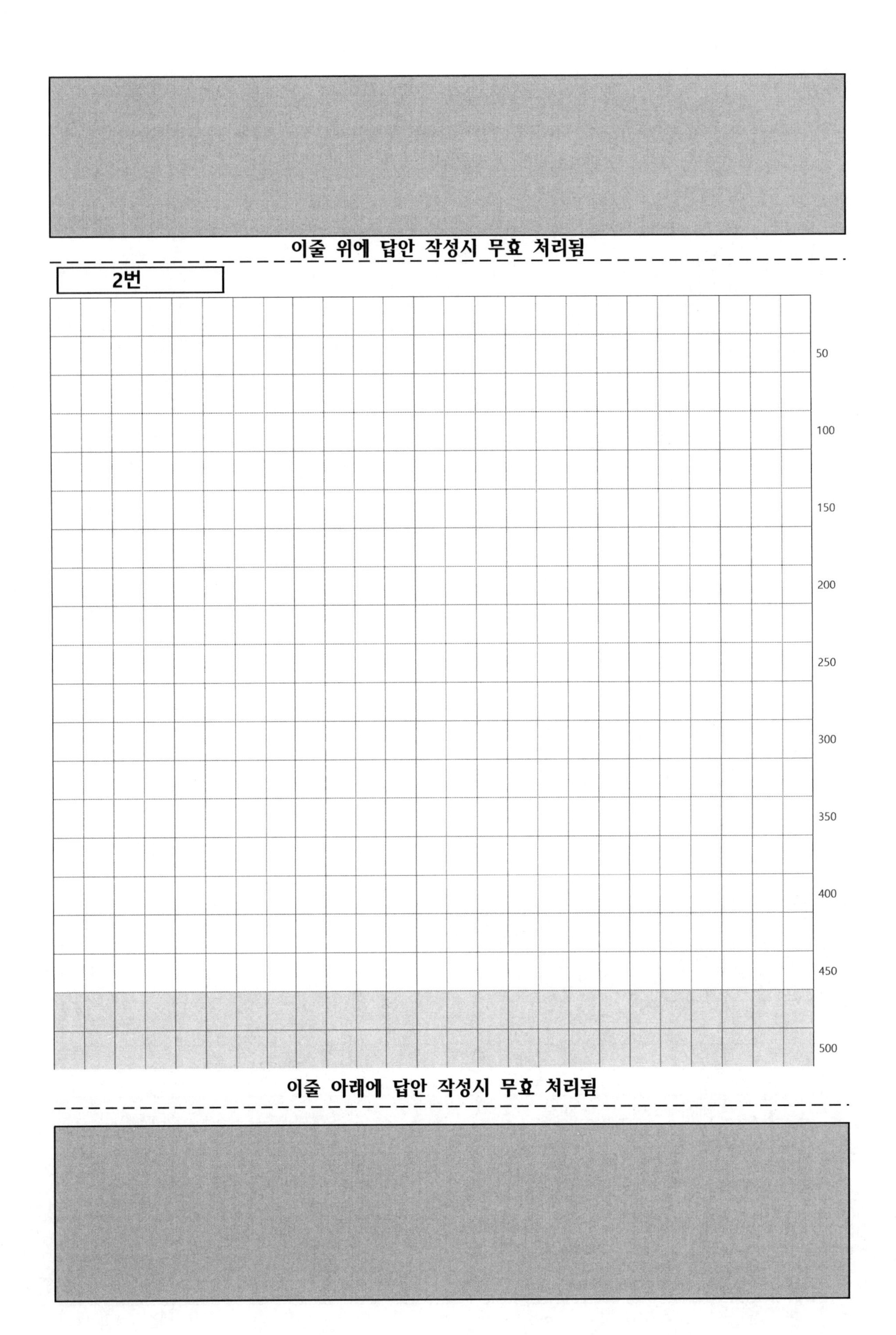
이줄 위에 답안 작성시 무효 처리됨
2번
50
100
150
200
250
300
350
400
450
500
이줄 아래에 답안 작성시 무효 처리됨

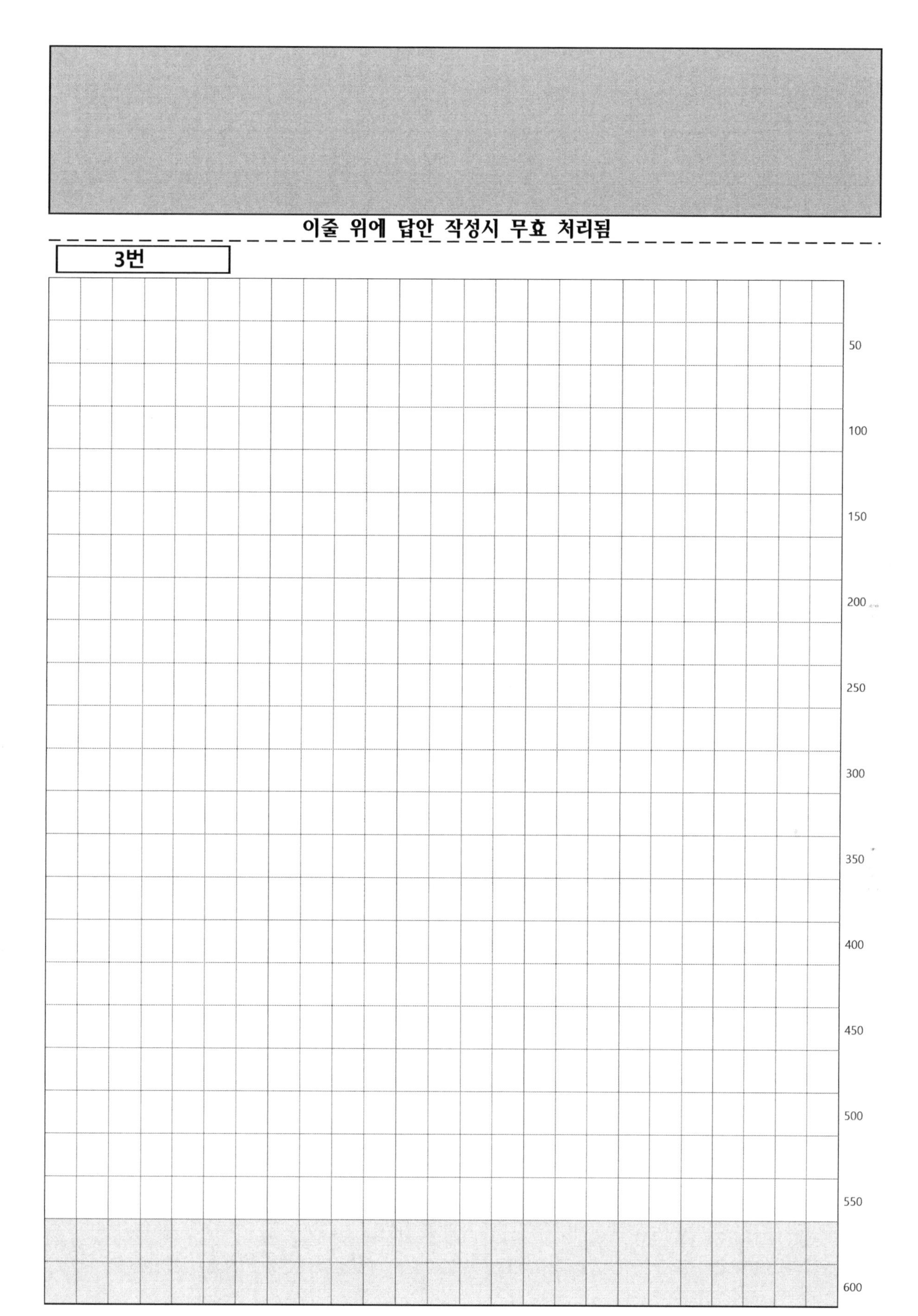
이줄 위에 답안 작성시 무효 처리됨

3번

11. 2022학년도 한국외대 수시 논술 [T1]

※ 다음 글을 읽고 물음에 답하시오.

(가)

갈릴레이는 세계에 관해 유용한 것을 배우려면 주관적이고 감각적인 경험은 무시해야 한다고 가르쳤다. 영국의 철학자 로크는 이러한 감각적인 경험을 '이차적인 성질'이라고 불렀다. 이러한 성질은 고정되어 측정 가능한 크기, 모양, 무게와 같은 '일차적인 성질'에 비해 열등하며, 일차적인 성질에서 단순히 파생된 것임을 강조하는 말이다. 객관적인 실제 세계에 걸맞은 일차적인 성질이란 양적으로 측정할 수 있는 사물의 여러 측면을 뜻했다. 자연이 자신의 비밀을 공개하고 인간의 정신이 발휘하는 영향력에 굴복하게 하려면 자연을 수(數)로 환원해야 한다고 믿었다. 과학자들에게 수학은 자연을 이해하고 통제하는 언어가 되었다.

- 홍윤기 외, 「고등학교 철학」

(나)

나의 주장은 단순하다. 즉 평균적인 사람은 아무도 없다는 것이다. 당신은 평균적인 사람이 아니다. 당신의 아이도, 동료도, 학생도, 배우자도 평균적인 사람이 아니다. 평균에는 나름의 역할이 있다. 예를 들어 각자 다른 그룹에 속한 2명의 개인을 비교하는 것이 아니라, 칠레 조종사들과 프랑스 조종사들의 실력 차이처럼 집단 간의 비교라면 평균이 유용한 역할을 해준다. 하지만 한 사람의 조종사나 한 사람의 배관공이나 한 사람의 의사가 필요한 순간이거나, 이 아이를 가르쳐야 하거나 저 종업원을 채용할지 말지를 결정해야 하는 순간이라면, 다시 말해 어떤 개개인과 관련된 결정을 내려야 하는 순간이라면 평균은 쓸모가 없다. 평균적인 신체 치수 따위는 없듯 평균적인 재능, 평균적인 지능, 평균적인 성격 같은 것도 없다. 평균적인 학생이나 평균적인 직원도 없고 그 점에서라면 평균적인 두뇌 역시 없다. 인간의 잠재력은 우리의 현 시스템이 가정하는 것처럼 한정적이지 않다. 이러한 개개인을 그래프 위의 한 점수로서 등급 매기기란 불가능하다. 재능, 지능, 성격, 창의성 등 우리가 관심을 갖는 인간의 거의 모든 특성은 들쭉날쭉하다. 또한 개개인의 행동은 특정 상황과 따로 떼어서는 설명될 수도 예측될 수도 없으며 어떤 상황의 영향은 그 상황에 대한 개개인의 체험과 따로 떼어서는 규명될 수 없다. 어떤 사람을 이해하고 싶다면 그 사람의 평균적인 경향이 아니라, 그 사람의 맥락에 따른 행동 특징에 초점을 맞추는 새로운 사고방식이 필요하다.

- 로즈, 「평균의 종말」 재구성

(다)

인간은 달콤한 과자조차 포기하고 가장 파멸적인 쓰레기, 가장 비경제적이고 무모한 짓을 자발적으로 원하게 된다. 실증적이고 합리적인 모든 것에 파멸적이고 환상적인 자신의 씨앗을 뿌리려는 단 하나의 이유 때문이다. 인간은 어디까지나 인간이지, 오직 스케줄에 따라 제한된 연주를 해야 하는 자연법칙의 피아노 건반이 아니라는 사실을 본인 자신에게 확인해주기 위해, 환상에 가까운 자신의 꿈과 극히 속물적인 우둔함을 지탱해나가길 바라고 있다. […] 인간은 경거망동한 존재인지라, 마치 장기 두는 사람처럼 목적 자체보다 목적을 달성하는 과정만 사랑하는 것 같다. 누구도 분명히 안다고 보장할 수 없지만, 어쩌면 인간이 지향하는 지상의 모든 목적은 무언가를 끊임없이 달성하려는 과정에, 이를테면 삶을 살아가고 있는 그 과정에 있는 것이지, 2×2는 당연히 4라는 공식과 다름없는 목적 자체에 있지 않다. 신사 여러분, 2×2=4라는 것은 삶이 아니라, 죽음의 시작이 아닐까? […] 인간은 목적을 달성하려고 애를 쓰면서도, 그 목적에 완전히 도달하길 꺼려한다. 이 어찌 우습지 않은가? 이걸 보면 인간은 한마디로 코믹한 존재다. 분명 여기에는 아이러니가 담겨 있다. 그러나 어찌되었든 2×2=4라는 수학적 확실성은 도저히 참고 넘길 수 없다. 내 생각으로 2×2=4는 불한당이다. 2×2=4는 양손을 허리춤에 얹은 채 여러분의 길을 가로막고 침을 뱉어대는 거만한 멋쟁이 같다. 나는 2×2=4가 탁월한 것이라고 인정하나, 2×2=5도 그에 못지않게 멋진 것이라고 칭찬하고 싶다.

- 도스토예프스키, 「지하에서 쓴 수기」

(라)

생산성은 기업의 성과를 높이기 위한 핵심요소로 간주된다. 테일러는 근로자의 근로의욕과 업무성과를 높여 기업의 생산성을 극대화하기 위해 합리적인 작업관리 방법으로서 '과학적 관리론'을 제창하였다. 작업과정의 효율성 최대화를 목표로 근로자의 동작작업 소요 시간 등을 측정해 최적의 '1일 과업 표준량'을 정하고, 이러한 표준 과업의 달성 정도에 따라 임금을 차별적으로 지급하는 등, 계측된 데이터를 기반으로 생산성 향상을 강조했던 테일러의 사상은 인간 노동을 기계화한다는 비판에도 불구하고 오늘날 기업의 경영 방식에 지대한 영향을 미쳤다. 예컨대 "측정 가능한 모든 것을 측정하라, 그리고 측정이 힘든 모든 것을 측정 가능하게 만들어라."와 같은 현대 기업의 성과 관리의 핵심 원칙은 모두 테일러의 '과학적 관리론'과 맥을 같이 하는 것이다.

- 테일러, 「과학적 관리법」 / 신동아 2015-06-26 기사 재구성

(마)

나는 통일은 단순히 정치나 경제만의 문제가 아니라 동시에 정신적인 문제라고 믿네. 사람이 육체와 정신으로 구성된 존재라면 돈으로만 사는 것이 아님도 분명하겠지. 개인들이 모여 형성된 국가나 민족도 마찬가지일 것이네. 물질적으로 잘 사는 국가가 되는 것이 대단히 중요하지만, 그것이 전부는 아니라는 말이네.

그런데 언제부턴가 우리는 통일 이야기만 나오면 비용부터 계산하려 했네. 통일 문제를 돈으로 따지는 이러한 오늘날 세태는 국가나 민족도 역사 속에 살아 움직이는 정신적 존재라는 사실을 우리 시대가 잊어버렸음을 드러내 주네. 우리는 지금 비정상적이고 파행적인 삶을 살고 있다는 것이지.

- 신유식 외, 「고등학교 국어」

(바)

자하가 "죽고 사는 것은 운명이요, 부유함과 귀함은 하늘에 달려있다."라고 말했다. 나는 "죽고 사는 것은 운명이 아니요, 부유함과 귀함은 돈에 달려있다."고 생각한다. 돈은 화가 복이 되게 하고 실패를 성공으로 바꾸고, 위태로움을 편안하게 할 수 있으며, 죽은 자도 살아나게 한다. 수명의 길고 짧음과 복록의 귀하고 천함이 모두 돈에 달려 있으니 하늘이 관여할 수 있는 일이 무엇이겠는가?
돈의 형체에는 하늘과 땅의 상징이 담겼다. 안은 땅처럼 네모나고, 밖은 하늘처럼 둥글다. 쌓아두면 산과 같고, 흐르게 하면 내와 같다. 움직임과 멈춤에 때가 있다. 저자에서 편리하게 바꾸니, 닳거나 부러질 걱정이 없다. 부러지지 않음은 장수를 상징하고, 다하지 않음은 도를 상징한다. 그러므로 길게 오래갈 수 있으니, 세상의 신기한 보배이다.

- 노포, 「전신론(錢神論)」 재구성

(사)

중견 IT업체 A사는 2년 전 직원들과 상시 소통할 수 있는 챗봇* 시스템을 도입하였다. 챗봇은 출근한 직원에게 두 시간마다 상냥한 말투로 말을 걸어 업무가 잘 진행되는지, 만일 집중이 안 된다면 이유가 무엇인지 등을 물었다. 직원들의 근무 패턴과 니즈를 파악하게 된 회사 경영진은 직원들의 업무 효과성을 높여주었다. 회사의 매출도 덩달아 증가하였다. 그런데 시간이 지남에 따라 A사의 시장 점유율이 줄어드는 등 성장세 둔화의 조짐이 나타났다. A사는 전담 데이터 분석팀을 신설했고, 직원들은 업무집중도에 영향을 미치는 감정의 종류, 정도, 원인 등 보다 개인적인 질문까지 챗봇으로부터 받게 되었다. 직원들의 불만이 많아지더니 어느 순간 회사를 떠나는 직원의 수가 눈에 띄게 늘어났다. 기업의 실적에 연동되어 지급되는 최고 경영자의 올해 보너스는 작년 수준을 넘지 못했다.

* 챗봇: 음성, 문자 등을 통해 인간과 소통하여 수집한 데이터를 바탕으로 특정한 작업을 수행하는 컴퓨터 프로그램

(아)

전문 컨설팅업체인 B사는 성과를 높이기 위해 실적기반 직원평가시스템을 도입하였다. 직원들의 모든 역량과 성과를 수치화한 후 기계적으로 모든 직원을 상, 중, 하로 나누어 급여를 지급함은 물론 복지 혜택에까지 차등을 두었다. 직원간의 경쟁이 치열해지면서 B사는 빠른 시일 내에 동종 업계에서 경쟁력 있는 기업이 되었다. 하지만 기계적 평가에 압박을 느낀 직원들의 불만과 스트레스 역시 날로 커져갔고, 이직률이 급격히 높아졌다. 또한 동료 간 협업과 아이디어 창출에 어려움이 생기면서 고객이 줄어들고 회사의 성장세가 둔화되었다. 새로운 최고 경영자가 부임하면서 기존의 엄격한 기계적 등급 구분을 재고하여 보다 유연한 관리 시스템을 도입하였다. 또한 직원들에게 상담, 피드백 등 여러 소통 창구를 통해 자유롭게 다양한 목소리를 낼 수 있도록 하였다. B사가 직원 개개인에 대한 투자를 운영 원칙으로 삼고 직원의 자율성과 자기 결정권을 중시하자 직원들의 회사 충성도가 높아졌다. B사는 예년에 비해 두 배 이상의 실적을 올렸다.

[문제 1]

수(數)를 중심으로 (가)~(마)에 나타난 세계관을 두 유형으로 분류하고 요약하시오. (400자 내외, 210점)

[문제 2]

(사), (아)를 비교하고, [문제 1]의 두 유형을 활용하여 평가하시오. (500자 내외, 210점)

[문제 3]

다음 <자료>를 분석하고 (마), (바)에 비추어 A, B 그룹의 특성을 기술한 후, 각각의 특성에 따라 <보기>의 문제를 해결할 수 있는 방안을 추론하시오. (600자 내외, 280점)

<자료>

헌혈은 건강한 사람이 자유의사에 따라 자신의 혈액을 기증하는 사랑의 실천이자 생명을 나누는 고귀한 행동이다. 미국의 한 연구자는 사람들의 헌혈 참여 동기를 파악하기 위해 헌혈과 금전적 보상의 관계에 대한 실험을 진행하였다. A, B 그룹을 대상으로 헌혈 시 아무런 보상이 없을 때, 7달러를 지급할 때, 7달러를 헌혈자의 이름으로 자선단체에 기부할 때로 나누어 각각의 경우에 헌혈 참여 의사를 물었더니 다음과 같은 결과가 나왔다

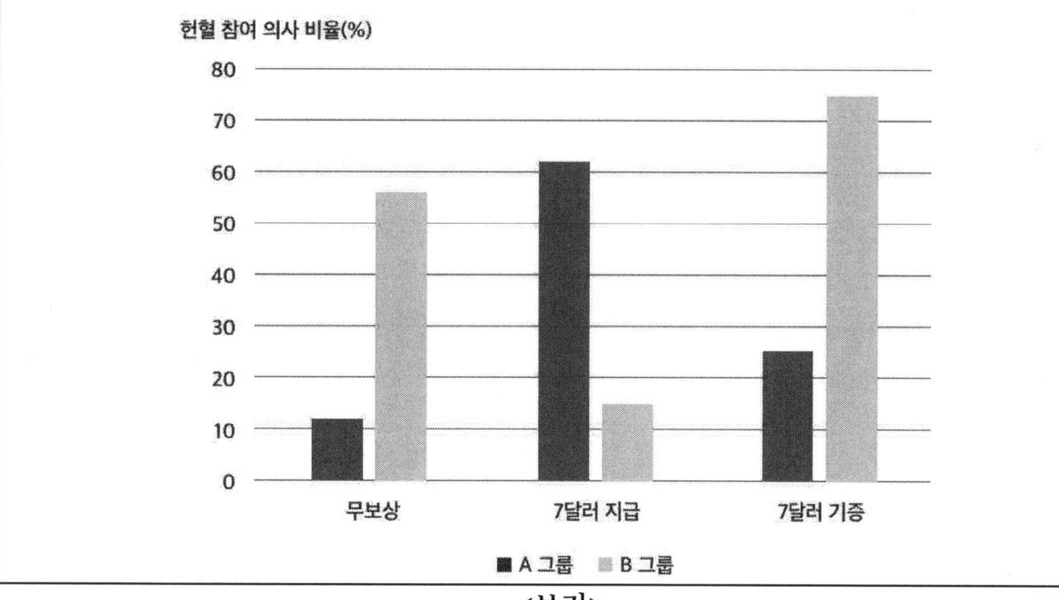

<보기>

이스라엘의 하이파 지방에서는 보육 시설에 부모들이 늦게 아이를 찾으러 오는 문제를 해결하기 위해 한 가지 실험을 했다. 보육 시설 여섯 군데를 무작위로 골라 아이를 늦게 찾으러 온 부모에게는 벌금을 물리기로 했다. 벌금 제도를 도입하면

부모들이 시간에 맞추어 올 것이라고 기대했다. 그러나 기대와 달리 벌금 제도를 도입한 곳에서는 오히려 아이를 늦게 찾으러 오는 부모의 수가 두 배로 증가했다. 아이를 늦게 찾으러 온 부모는 자신이 벌금을 냄으로써 지각에 대한 정당한 대가를 지불했다고 생각했고, 이전에 가졌던 미안한 마음이나 빨리 찾으려는 노력이 줄었기 때문이다.

– 김종호 외,「고등학교 경제」

답안 작성시 주의! 2023학년도부터 글자수 제한 변경!
문제 2번 500자에서 450자, 문제 3번 600자에서 550자

지원학부(과)

수 험 번 호				

주민등록번호 앞6자리(예:040512)					

성 명

1번

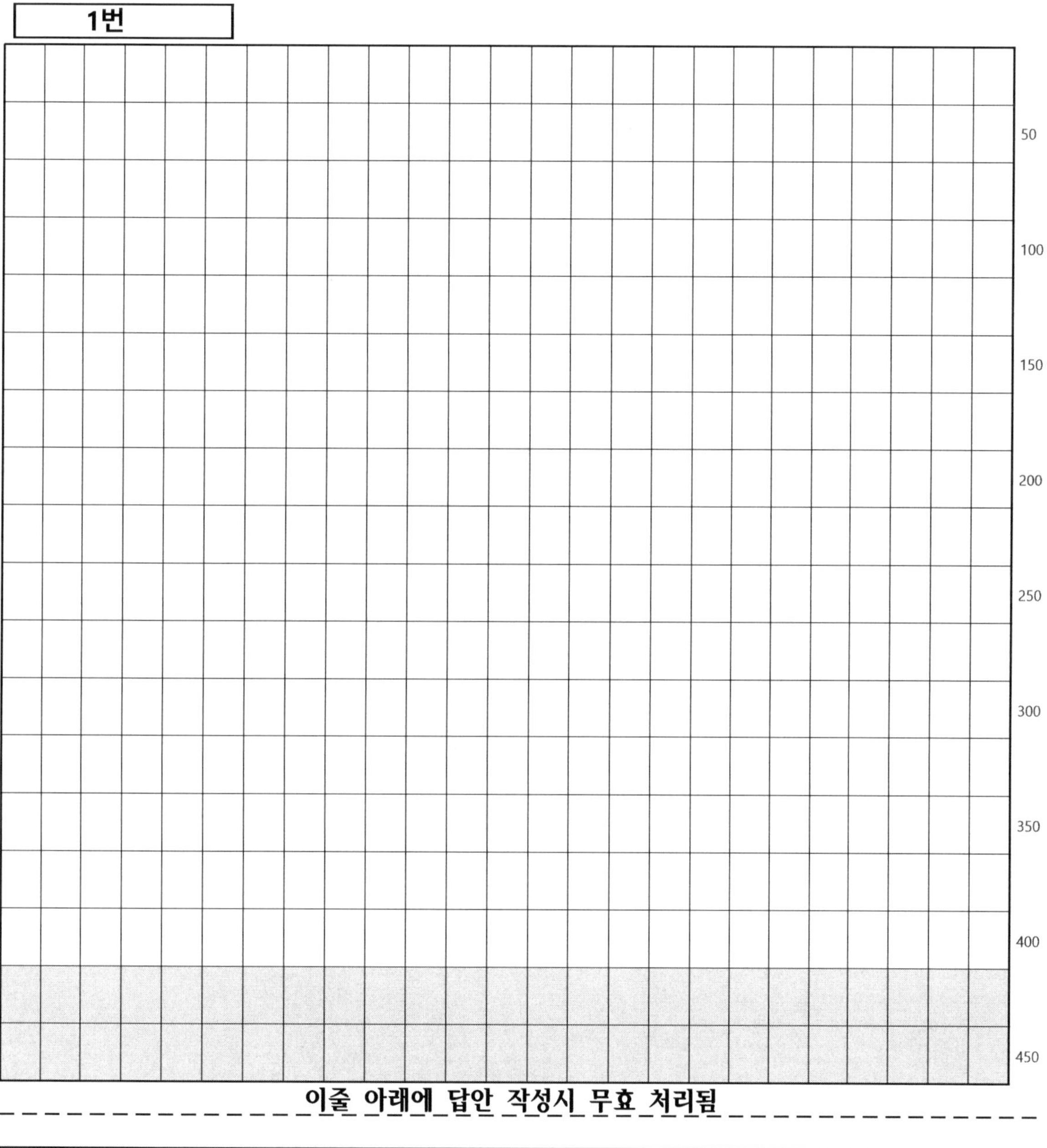

이줄 아래에 답안 작성시 무효 처리됨

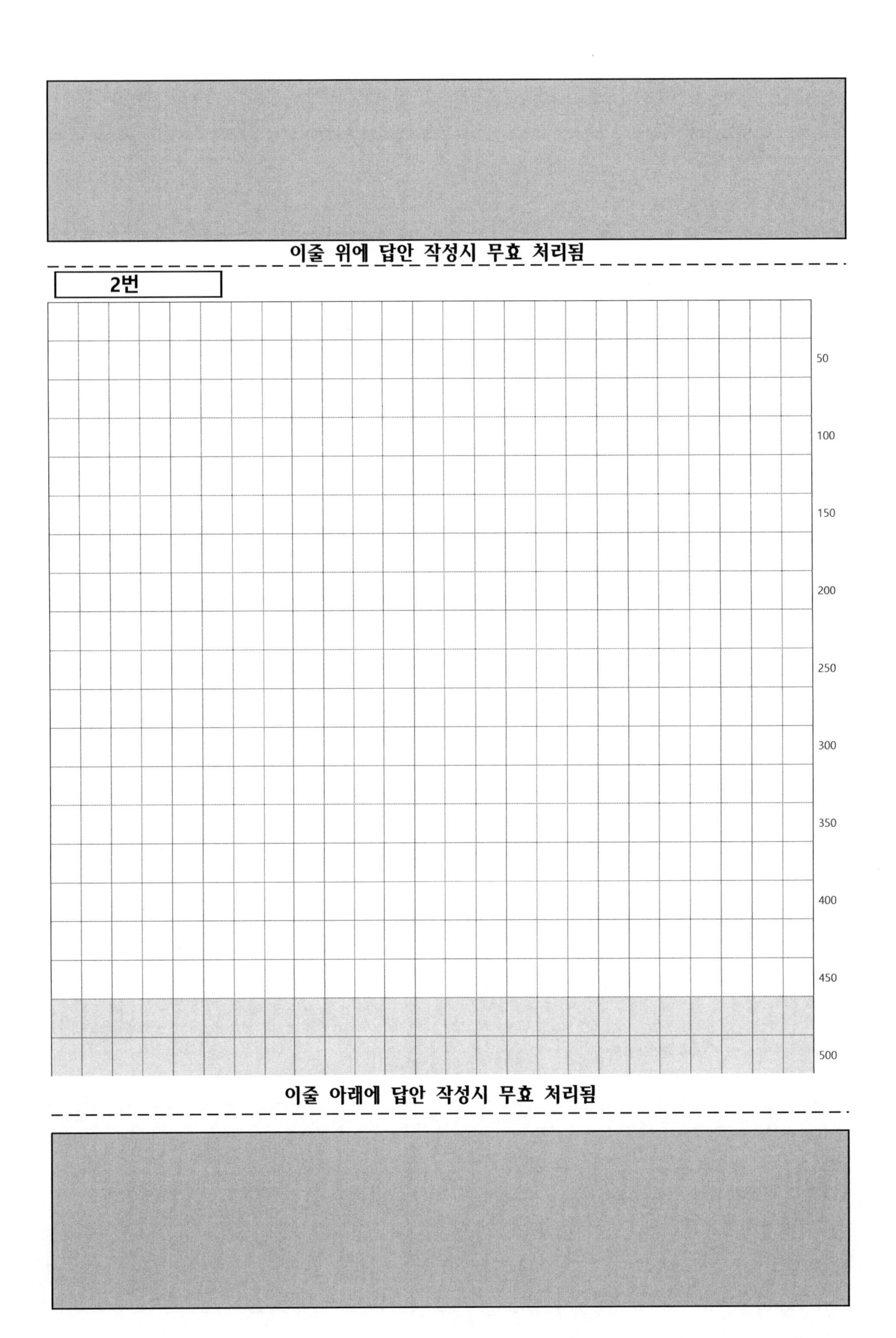
이줄 위에 답안 작성시 무효 처리됨
2번
50
100
150
200
250
300
350
400
450
500
이줄 아래에 답안 작성시 무효 처리됨

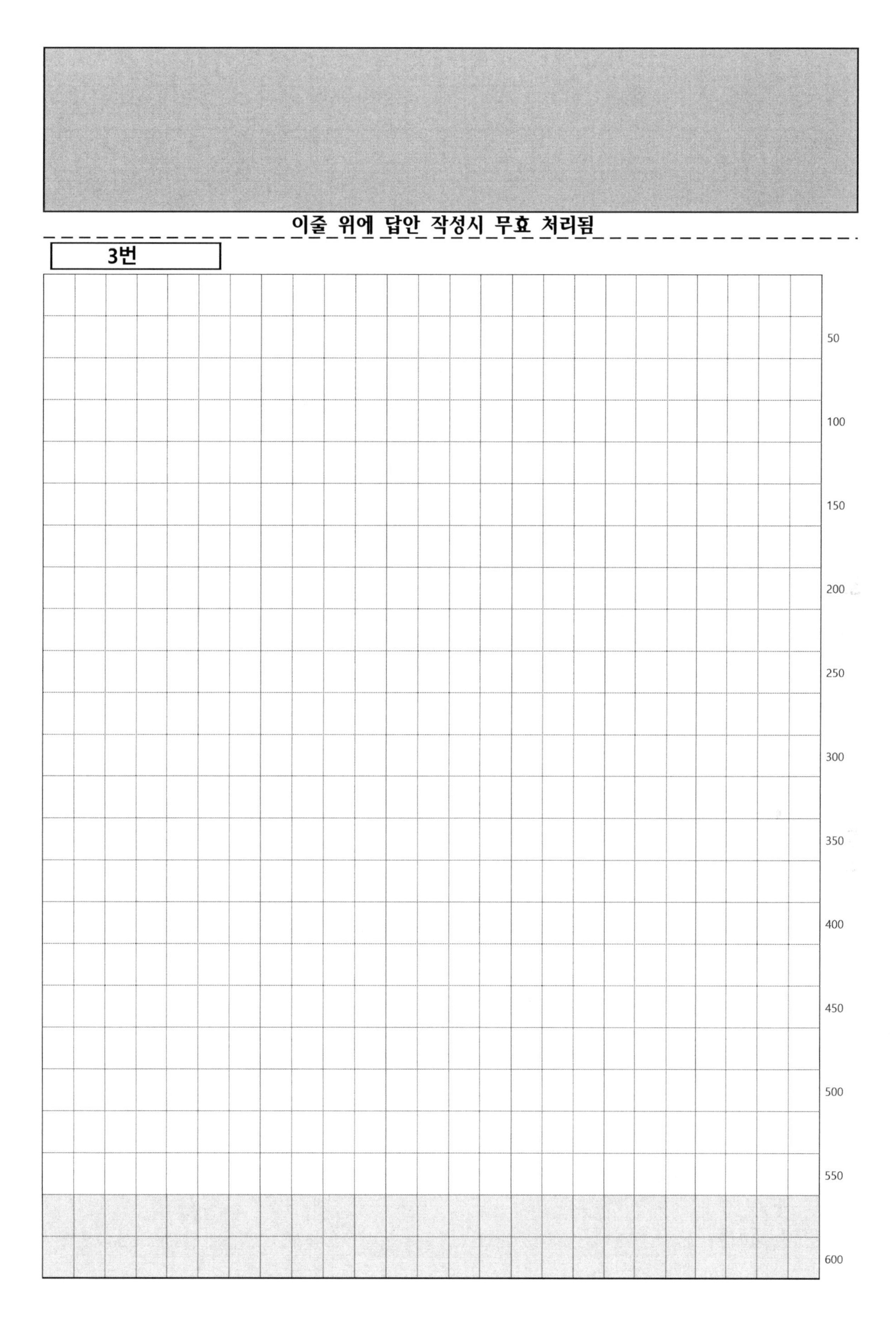
이줄 위에 답안 작성시 무효 처리됨
3번
50
100
150
200
250
300
350
400
450
500
550
600

12. 2022학년도 한국외대 수시 논술 [T2]

※ 다음 글을 읽고 물음에 답하시오.

(가)

최근 코로나19의 백신 기술을 둘러싸고 다양한 논의가 펼쳐지고 있다. 일부 제약회사와 선진국은 코로나19 백신 개발에 관한 지식 정보의 독점적 권리를 강조한다. 백신 기술에 대한 독점적 권리를 잃고 큰 이윤을 얻을 수 없다면, 누가 막대한 비용과 시간을 들이며 백신 개발에 나서겠느냐는 것이다. 반면 개발도상국들은 백신 개발 회사의 지적재산권을 일시 해제하거나 공유하여 개발도상국의 제약회사들도 특허 비용을 지불하지 않고 백신을 생산할 수 있게 해달라고 요구하고 있다. 백신에 대한 지식 정보는 인류가 함께 누려야 할 공공재이기 때문에 공유의 대상이라는 것이다.

- 고등학교 교과서「생활과 윤리」, 고등과학원 웹진「호라이즌」 재구성

(나)

왼쪽 지도는 1402년(조선 태종 2년)에 제작된 <혼일강리역대국도지도>이다. 이 지도는 중심부에 중국이 표현되어 있지만, 우리나라가 다른 지역보다 상대적으로 크게 그려져 있다. 아울러 당시 우리나라 사람이 가보지 못했을 인도와 아라비아반도, 나아가 유럽과 아프리카 대륙까지 상세하게 그려져 있다. 이 지도는 중국 원나라의 <성교광피도>와 <혼일강리도> 및 우리나라와 일본의 지도 등 다양한 지리 정보를 종합하여 그린 것으로 알려져 있다. 원나라 이전에는 동서 문물교류가 매우 제한적으로 이루어졌다. 반면 원나라를 중심으로 한 몽골제국이 유라시아 대륙 곳곳을 연결한 도로망을 구축함에 따라 이슬람의 천문학과 지리학 등이 중국에 전해지고, 중국의 화약과 인쇄술 등이 유럽에 전해지는 등 동서 문물교류가 활발하게 이루어졌다. 종전에 비해 동서양의 지식정보 공유가 활발하게 이루어진 것인데, <성교광피도>도 이때 전해진 이슬람 지도를 바탕으로 그려진 세계지도이다. 결국 <혼일강리역대국도지도>는 몽골제국 시기에 들어와 더욱 활발해진 동서 문물교류와 그에 따른 지식정보 공유를 바탕으로 탄생했다고 할 수 있다.

- 고등학교 교과서「한국지리」,「동아시아사」,「한국민족문화대백과사전」 재구성

(다)

특허법 관련 만화(특허청, 2021) 재구성

(라)

자, 내가 보고 싶은 서책은, 당신이 거기에서 읽어 보고는 훔쳐서 이곳으로 가져왔고, 당신은 읽었으면서도 다른 수도사에게는 읽지 못하게 했고, 여기에다 감추어 두었고, 남들에게 죽어라고 읽히지 않으면서도 죽어도 파기는 못하겠다고 버티어 온 그 서책입니다. 암, 파기하지 못하고말고요, 당신은 서책을 파기할 위인이 못 되니까요. 더 정확하게 말하면 내가 보고 싶은 책은 아리스토텔레스의「시학」제 2권…… 세상이 소실되었다고 믿거나 아예 쓰이지도 않았다고 믿는 책…… 어쩌면 이 세상에서 한 권

밖에 남지 않았을지도 모르는 당신의 소장품, 바로 그겁니다.
(중략)
그것은 아리스토텔레스에 의한 것이었기 때문이오. 아리스토텔레스의 서책은 하나같이 기독교가 수세기에 걸쳐 축적했던 지식의 일부를 먹어 들어갔소. 우리의 초대 교부들은 일찍이, 말씀의 권능을 깨치는 데 필요한 가르침을 모자람 없이 베푸셨소. 한데 보에티우스라는 자가 이 철학자의 서책을 극찬함으로써 하느님 말씀의 신성은 인간의 희문(戱文)으로 변질되면서 삼단 논법의 희롱을 받아 왔소. <창세기>가 우주 창조의 역사를 모자람 없이 설명하고 있는데도 불구하고 아리스토텔레스는「자연학」에서 이 우주를 무디고 끈적끈적한 질료로 재구(再構)하였고 아랍인 아베로에스는 세계는 절대로 멸망하지 않는다고 망발했소. 그 말에 거의 다 넘어간 형편이오.

- 움베르토 에코 저, 이윤기 역,「장미의 이름」

(마)

미국의 전기자동차 회사인 테슬라는 2014년 6월 자사가 보유한 전기자동차 관련 특허권을 모두 무료로 공개했다. 250억 달러의 자산 가치가 있다고 평가되는 테슬라의 특허 기술은 테슬라가 세계 전기자동차 시장에서 우위를 선점하며 경쟁력 있는 제품을 만들 수 있는 기반이었다. 테슬라가 특허를 개방한 이유로는 전기자동차 기술 발전 및 시장 확대를 들 수 있다. 아직 수요가 적고 발전 속도가 느린 당시의 전기자동차 시장 상황에서 테슬라는 기술 공유를 통해 다른 기업들과 함께 시장을 개척하여 그 규모를 늘리는 것이 더 중요하다고 판단한 것이다. 마찬가지로 2015년 1월 일본 도요타자동차는 수소연료전지차 관련 특허권을 모두 무상으로 제공하겠다고 발표했다. 도요타도 독자적인 시장 개척보다 수소연료전지차 시장 전체의 규모를 확대하기 위해 특허 개방을 시행한 것으로 분석된다.

-「지식재산과 경제발전」(한국지식재산연구원, 2015) 재구성

(바)

가정용 홈비디오 시장의 태동기에 소니의 베타맥스 방식과 JVC사의 VHS 방식이 경쟁했다. 소니의 베타맥스는 VHS에 비해 출시 시기도 빨랐고, 화질도 우수했을 뿐만 아니라 크기도 30% 정도 작았다. 이러한 기술적 우수성을 바탕으로 소니는 독자적으로 시장을 키워서 장악하기 위해 다른 회사들에게 기술을 이전하지 않았다. 초기에는 소니의 베타맥스가 홈비디오 시장을 거의 독점하였으나, 얼마 지나지 않아 시장점유율이 베타맥스 25%, VHS 75%로 역전되었고, 베타맥스는 결국 시장에서 퇴출됐다. 소니는 자신들의 기술적 우수성만 믿고 이익을 독점하기 위해 폐쇄적인 기술 정책을 고수하다가, 베타맥스 방식의 홈비디오 시장 규모가 VHS 방식에 비해 충분히 커지지 않아 결국 성공하지 못한 것이다.

- 중앙일보(2017. 2. 26), 전자신문(2013. 9. 25), 파이낸셜뉴스(2016. 7. 11) 재구성

(사)

위키피디아(Wikipedia)는 인터넷과 뉴 미디어를 기반으로 성장한 새로운 유형의 백과사전이다. 위키피디아의 가장 큰 특징은 전 세계 누구나 자유롭게 접속하여 정보를

활용할 수 있고, 나아가 작성과 편집에도 참여할 수 있다는 점이다. 하지만 이러한 개방성은 누군가가 부정확하거나 잘못된 정보를 입력할 수 있는 위험성을 내포하고 있다. 이러한 위험성 때문에 위키피디아와 같은 오픈소스 백과사전은 전문성을 충분히 확보하지 못하여 정보의 정확성과 신뢰성을 떨어뜨리는 경우가 발생한다. 더욱이 이러한 부정확한 정보를 무비판적으로 받아들이고 뉴 미디어를 통해 유포한다면 광범위한 피해가 발생할 수 있다. 따라서 비판적 사고를 바탕으로 정보를 올바르게 이해하고 표현할 수 있어야 한다.

- 고등학교 교과서「생활과 윤리」, The Science Times(2018. 11. 22) 재구성

[문제 1]

(가)를 바탕으로 (나) ~ (바)에 나타난 상황을 두 유형으로 분류하고 각 제시문을 요약하시오. (400자 내외, 210점)

[문제 2]

(나), (다), (라), (사)의 차이를 지식 발전이라는 관점에서 비교하고, 그 차이가 발생한 요인을 논하시오. (500자 내외, 210점)

[문제 3]

아래 <표>는 특정 산업과 관련한 핵심 기술의 개발 시점, 관련 제품의 시장 규모, 기업별 특허 보유 현황을 나타낸다. 핵심 기술 Z를 활용한 제품 시장의 성장 단계가 아래 <그림>의 어느 구간에 해당하는지 설명하고, 그 구간에서 C기업이 추진해야 할 성장 전략을 제시문 (마)와 (바)를 바탕으로 추론하시오. (600자 내외, 280점)

<표>

핵심 기술	최초 특허 연도	2020년 관련 제품 시장 규모 (단위 : 억 원)	2020년 특허 보유 개수		
			A기업	B기업	C기업
X	1980	1,000	100	30	5
Y	1990	400	20	100	10
Z	2015	50	5	5	100

<그림>

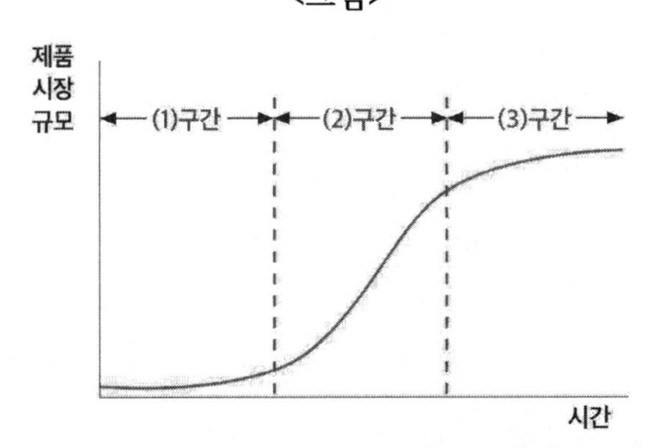

답안 작성시 주의! 2023학년도부터 글자수 제한 변경!
문제 2번 500자에서 450자, 문제 3번 600자에서 550자

지원학부(과)

성 명

수 험 번 호				

주민등록번호 앞6자리(예:040812)					

1번

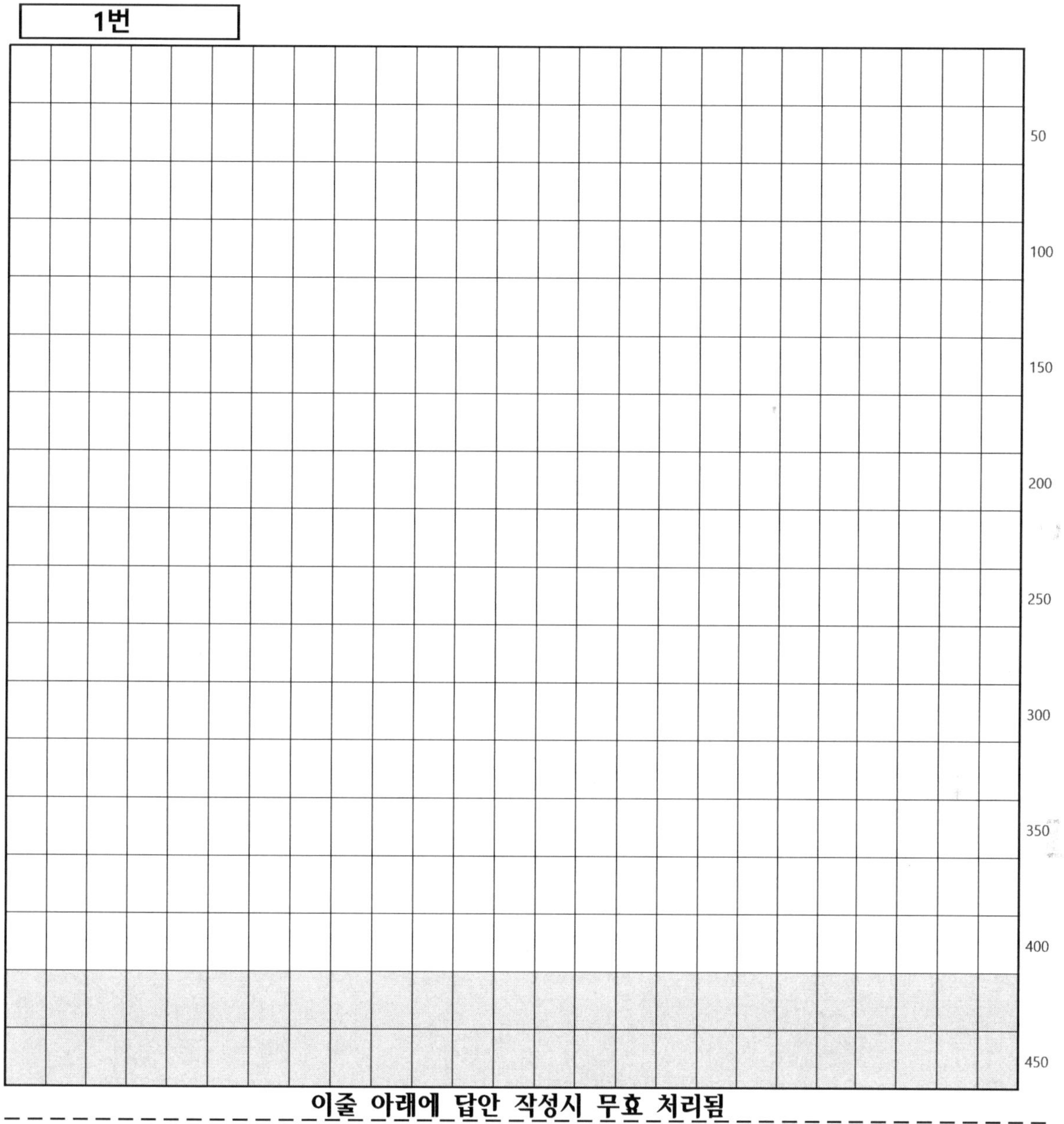

이줄 아래에 답안 작성시 무효 처리됨

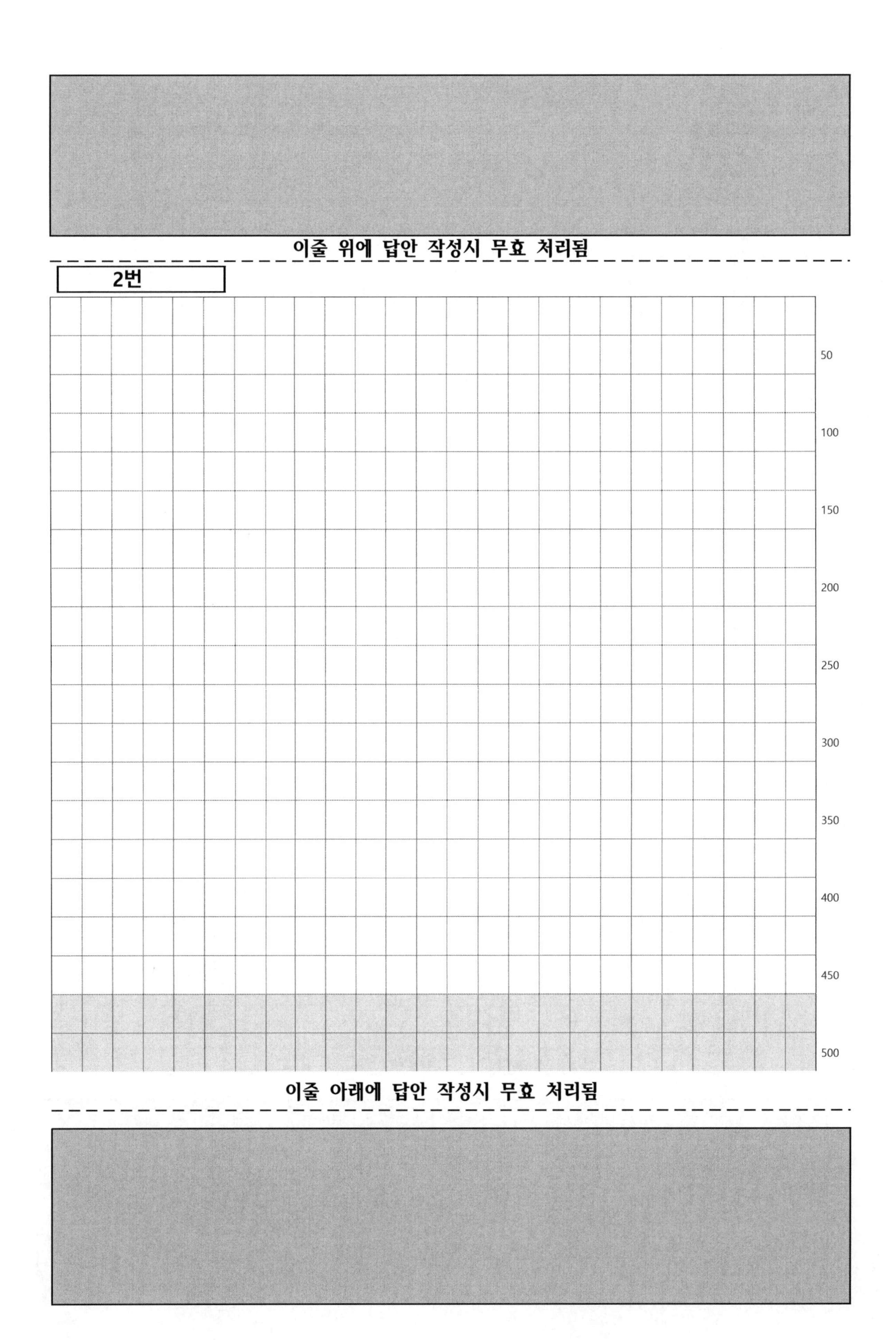
이줄 위에 답안 작성시 무효 처리됨
2번
50
100
150
200
250
300
350
400
450
500
이줄 아래에 답안 작성시 무효 처리됨

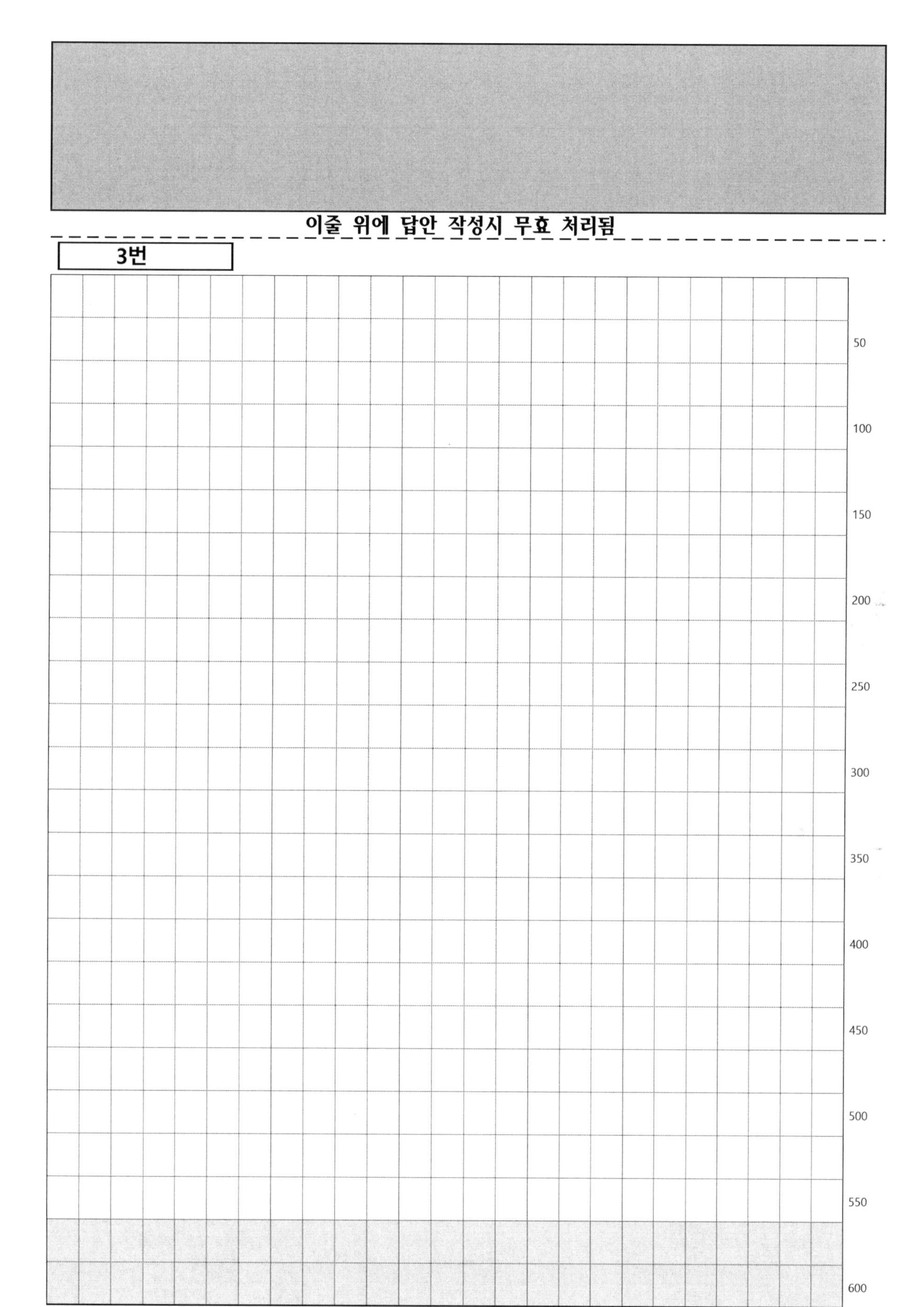
이줄 위에 답안 작성시 무효 처리됨
3번
50
100
150
200
250
300
350
400
450
500
550
600

13. 2022학년도 한국외대 수시 논술 [T3]

※ 다음 글을 읽고 물음에 답하시오.

(가)

바빌로프 연구소에 남아 있던 연구원들은 사실상 정부의 아무런 지원도 없이 계속 일을 했다. 그들은 도처에 숨어 있는 굶주린 군중이 저장고를 털어 미래 세대를 위해 저장해둔 밀과 보리, 콩 종자를 죄다 먹어치우지 않을까 염려했다. 연구원들은 연구소의 견고한 벽을 바리케이드 삼아 불침번을 서며 종자를 지켰다. 그들은 전쟁이 끝난 훗날 그 종자들이 러시아와 세상을 되살리는 데 도움이 되기를 소망했다. 연구소 직원들은 40만 개의 종자 중에 가장 귀중한 것을 골라, 여러 개의 보관용 견본을 만든 후 상자 안에 넣었다.

이렇게 종자를 분산시킨 후 연구원들은 문을 닫아건 채 얼어붙을 것 같은 음습하고 차가운 지하실에서 남은 종자와 씨감자를 지켰다. 추위로 몸이 얼어붙고 굶주림에 허덕이면서도 교대로 근무하며 계속 종자를 보살폈다. 바빌로프의 동료 중 가장 헌신적이던 아홉 사람이 병으로 숨지거나 굶주림으로 죽었다. 그러나 그들은 끝내 자신이 돌보던 씨앗을 먹지 않았다.

- 나브한, 「지상의 모든 음식은 어디에서 오는가」

(나)

일인의 재산을 조선 사람에게 판다는 소문이 사실이라고 한다면 한 생원은 그 논 일곱 마지기를 돈을 내고 사지 않고서는 도로 차지할 수가 없을 판이었다. 물론 한 생원에게는 그런 재력이 없거니와, 도대체 전의 임자가 있는데 그것을 아무나에게 판다는 것이 한 생원으로 보기에는 불합리한 처사였다. <중략>

"나라가 다 무어 말라비틀어진 거야? 나라 명색이 내게 무얼 해 준 게 있길래, 이번엔 일인이 내놓구 가는 내 땅을 저이가 팔아먹으려구 들어? 그게 나라야?"

"일인의 재산이 우리 조선 나라 재산이 되는 거야 당연한 일이죠."

"당연?"

"그렇죠." <중략>

"일없네. 난 오늘버틈 도루 나라 없는 백성이네. 제길, 삼십육 년두 나라 없이 살아왔을려드냐. 아-니 글쎄, 나라가 있으면 백성한테 무얼 좀 고마운 노릇을 해 주어야 백성두 나라를 믿구, 나라에다 마음을 붙이구 살지. 독립이 됐다면서 고작 그래, 백성이 차지할 땅 뺏어서 팔아먹는 게 나라 명색야?"

그러고는 털고 일어서면서 혼잣말로,

"독립됐다구 했을 제, 내, 만세 안 부르기, 잘했지."

- 조정래 외, 「고등학교 문학」

(다)

"나는 사형선고라면 질색입니다."

리유는 타루를 쳐다보았다. "그래서요?" 하고 그는 말했다.

"그래서 나는 자원 보건대를 조직하는 구상을 해 보았습니다. 제게 그 일을 맡겨 주시고, 당국은 빼 버리기로 합시다. 게다가 당국은 할 일이 태산 같습니다. 여기저기 친구들이 있으니, 우선 그들이 중심이 되어 주겠죠. 그리고 물론 나도 거기에 참가하겠습니다."

리유는 생각을 해 보았다. "그러나 이런 일을 하다가 생명을 잃을지도 모릅니다. 잘 아시겠지만요. 그러니 좌우간 알려는 드려야지요. 잘 생각해 보셨나요?"

타루는 회색빛이 도는 침착한 눈으로 그를 보고 있었다.

보건대에 헌신한 사람들은 사실 그 일을 했다고 해서 그렇게까지 대단한 칭찬을 받을 처지는 아니었다. 왜냐하면 그들은 해야 할 일이 그것뿐이라는 것을 알고 있었으며, 그런 결단을 내리지 않은 것이야말로 그때 처지로는 오히려 믿을 수 없는 일이었다. 보건대는 우리 시민들이 페스트 속에 더 깊게 파고들도록 도와주었으며, 시민들에게 부분적이나마 질병이 눈앞에 있으니 그것과 싸우기 위해서 마땅히 해야 할 일을 해야 된다는 것을 납득시켰다. 이처럼 페스트는 몇몇 사람들의 의무로 변했기 때문에 이제는 그 본연의 실체, 즉 모든 사람의 문제로 등장하게 되었다. <중략>

"선생님." 랑베르는 말을 꺼냈다. "나는 떠나지 않겠어요. 그리고 여러분과 함께 있겠어요."

랑베르는 다시 한 번 생각해 보았는데 자기 생각에 변함은 없지만 그래도 자기가 이곳을 떠난다면 부끄러운 마음을 지울 수 없을 것 같다고 말했다.

랑베르가 말했다. "그러나 혼자만 행복하다는 것은 부끄러운 일이지요."

그때까지 한 마디도 없던 타루가 고개도 돌리지 않고, 만약 랑베르가 남들과 불행을 같이 나눌 생각이라면 행복을 위한 시간은 결코 못 얻고 말 것이니, 어느 한쪽을 택해야 한다는 것을 지적했다.

"그게 아닙니다."라고 랑베르가 말했다. "나는 늘 이 도시와는 남이고 여러분과는 아무 상관도 없다고 생각해 왔어요. 그러나 이제 볼 대로 다 보고 나니, 내가 원하건 원하지 않건 간에 나도 이곳 사람이라는 것을 알겠어요. 이 사건은 우리들 모두에게 관련된 것입니다."

- 카뮈, 「페스트」

(라)

공동체주의자들은 공익의 독립적인 실체를 강조한다. '실체설' 혹은 적극적인 인식론으로 지칭되는 이 입장에 따르면 사익에 우선하는 공익이 독립적으로 존재한다. 공익은 개인을 포함한 공동체를 위한 선(善)이다. 공동선은 공동체의 모든 구성원들이 올바르고, 합리적인 준거에 따라 공평성과 자비로움 등을 감안해 판단하는 가치기준이다. 따라서 각 개인은 공동체 속에서 자신을 비롯한 구성원 모두가 행복을 누리기 위해서는 공동선의 추구가 필요하다는 것을 알고 자율적인 선택에 따라 공동선을 추구해야 한다.

- 류지한 외, 「고등학교 윤리와 사상」 재구성

(마)

사실 개인은 공공의 이익을 증진하려고 의도하지도 않으며, 자신이 얼마나 그것에 기여하는지도 알지 못한다. 개인은 오직 자신의 노동 생산물이 최대의 가치를 갖도록 함으로써 자신의 이익만을 추구할 뿐이다. 그런데 그는 이렇게 함으로써 '보이지 않는 손'에 이끌려 그가 전혀 의도하지 않은 목적을 달성하게 된다. 개인은 자기 자신의 이익을 추구함으로써 흔히 그 자신이 진실로 사회의 이익을 증진하려고 의도하는 경우보다 더욱 효과적으로 그것을 증진한다. 개인의 자본을 국내 산업의 어느 분야에 투자하면 좋은지, 그리고 어느 산업 분야의 생산물이 가장 큰 가치를 가지는지에 관해서는 각 개인이 자신의 지역 상황에 근거하여 어떠한 정치가나 입법자보다 훨씬 더 잘 판단할 수 있다는 것은 명백하다. 개인에게 그의 자본을 어떻게 사용하라고 지시하려는 정치가는 불필요한 수고를 할 뿐만 아니라 권력을 멋대로 휘두르려는 것이다.

- 변순용 외, 「고등학교 윤리와 사상」

(바)

인간은 행복과 같은 목적을 추구하는데, 이러한 인간의 목적이 되는 것을 궁극적 가치라 할 수 있다. 그리고 그 목적 실현을 위해 필요한 방법을 수단적 가치라고 한다. 공리주의는 다른 요소들이 같다면 개인적으로나 사회적으로 인간의 목적이 되는 궁극적 가치들의 총량을 크게 하는 것은 바람직하며, 도덕적으로 정당화될 수 있다고 주장한다. 이러한 공리의 원칙에 따르면 형벌 또한 전체의 가치 총량을 크게 할 때 도덕적으로 정당화될 수 있다. 공리주의자들은 전체 가치의 증대, 곧 사회 전체의 이익 달성 이외에 도덕적 올바름의 근거가 되는 것은 없다고 보기 때문이다.

- EBS, 「수능특강 국어영역 독서」

(사)

정보 참모 : (서류를 내밀며) 역정보 공작에 투입할 장교의 인사 기록입니다.

사령관 : (물리치며) 내가 직접 선발했네. 방금 나간 병사에 대해 귀관은 너무 무관심하더군.

정보 참모 : 그 병사를…….

사령관 : 영감을 주는 얼굴이야. 그 얼굴을 보는 동안 난 또 하나의 도박을 생각해 냈다. 아니, 이건 도박이랄 수도 없지. 아무리 유능하고 강직한 정보 장교를 역정보 공작에 투입한다고 해도 위험률은 매우 높다. 적의 정보 장교들도 바보는 아닐 테니까……. 그 병사로 하여금 자신이 역정보 공작에 이용되고 있다는 것을 전혀 모르는 채 적에게 포로가 되도록 꾸미는 거야. 이제부터 참모 회의 때마다 그 병사는 내 어깨를 주무르면서 나와 함께 브리핑을 받게 된다. 물론 그 브리핑 내용은 모두 거짓이지. 그 거짓 브리핑 내용은 그 병사가 적에게 포로가 되었을 때 고스란히 적에게 제공되는 거야. (정보 참모를 지그시 본다.)

(클라리넷…….)

동쪽 나라 사령관실

(사령관과 정보 참모, 수색 중대장이 그들 앞에 서 있다.)

사령관 : 적은 공격을 앞두고 아군에 대한 보다 광범하고 정확한 정보를 수집하기 위해서 아군 장병을 사로잡으려고 혈안이 돼 있다. 수색 중대장은 적의 관측소에서 잘 보이는 곳에 그 겁쟁이 병사를 팽개쳐 놓고 돌아오기만 하면 되는 거다.
중대장 : 그곳에 혼자 남겨 놓고 오면 도망할 텐데요.
사령관 : 도망하는 데도 최소한의 용기는 필요한 거다. 또 다른 질문은?
중대장 : 없습니다.
사령관 : 그럼 그 병사를 불러들일 테니까, 시나리오대로 잘해 보세. 전속 부관, 오장군 이등병을 들여보내게.
전속 부관: (밖에서) 옛.
사령관: 정보 참모는 눈에 안 띄는 게 좋겠군.
정보 참모: 예.
<이후 줄거리: 전쟁에 승리하기 위해 오장군을 역정보 공작원으로 보낸 동쪽 나라 사령관의 계략대로 그는 아무것도 모른 채 공작에 투입된다. 이후 오장군은 서쪽 나라에서 사형에 처해지고, 머리카락과 손톱이 가족에게 전해진다.>

- EBS, 「수능완성 국어영역 독서·문학·언어와 매체」

(아)

소를 키워 생계를 꾸려 나가던 마을이 있었다. 마을 사람들은 소에게 풀을 먹일 때 뒷동산에 있는 목초지를 이용했다. 목초지는 마을 사람들이 아무런 비용을 지불하지 않고도 사용할 수 있는 공유지였다. 마을 사람은 목초지를 마음대로 사용할 수 있었기 때문에 좀 더 많은 금전적 이익을 얻기 위해 키우는 소의 숫자를 점차 늘려 나갔다. 그 결과 소들이 먹는 풀이 더 많이 필요하게 되었고, 무성하던 목초지의 풀이 어느 날부터인가 조금씩 사라져 가더니 결국 완전히 메말라 버렸다. 너무 많은 소를 목초지에 방목한 결과 더 이상 풀들이 남아 있지 않아 아무도 소를 키울 수 없게 되어 버린 것이다.

- 정창우 외, 「윤리와 사상」

[문제 1]

행위의 동기나 목적을 중심으로 (가)~(마)를 두 유형으로 분류하고 요약하시오. (400자 내외, 210점)

[문제 2]

[문제 1]의 두 유형을 중심으로 (사), (아)를 비교하고, 그에 비추어 (마), (바)를 평가하시오. (500자 내외, 210점)

[문제 3]

[문제 1]의 두 유형을 적용하여 정책의 의도와 결과를 중심으로 다음의 현상을 분석한 후, (다)에 비추어 코브라 농부에게 조언할 수 있는 것을 추론하시오. (600자 내외, 280점)

In Delhi, India, people suffered a proliferation* of cobras. One day, the governor of Delhi thought of an idea for reducing the number of cobras. He created a bounty* system, whereby people in Delhi would be paid for each dead cobra they could present to the authorities. This worked for a while, but eventually people figured out that it was easier and more profitable to bring in dead cobras they had bred and raised rather than trying to find them in the wild. The authorities caught on to this, and ended the bounty program. This was not what they intended. So what did all of the cobra breeders do with the leftover cobras? They let their cobras loose in the wild, which led to there being more cobras than when the governor started the bounty system.

* proliferation: 급증
* bounty: 포상금

답안 작성시 주의! 2023학년도부터 글자수 제한 변경!
문제 2번 500자에서 450자, 문제 3번 600자에서 550자

지원학부(과)

수험번호				

주민등록번호 앞6자리(예:040512)					

성명

1번

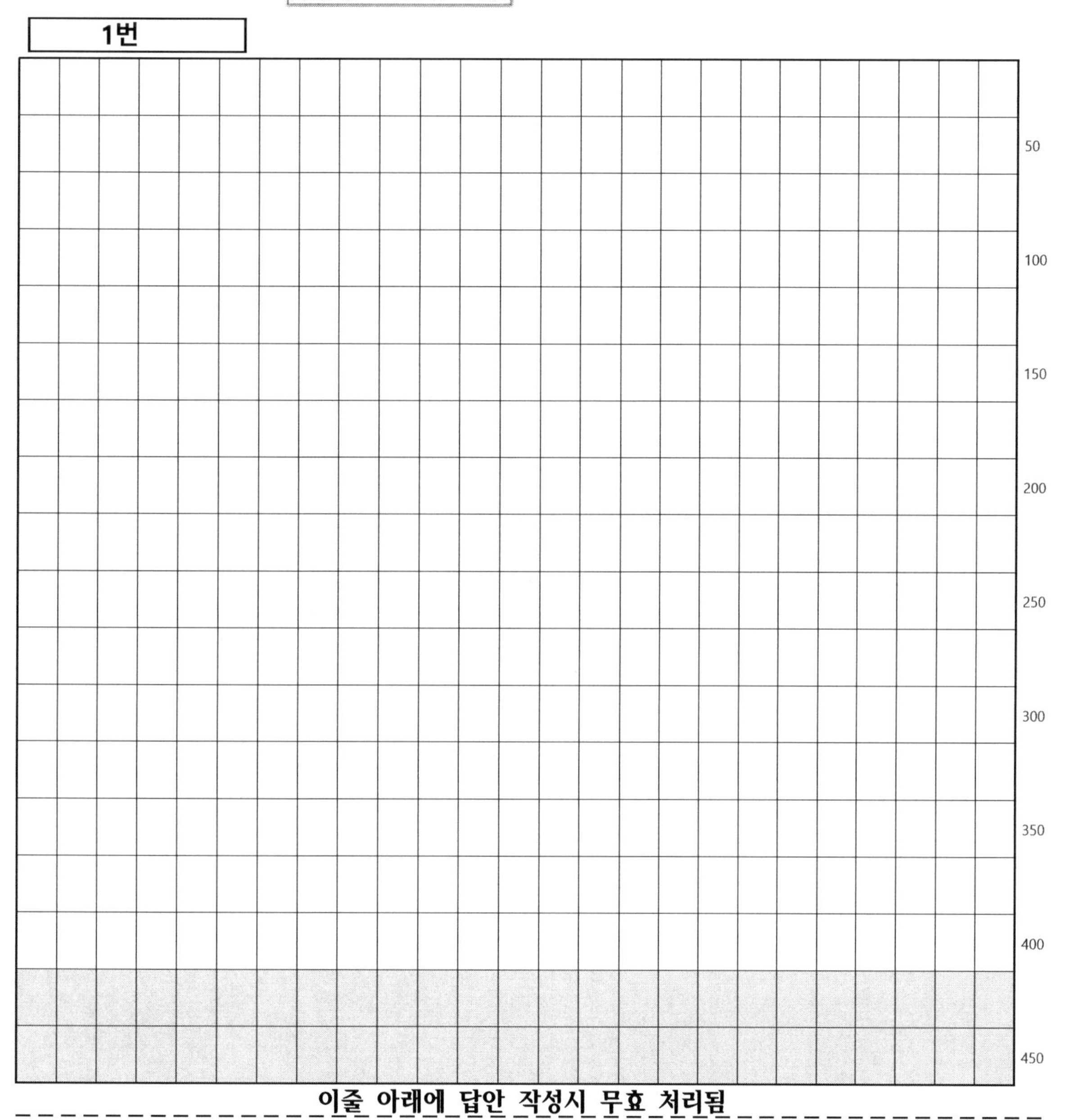

이줄 아래에 답안 작성시 무효 처리됨

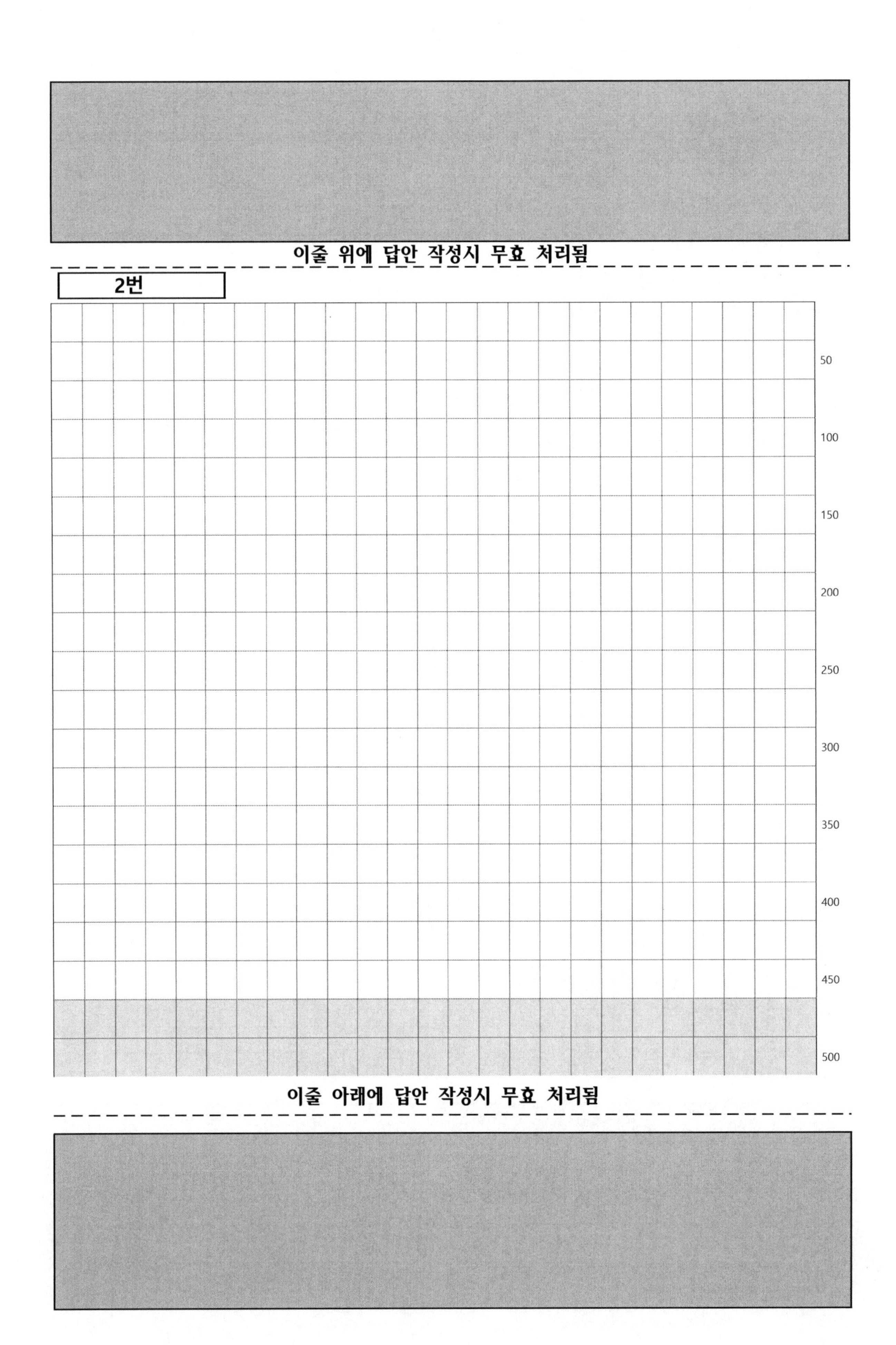
이줄 위에 답안 작성시 무효 처리됨
2번
50
100
150
200
250
300
350
400
450
500
이줄 아래에 답안 작성시 무효 처리됨

이줄 위에 답안 작성시 무효 처리됨

3번

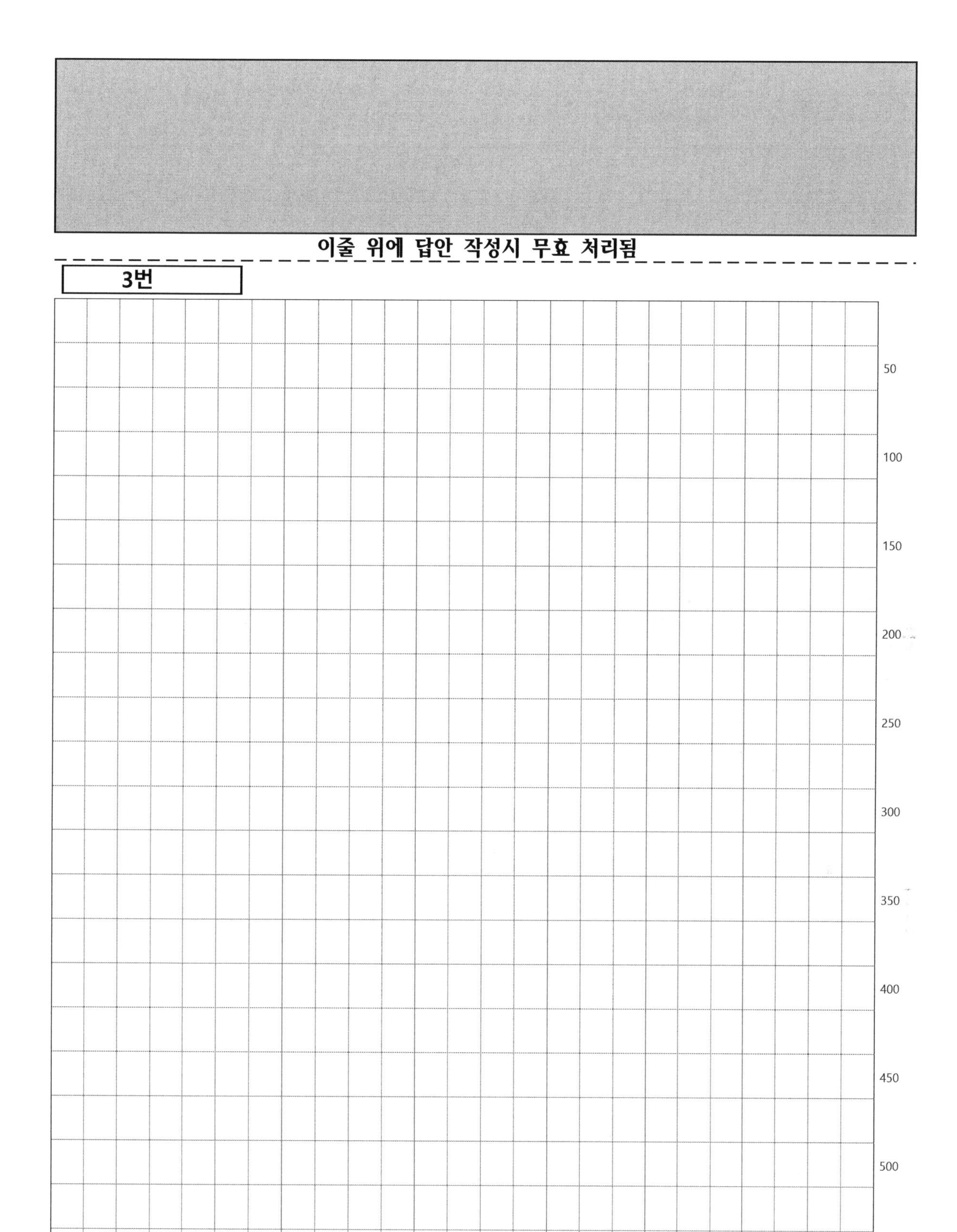

14. 2022학년도 한국외대 수시 논술 [T5]

※ 다음 글을 읽고 물음에 답하시오.

(가)

1860년 러시아의 소설가 이반 투르게네프는 인물의 유형에는 '햄릿형'과 '돈키호테형'이 있다고 분석했다. 햄릿형은 행동에 따른 위험과 그로 인한 불안감 때문에 사색에 몰두하거나 다양한 가능성을 타진하는 인물이다. 다시 말해 쉽게 행동하지 않고 신중하게 접근하는 사람을 일컫는다. 이에 반해 돈키호테형은 결과에 대한 불확실성과 그에 따른 위험을 감수하면서도 과감하게 도전하는 사람을 일컫는다.

- 고등학교 교과서 「문학」, 한국경제(2016. 5. 6) 재구성

(나)

피카소의 <우는 여인>

피카소는 현대미술의 새로운 영역을 개척한 선구자이며 미술사를 통틀어 가장 카리스마 넘치는 화가로 손꼽힌다. 그는 이미 엄청난 가격에 그림을 팔 수 있었던 블루칩 화가였지만, 안주했다고 느끼는 순간 모험을 감행하면서 새로운 영역에 도전했다. 일반적으로 고객들은 익숙한 것에 끌리기 때문에 생소한 형식 혹은 실험성이 강한 그림은 미술시장에서 환영받지 못한다. 그럼에도 불구하고 피카소는 당시에 잘 팔리던 그림을 스스로 포기하고 기존의 미술 전통에서 벗어난 입체적이고 기하학적인 형태의 실험적인 작품에 과감하게 도전했다.

- 고등학교 교과서 「미술」, 매일경제(2010. 7. 9), 조선일보(2015. 2. 14) 재구성

(다)

여진족이 북방 변경을 계속 침공하자, 선조가 조정의 고위 신료에게 방책을 아뢰도록 하였다. 이에 서애 유성룡이 다음과 같은 자질을 지닌 **장수**를 변경에 파견하여 방어할 계책을 올렸다.

"첫째, 화(禍)의 근원을 막는 것입니다. 오랑캐가 비록 어리석고 우둔하지만 마음으로는 시비를 가릴 줄 아니, 변경의 장수가 청렴하고 신중하다는 소문을 들으면 이마를 조아릴 것이지만, 포악하고 탐욕하다는 소문을 들으면 침을 뱉을 것입니다. 무장 가운데 청렴하고 신중한 사람을 천거 받아 변경에 장수로 파견하고, 비리를 저지르면 천거한 사람까지 벌하소서.

둘째, 장수가 방비를 튼튼히 하고 공격과 수비를 신중하게 결정하는 것입니다. 먼저 방어시설을 튼튼히 하고 대비책을 잘 세워 적이 감히 침범할 수 없게 해야 합니다. 그런 다음 장수가 형세를 세밀하게 살피고 대응책을 마련하여, 승산이 있으면 공격하고, 형세가 어려우면 중단하면 됩니다.

셋째, 장수가 적의 실정을 잘 살펴 기미(機微)*에 맞게 신중하게 대처하는 것입니다.

옛날 장수들은 방략을 세우고 적의 정세를 잘 살펴 대처했기 때문에 군사를 동원하면 이롭지 않은 적이 없었습니다. 그렇지 않으면 출동해야 할 때 정지하고 정지해야 할 때 출동하게 되니, 장님이 눈 먼 말을 타고 한밤중에 깊은 연못에 이르는 것처럼 매우 위험할 것입니다."

* 기미(機微) : 어떤 일이 일어나거나 성사될 수 있는 분위기

-「서애선생문집」 제14권 재구성

(라)

나의 말을 들은 실뱅은 "저기로 뛰어들겠다고? 이봐, 굉장한 장소를 골랐군. 난 안 할래. 나도 탈출은 하고 싶지만 자살하고 싶은 생각은 없어."라고 무척 놀란 듯 말했다. 그는 사흘 전에 디아블*에 도착했고, 당연히 나는 그에게 함께 떠나자고 제안했다. 각자 하나씩 올라타고, 만일 그가 제안을 받아들인다면 그랑테르에서 다음 탈출을 준비할 동지가 생기는 것이다.

(중략)

나와 실뱅은 파도가 부서지는 순간에 몸을 날렸고, 리제트는 서로 나란히 붙어 있는 두 뗏목을 현기증이 날 정도의 속도로 바다를 향해 뿜어냈다. 채 5분도 못 되어 우리는 해안에서 300미터는 떨어졌다. 실뱅은 아직 뗏목에 올라앉지 못했다. 나는 곧바로 올라앉았다.

(중략)

우리는 그 깊고 높은 파도와 함께 오르락내리락 하면서 무사히 드넓은 바다에 들어섰다.

* 디아블 : 주인공이 수용된 악마의 섬

- 앙리 샤리에르 저, 문신원 역, 「빠삐용」 재구성

(마)

김옥균 등 **갑신정변의 주도자들**은 일본의 메이지 유신을 본받아 적극적인 근대화 정책을 추구하였다. 그렇지만 임오군란 이후 청나라의 내정 간섭과 민씨 세력의 집권으로 인해 김옥균 등은 개혁의 주도권을 잃고 정치적 입지도 점점 좁아졌다. 이 무렵 베트남에서 청나라와 프랑스의 대립이 격화하자, 청은 전쟁에 대비하여 조선에 주둔한 군대 일부를 철수하였다. 이를 기회로 여긴 김옥균 등은 지지 세력의 확보 등 충분한 준비도 하지 않은 상태에서 병력을 지원하겠다는 일본 공사의 약속만 믿고 다급하게 정변을 감행하였다. 이들은 우정총국 완공 축하 연회에서 고위 관리들을 제거하고, 개화당 정부를 수립하여 개혁을 추진하려 하였다. 그러나 예상과 달리 청군이 개입하고, 일본이 약속을 어기고 군대를 철수하면서 정변은 3일 천하로 막을 내렸다.

- 고등학교 교과서「한국사」 재구성

(바)

우리나라의 글로벌 경쟁력이 최근 들어 약해지고 있습니다. 왜 그럴까요? 제 개인적인 생각을 말씀드리겠습니다. 우리 기업들에게는 실패를 용인하지 않는 풍조가 만연해 있습니다. 그렇다 보니 **리더들**이 실패하지 않기 위한 의사결정을 합니다. 해외 법

인에서도 리더들은 현지 책임자로서 주도적 역할을 수행해야 하지만, 본사로부터 "앞서 나가지 마라"라는 꾸지람을 들을까봐 "본사와 논의해 보겠습니다"라는 식으로 의사결정을 미루거나 신속한 집행을 회피합니다. 이러한 분위기야말로 글로벌 경쟁에서 우리 기업들이 뒤처지는 원인이 되고 있습니다. 시급성을 깨닫지 못하고 지나치게 신중하다 보니 요즘처럼 급변하는 사업 환경에서 타이밍을 놓치는 경우가 많습니다. 그 결과, 해외 기업들에게 선두를 내주고 시장에서 조금씩 밀려나는 것입니다.

- 아사이 고이치 저, 임해성 역, 「1만 명 리더의 고민」 재구성

[문제 1]

(가)를 바탕으로 (나)~(바)에서 밑줄 친 주체들을 두 유형으로 분류하고, 각 주체에 나타난 행동 특성을 요약하시오. (400자 내외, 210점)

[문제 2]

아래 (A)의 마크 군터와 (B)의 개도국의 입장을 비교하고, 제시문 (다)의 관점에서 마크 군터의 주장을 평가하시오. (500자 내외, 210점)

(A)

저널리스트이자 기후 문제 전문가인 마크 군터(Marc Gunther)는 저서 Suck It Up 에서 기후 위기의 시급성을 강조하며 매우 급진적이고 과감한 해결책을 제시했다. 그는 화석연료 사용을 줄이거나 청정에너지를 생산하는 방식으로 기후 변화를 해결하기 어렵다면, 태양 에너지를 반사해 지구 온도를 낮추는 방식이나 이산화탄소를 제거하는 물방울을 대기 중에 주입하는 공법 등을 과감하게 도입하여 기후 위기를 해결해야 한다고 주장한다. 하지만 이러한 주장에 대해 일부 전문가들은 군터가 문제를 빨리 해결하려는 다급한 마음에 기술적 실현 가능성이나 경제적 타당성을 충분히 고려하지 않았다고 비판했다. 예를 들면 이산화탄소 농도는 ppm 단위로 존재하기 때문에 이산화탄소를 대기 중에서 뽑아내는 것은 생각보다 훨씬 어렵고, 대기 중에 특수한 물방울을 주입할 경우 강우 패턴의 변화와 같은 예기치 않은 부작용을 초래할 수 있다고 비판한다. 이처럼 태양광을 반사시키는 방식이나 탄소를 대기로부터 빼내는 공법은 실현 가능성이 불확실할 뿐만 아니라 기술 적용에 막대한 비용이 든다고 비판한다.

– The Science Times(2012. 4. 6) 재구성

(B)

지구촌 기후 위기의 해결 방안에 관해 선진국과 개도국은 첨예한 입장 차이를 보인다. 선진국들은 온실가스 배출량을 획기적으로 줄이기 위해 과감한 목표 설정과 산업 구조의 혁신적 개편, 나아가 각 국가에 할당된 온실가스 배출 감축량 의무를 조속히 법제화해야 한다고 주장한다. 반면 개도국들은 현실적이고 신중하게 접근해야 한다고 주장한다. 선진국의 급진적인 목표와 방안은 친환경 기술을 확보하지 못한 자신들에게는 불공정한 무역장벽이 될 수 있고, 화석연료 사용에 대한 규제로 작용하여 자신들의 경제발전을 저해할 것이라고 주장한다. 개도국들은 여러 가지

현실적 여건을 고려하여 충분한 시간을 갖고 해결책을 모색한 다음, 관련 정책을 신중하게 추진할 필요가 있다는 입장이다.

– 고등학교 교과서 「생활과 윤리」, 한국일보(2021. 11. 5) 재구성

[문제 3]

아래 <보기>의 논지를 요약하고, 이를 바탕으로 제시문 (마)와 (바)의 밑줄 친 주체들에게 필요한 행동 전략을 추론하시오. (600자 내외, 280점)

<보기>

There is a constant debate about how exactly a government should go about facilitating policy change. A gradual, incremental* change? Or a sweeping, radical change that has the potential to turn things around immediately? Which is best? The truth is that there is no black and white solution to the problems that governments face. Instead of looking for a single solution, governments should think outside the box* and develop adaptable strategies. We live in an extremely fast–paced society, making it possible for incremental change to be easily outdated. However, we also live during a time of extreme division within governments, making it difficult to reach a rapid agreement to allow for radical changes to occur. These situations lead to the need for a mixture of different approaches to policy formulation and implementation. At a time when problems with governance can be overwhelming, decision–makers should cautiously assess the situation and consider what strategies should be used to make both incremental and radical improvements. They should have a flexible perspective that ensures not only a careful, step–by–step preparation but also a prompt and drastic* action.

* incremental : 점진적인, 증가하는, 단계적인
* think outside the box : 새로운 관점에서 생각하다
* drastic : 과감한

– Citizenlab(2019. 12. 10) 재구성

답안 작성시 주의! 2023학년도부터 글자수 제한 변경!
문제 2번 500자에서 450자, 문제 3번 600자에서 550자

한국외국어대학교
HANKUK UNIVERSITY OF FOREIGN STUDIES

지원학부(과)

수 험 번 호				

주민등록번호 앞6자리(예:040512)					

성 명

1번

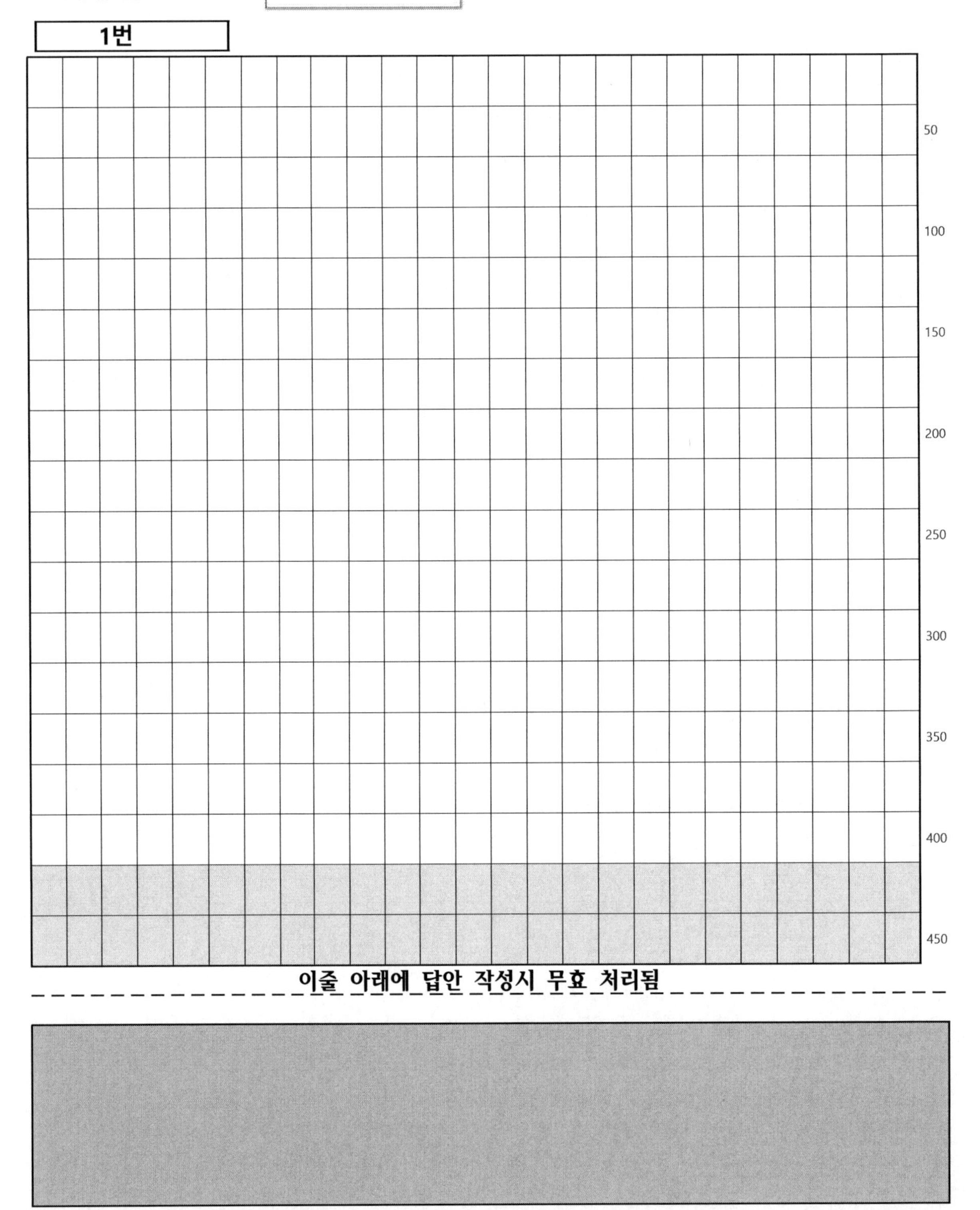

이줄 아래에 답안 작성시 무효 처리됨

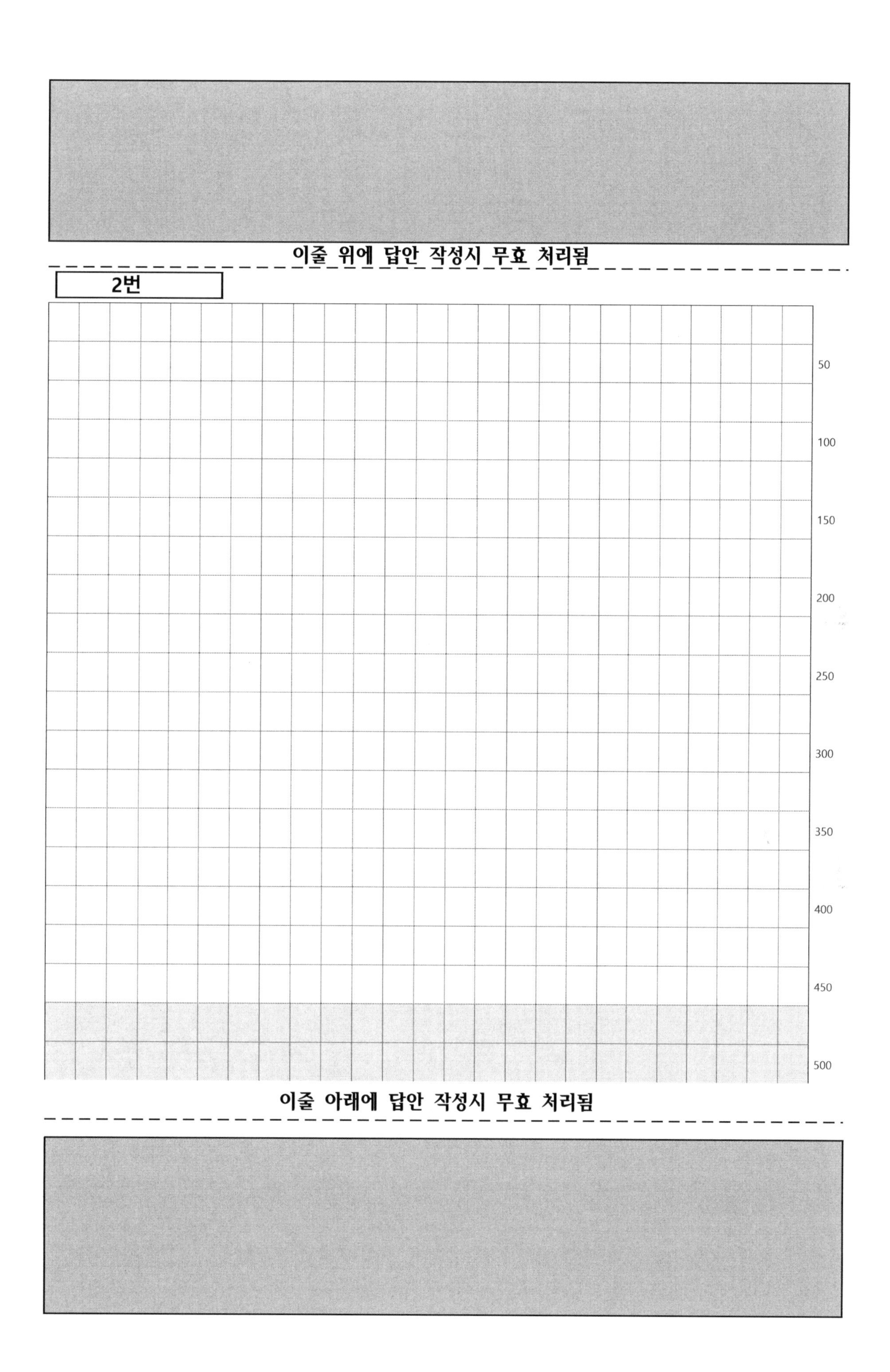
이줄 위에 답안 작성시 무효 처리됨
2번
50
100
150
200
250
300
350
400
450
500
이줄 아래에 답안 작성시 무효 처리됨

이줄 위에 답안 작성시 무효 처리됨

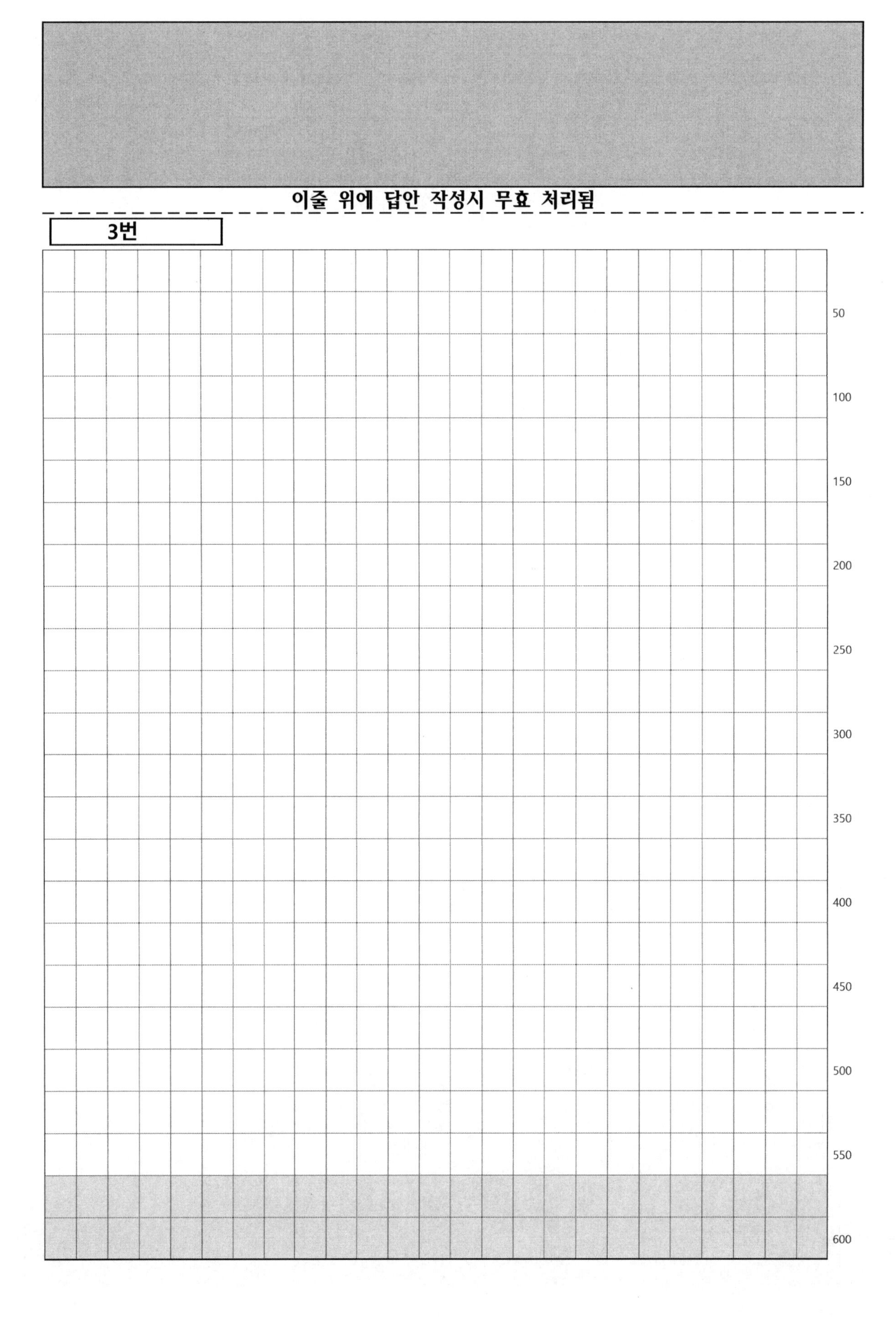

15. 2021학년도 한국외대 수시 논술 [토요일 T1]

※ 다음 글을 읽고 물음에 답하시오.

(가)

서로 다른 생각과 행동 방식을 지닌 여러 사람이 함께 살아가는 사회에서는 질서를 유지하기 위하여 구성원의 행위를 규율하는 규범이 필요하다. 이러한 사회 규범에는 관습, 도덕, 종교, 법 등이 있는데, 이 중 법이란 국가 권력에 의하여 강제되는 사회 규범을 말한다.

홉스는 인간을 자기 보존 본능을 지닌 이기적 존재라 규정하며 자연 상태에서 인간은 저마다 자신의 생존과 이익만을 추구하기에 '만인의 만인에 대한 투쟁'에서 벗어날 수 없다고 말한다. 그러나 이러한 투쟁 상태는 누구도 원하지 않는 것이기에, 사람들은 스스로의 생존과 이익을 지키기 위하여 계약을 맺고 법을 만들며, 이것을 강력하게 집행할 정부를 세우게 된다고 봤다.

- 『고등학교 정치와 법』, 『고등학교 윤리와 사상』 재구성

(나)

H 아파트는 '지상에 차 없는 아파트'를 만들기 위해 택배 업체들의 차량이 단지 내로 출입하는 것을 금하고 있다. 다음은 택배 업체 측과 H 아파트 측이 이 문제에 관해 나누는 대화이다.

–『고등학교 화법과 작문』 재구성

(다)

동일한 사안에 대해서 사람마다 의견이나 반응이 다를 수 있다. 이러한 차이는 사람마다 그 사안을 바라보는 관점이 다르기 때문에 나타난다. 현대 사회에서는 이러한 차이를 다양성이라는 이름으로 존중하지만, 때로는 이러한 차이가 갈등을 불러일으키기도 한다. 갈등이 커지면 대립이 심화되고, 의사 결정을 내리지 못해 어려움에 처하기도 한다. 이러한 문제를 해결하기 위해서는 관점의 차이에서 비롯된 갈등을 원만하게 해결해야 한다. 이런 점에서 대화를 통한 소통은 갈등의 해결방법으로서 중요한 말하기 방법이라고 할 수 있다. 첨예하게 대립한 양측이 협상과 토론을 통해 바로 문제를 해결하기는 쉬운 일은 아니다. 하지만, 시간이 걸리더라도 진정성을 갖고 끈기있게 소통을 시도한다면 상대에 대한 불신과 증오는 점차 누그러지고 서로의 입장을 이해하려는 합리적인 의식이 싹트기 마련이다. 그 결과 조직 내 협력이 촉진되고 결속력이 강화되어 갈등이 더욱 효과적으로 해소된다. 소통을 지속하는 동안 그 이슈를 둘러싼 환경도 변화하여 갈등의 원인 자체가 자연스럽게 감소하거나 소멸하기도 한다.

-『고등학교 화법과 작문』 재구성

(라)

리오넬 메시(바르셀로나FC)가 스페인 프리메라리가 경기에서 골을 터트리고 고(故) 마라도나를 추모하는 세리머니를 펼쳐서 주심으로부터 옐로카드를 받았고, 후속 조치로 스페인 축구협회로부터 벌금 징계를 받았다. 당시 메시는 골을 넣고 동료들의 축하를 받은 뒤 유니폼 상의를 벗었다.

메시는 유니폼 안에 등번호 10번이 새겨진 아르헨티나 뉴웰스 팀의 상의를 입고 있었다. 뉴웰스는 지난달 세상을 떠난 마라도나가 선수 시절 뛴 팀 중 하나이고, 메시도 과거 수년간 이 클럽의 유소년 팀에서 성장했다. 숨겨둔 유니폼을 드러낸 메시는 양손에 입을 맞춘 뒤 팔을 뻗어 올리며 한동안 하늘을 바라봤다. 누가 봐도 마라도나를 추모하기 위한 세리머니였다.

같은 조국, 아르헨티나 축구계 선배를 향한 메시의 뜻깊은 세리머니. 그러나 스페인 축구협회의 규정에 따라 메시도 예외 없이 벌금 징계를 받게 됐다. 이 규정은 경기와 무관한 정치적, 상업적, 종교적 메시지 전달을 방지하기 위해 선수들의 상의 탈의를 금지하고 있고, 이를 어길 경우 벌금 3천 유로를 부과한다. 이에 대해 아르헨티나 매체 올레는 "메시가 마라도나에 바친 세리머니는 모든 이들의 마음을 흔드는 최고의 장면이었다. 그러나 주심은 메시에게 경고를 줬으며, 메시는 심지어 벌금까지 내야 하는 상황을 맞이하게 됐다"고 분노하면서 동시에 안타까워했다.

- 연합뉴스(2020. 12. 03.) 재구성

(마)

법을 지키면 상을 받고 그렇지 않으면 벌을 받는다는 믿음이 있어야 법이 효력을 발할 수 있기에 상앙(商鞅)은 백성들의 신뢰를 얻기 위한 기지를 발휘했다. 큰 나무를 도성 저잣거리 남쪽에 세우고 백성에게 말했다. “이 나무를 북쪽 문으로 옮겨 놓는 자에게는 십 금(金)을 주겠다.” 하지만 백성들은 이를 믿지 않았다. 그러자 상앙은 상금을 올려 말했다. “이것을 옮기는 자에게는 오십 금을 주겠다.” 어떤 사람이 반신반의하며 이것을 옮겨놓자 상앙은 즉시 그에게 오십 금을 주어 나라가 속이지 않는다는 걸 보여주었다. 또한 상앙은 법이 예외 없이 엄격하게 적용된다는 믿음도 있어야 백성이 법을 지킨다고 생각했다. 태자가 법을 위반하자 이를 공개하고 “법이 지켜지지 않는 것은 위에서 이를 지키지 않았기 때문이다”라고 주장하며 법에 따라 태자를 처벌하고자 했다. 그러나 왕의 뒤를 이을 태자이기에 그의 스승이 대신 처벌을 받았다. 이렇게라도 왕이 법을 지키려 노력하는 것을 보고 진나라의 백성들은 그 후 법을 더 잘 준수하게 되어서 길에 떨어진 물건도 줍지 않았고, 산에 도적도 없어졌다. 백성 중에는 “전에는 법이 불편했으나, 이제는 편하다”고 말하는 자도 있었다.

- 사마천, 『사기』, 「상군열전」 재구성

(바)

혐오표현에 대한 가장 강경한 대응은 혐오표현을 법률로 제한하는 것이다. 법적 규제는 강력한 해결 방법이지만 그만큼 장단점이 뚜렷하다. 일단 국가가 공식적으로 혐오표현을 범죄행위로 규정하는 것은 큰 의미가 있다. 범죄행위로 확정되는 순간 혐오표현에 대한 공적 대응이 바로 시작되기 때문에 그 효과와 상징적 의미가 갖는 파괴력은 결코 작지 않다. 하지만 그 한계와 부작용도 간과할 수 없다. 법적 규제에 따른 부작용을 줄이기 위해 범죄 구성요건을 좁혀서 혐오표현 중 ‘증오선동’에 해당하는 것만 처벌한다는 식으로 엄격하게 한정하여 설정하면, 혐오표현을 일삼는 사람들은 표현을 순화시켜 증오선동을 에둘러 표현할 가능성이 높다. 이렇게 되면 이전에는 반사회적이라고 비판 받던 것들이 “합법이라는데 뭐가 문제냐”는 식의 엉뚱한 정당화 기제를 갖게 될 수도 있다. 반대로 구성요건을 너무 넓히면 패러디나 정치 풍자 등 일반적으로 수용되는 표현도 처벌하게 되어 표현의 자유를 지나치게 제한할 수도 있다.

법적 규제는 혐오표현을 한 사람에 대한 처벌에만 머무른다는 문제도 있다. 혐오표현의 원인에는 정치·사회·경제적 배경이 깔려 있는데, 이런 것들을 도외시한 채 혐오표현의 발화자만 처벌하는 것은 진정한 문제 해결과는 거리가 있다. 금지와 처벌로 인해 겉으로는 법적 규제가 성공한 것처럼 보일 수 있지만 수면 아래에 있는 혐오와 차별은 언제든 다른 형태로 나타날 수 있다는 점에서 장기적으로는 그 효과성이 떨어진다.

- 홍성수, 『말이 칼이 될 때』 재구성

(사)

조직 내에는 다양한 형태의 갈등이 발생할 수 있는데 이러한 갈등들을 적절하게 해소하지 못하면 조직의 성과는 물론이고 조직원 개개인의 경력관리에도 부정적인 영향을 미친다. 갈등을 해소하기 위해 열리는 회의나 대화가 파국적 결말로 치닫는 치킨 게임의 상황이 발생하기도 한다. 당사자들이 자신의 실수나 과오를 일부라도 인정하고 한발씩 양보하여야 해결의 실마리를 찾을 수 있지만 그런 일은 시간도 오래 걸리고 잘 일어나지 않는 경우도 많다. 대화와 토론 과정에서 오히려 서로의 감정은 더욱 격앙되고 사안은 복잡하게 얽히게 되어, 갈등을 극복하려는 노력이 문제를 더욱 꼬이게 만들어 버리는 경우가 빈번하다.

www.CartoonStock.com에서 재구성

사람들은 논쟁에만 열중하고 그 대화에서 합의를 이끌어내는 데는 흥미가 없다. 모두 모여서 회의하느라 정신없지만 그것은 대화 그 자체에 불과하다. 누군가에 의해 참신한 아이디어가 제시되더라도 참석자들은 그 의견의 단점을 찾아내기에 열중하고 결국 그 아이디어는 쓰레기통으로 직행하기 일쑤다. 자신에게 유리한 정보만을 수집하여 제시하고 자신의 의견이 무시되었다고 생각되는 순간 더 이상 회의에 참석해야 할 의미조차 잃어버리게 된다.

- 삼성경제연구소, 「한국의 사회 갈등과 경제적 비용」 재구성

[문제 1] (가)~(마)는 갈등 해결 방법에 관한 제시문들이다. (가)~(마)를 두 유형으로 분류하고 각 제시문을 요약하시오. (400자 내외, 210점)

[문제 2] (바)와 (사)를 활용하여 (나), (라)에 나타난 방법을 비판하시오. (500자 내외, 210점)

[문제 3] A, B 기업은 [문제 1]의 갈등 해결 방법 중 하나를 일관적으로 사용하는 대표적인 기업이다. <그림>을 해석하고, (다), (바), (사)를 활용하여 A, B 기업이 각각 어떤 방법을 사용하고 있는지 추론하시오. (600자 내외, 280점)

<그림>

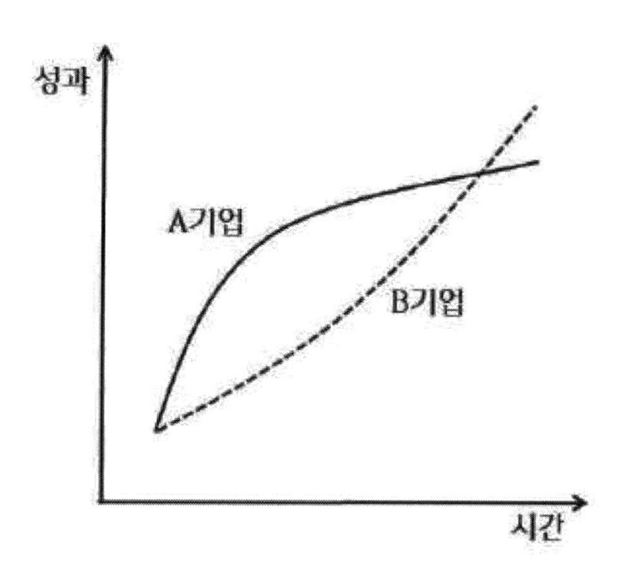

답안 작성시 주의! 2023학년도부터 글자수 제한 변경!
문제 2번 500자에서 450자, 문제 3번 600자에서 550자

지원학부(과)	수험번호	주민등록번호 앞6자리(예:040512)

성명

1번

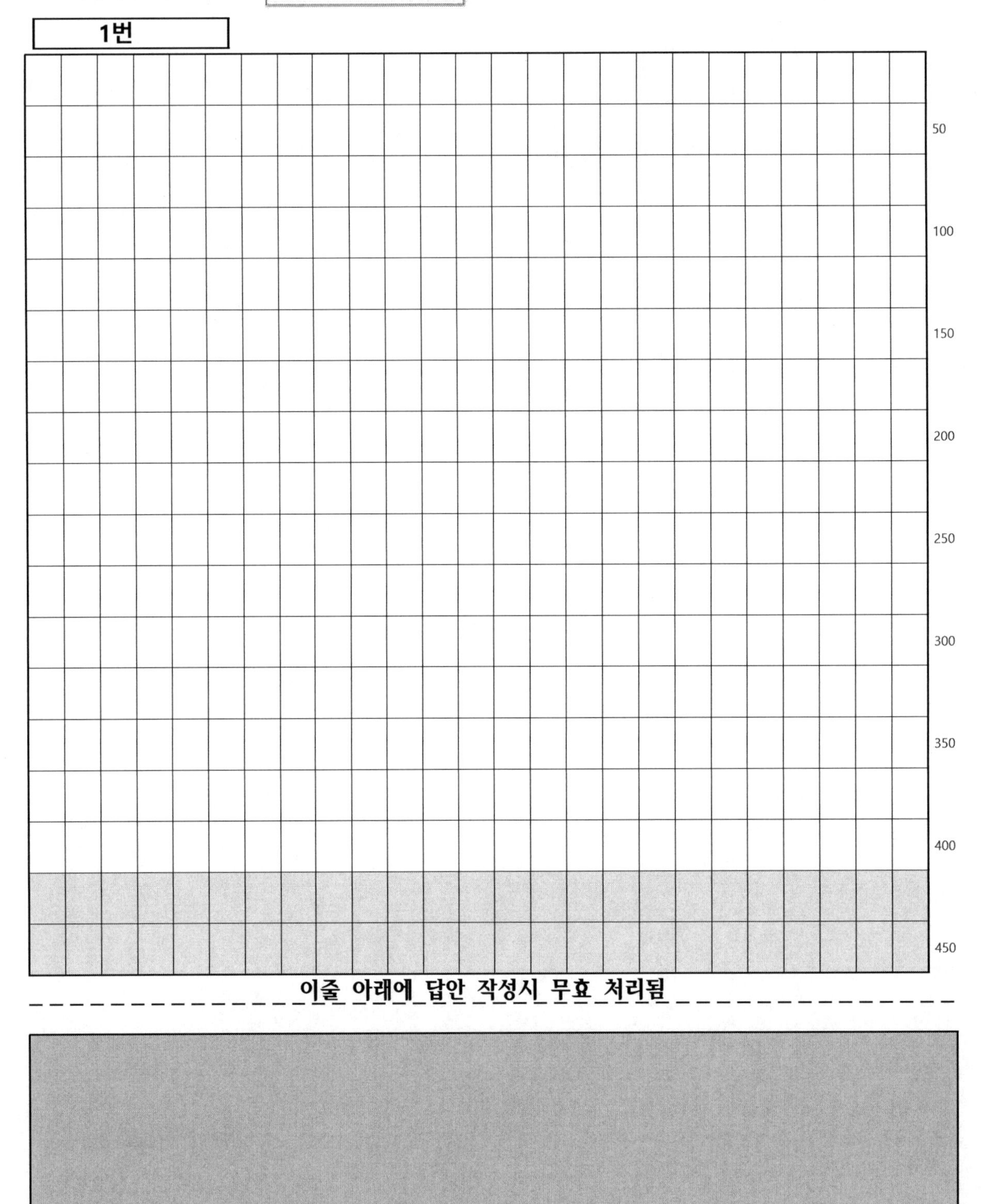

이줄 아래에 답안 작성시 무효 처리됨

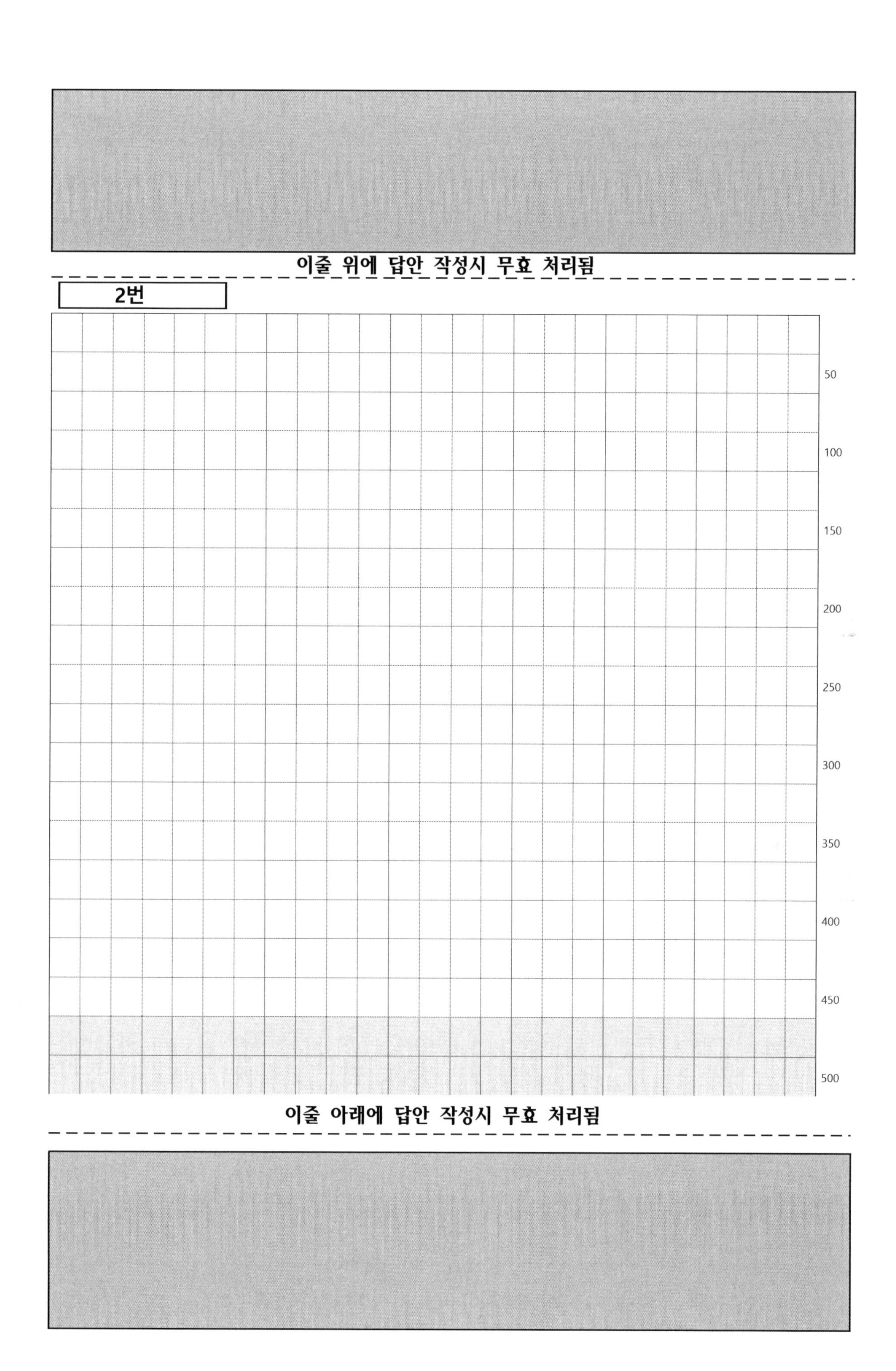
이줄 위에 답안 작성시 무효 처리됨
2번
50
100
150
200
250
300
350
400
450
500
이줄 아래에 답안 작성시 무효 처리됨

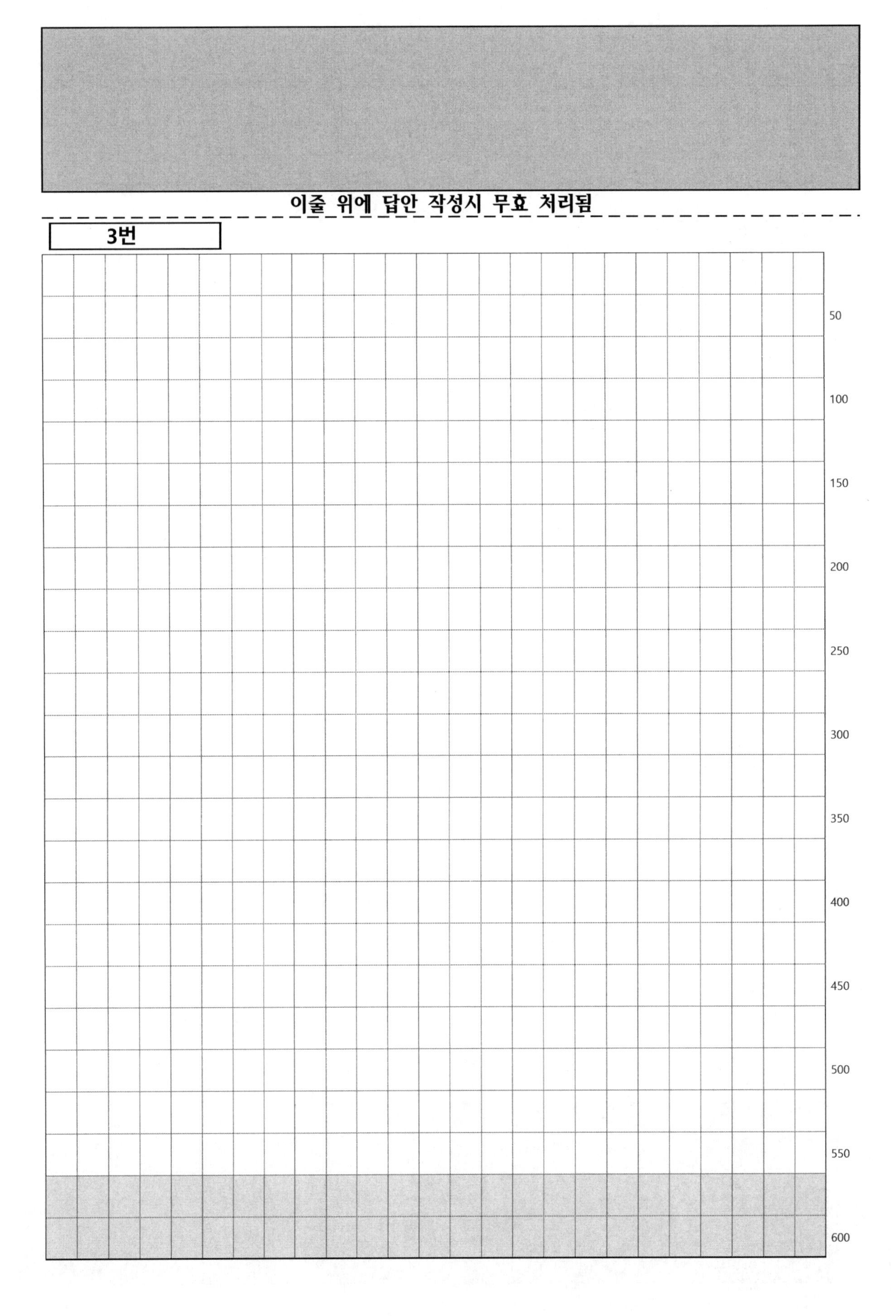

이줄 위에 답안 작성시 무효 처리됨

3번

50
100
150
200
250
300
350
400
450
500
550
600

16. 2021학년도 한국외대 수시 논술 [토요일 T2]

※ 다음 글을 읽고 물음에 답하시오.

(가)

렌터카 기반의 모빌리티 서비스 '타다' 논란은 신산업과 기존산업의 갈등이 후자의 보존으로 귀결된 사례이다. '타다' 측은 승차공유가 전 세계적 추세이자 이용자가 원하는 차세대 이동수단이라고 강조한 반면, 기존 택시업계는 모빌리티 사업이 혁신을 가장한 불법 운송수단에 불과하다고 반대하였다. 국토교통부는 양측의 의견을 수렴해 새로운 모빌리티 시장을 창출하면서도 택시의 기존 서비스 영역을 보존하고자 고심했지만 두 가지 목적을 다 달성할 수는 없었다. 국회는 2020년 3월 관련 법령을 개정하여 '타다' 같은 차량 대여사업자의 운전자 알선 예외규정을 보다 강화하였다. 즉, 차량대여사업자가 11~15인승 차량을 빌릴 때는 관광목적으로 6시간 이상 사용하거나 대여·반납 장소가 공항 또는 항만일 때만 운전자를 알선할 수 있도록 한 것이다. 이는 '타다' 방식의 택시 승객유치를 어렵게 하여 택시업계를 보존하기 위함이었다.

- 언론 보도 재구성

(나)

인류는 산업화 과정을 거치면서 물질적 성장을 위해 자연 자원을 무분별하게 소비하였고, 그 결과 인류 생존을 위협하는 자원고갈 문제에 직면하였다. 과거에는 인간이 소비하는 자원과 사용하고 버리는 폐기물 양이 적어서 지구가 감당할 수 있는 수준이었으나, 이제는 지구가 처리할 수 있는 양을 초과하고 있어 자원 고갈 및 환경오염의
문제가 임계점에 가까워지고 있다. 성장지상주의에 대한 경각심을 불러일으키기 위해 미국의 환경연구단체인 '지구생태발자국 네트워크'는 매해 '지구생태용량 초과의 날'을 발표하고 있다. '지구생태용량 초과의 날'이란 인간의 활동이 지구 환경에 미치는 부담을 수치화한 것으로, 지구가 한 해 동안 재생할 수 있는 수준의 생태 자원을 인류가 모두 소진해 버린 날을 의미한다. 이 날은 해마다 빨라지고 있으며, 이는 자연과의 공생보다 자연을 정복 대상으로 삼은 성장 지향적 사고 때문이다.

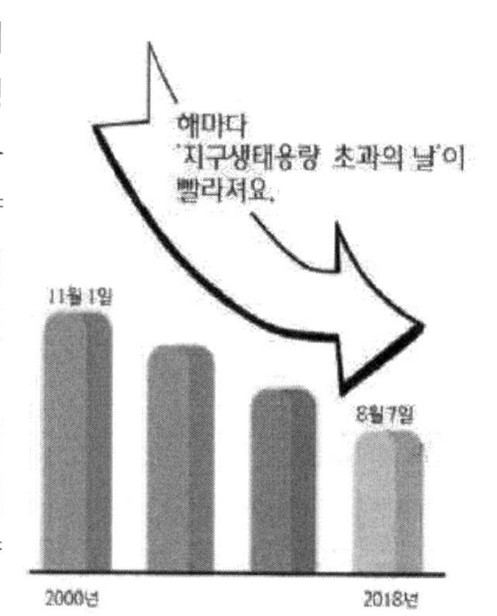

- 『고등학교 사회문화』 교과서 재구성

(다)

사진은 전국 각지에 있는 대원군 척화비로 다음의 내용을 담고 있다.

서양 오랑캐가 침입하는데 싸우지 않으면 화해를 하는 것이니, 화해를 주장하면 나라를 파는 것이다. 우리의 만대자손에게 경고하노라.

병인년에 짓고 신미년에 세우다.

신미양요(1871) 이후 흥선 대원군은 전국 각지에 척화비를 세워 서양과의 통상을 거부한다는 의지를 널리 알렸다. 흥선 대원군의 쇄국정책으로 조선은 서양 세력의 침투를 일시적으로 저지하며 조선의 문물을 보존할 수 있었다. 그러나 이러한 정책은 급변하는 국제 정세에 제대로 대응하지 못하여 조선의 근대화를 지연시켰다는 비판을 받았다. 기존 문화의 보존에 지우쳐 대외교류를 하지 못한 것의 문제섬을 드러내는 역사의 교훈이다.

- 『고등학교 한국사』 교과서 재구성

(라)

코로나바이러스로 인류가 위기에 처한 지금, 가장 주목받는 영화 장르는 단연 디스토피아 영화다. 디스토피아는 '인간이 상상한 완벽한 사회'를 가리키는 유토피아의 반대말로, 무섭거나 위험한 세상을 뜻하며 미래를 배경으로 한 영화에 종종 등장한다. 디스토피아 영화 속 미래는 전체주의, 대기업의 횡포, 환경재난으로 인해 급격히 쇠퇴한 암울한 사회로 현대문명에 대한 깊은 우려를 투영한다. 상생 대신 성장을 택해 발생한 현실의 문제, 즉 빈부격차로 인한 비인간화나 무분별한 개발이 초래한 생태계 파괴를 디스토피아를 빌어 영화적으로 형상화하고 있는 것이다. 기후변화로 모든 것이 얼어붙은 2031년 지구를 배경으로 한 <설국열차>, 핵전쟁으로 인류가 멸망한 후의 폐허를 다룬 <매드맥스 : 분노의 도로>가 과도한 성장 추구로 인해 빚어진 재앙적 상황을 그린 디스토피아 영화다.

- 『옥스포드 사전』 재구성

(마)

"당시 나는 외롭고 절박했어." 내가 말했다. "그 때 그 신을 잘 아는 옛 친구가 나타났지. 내가 지구로부터 날아가는 새 한 마리를 그려 친구에게 보냈었거든. 훗날 그림에 대해 완전히 잊었을 때 쪽지 한 장을 받았는데, 이런 말이 쓰여 있었어. '새가 알에서 깨어나려 애쓰고 있다. 알은 세상이다. 태어나려는 자는 누구든 반드시 세상을 깨뜨려야 한다. 새는 신에게 날아가고, 그 신의 이름이 바로 아브락사스이다.'

-『고등학교 독서』교과서 재구성

(바)

일본에서는 백년이 넘은 기업을 일컬어 '시니세(노포, 老鋪)'라고 한다. 우리나라 개념으로는 '장수기업'인 셈이다. 일본에는 백 년 넘은 기업이 수만 개에 이르며 천 년 이상 된 기업도 스물한 개나 된다. 세계에서 가장 유명한 간장 브랜드인 '깃코만'은 에도시대부터 간장을 제조하기 시작해 역사가 사백여년에 이른다. 이러한 장수기업의 생존요인이라면 무엇보다 '전통의 보존'을 위한 노력을 들 수 있다. 흥미로운 점은 어느 정도 안정권에 접어든 장수기업이라 할지라도 기업 고유의 브랜드 가치 보존을 위해 변화하는 시대와 고객의 니즈를 반영하기 위한 연구개발(R&D)에 지속적으로 투자한다는 것이다. 전통의 맛에 새로운 맛을 가미하는 것은 단순히 새로운 맛을 구현하는 것보다 어렵다. 스타트업 기업이 무엇보다 성장을 우선으로 연구개발에 투자하는 것과 달리, 장수기업은 전통을 보존하기 위해 연구개발에 끊임없는 노력을 기울인다. 기업 고유의 브랜드 가치를 보존하기 위해 서는 더 많은 노력이 필요하다.

- 언론 보도 재구성

[문제 1] (가) ~ (바)는 상이한 선택유형에 관한 것이다. (가) ~ (바)를 두 유형으로 분류하고 각 제시문을 요약하시오. (400자 내외, 210점)

[문제 2] (사)를 바탕으로 (나)와 (다)를 비판 ·평가하시오. (500자 내외, 210점)

(사)

한국홍보영상 '한국의 리듬을 느껴보세요'가 지난 11월 스페인 세비야에서 열린 관광혁신서밋에서 '2020 관광혁신 어워드'를 수상했다. 해외에서도 한국전통문화를 현대적 감성으로 녹여낸 시도의 참신성을 인정한 것이다. '한국의 리듬을 느껴보세요'는 서울·부산·전주·강릉 등 국내 각 도시의 명소에서 이날치 밴드의 '범 내려온다' 선율에 맞추어 흥겨운 군무를 추는 영상으로, 소셜미디어 조회 수 5억 건 돌파라는 대기록을 이어가고 있다.

북과 장구를 드럼과 베이스로 바꾼 '힙'한 국악, 거기에 한국적 문양과 디자인을 활용한 의상과 '펑키'한 현대무용은 우리 전통문화의 창조적 계승과 발전이라는 점에서도 의의가 크다. 현대사회에서 전통문화는 사회 유지와 통합에 이바지할 뿐 아니라 문화의 고유성을 유지하는 데도 중요하다. 따라서 전통문화를 보존하되 현실에 맞게 재해석하고 외래문화와도 조화를 이루어 궁극적으로 국가성장에 기여하게 해야 하는데, '한국의 리듬을 느껴보세요' 시리즈가 바로 그러한 전통문화의 보존과 한국관광산업 성장이라는 두 마리 토끼 잡기에 성공한 것이다.

-『고등학교 통합사회』교과서 재구성

[문제 3] 아래 <그림>은 성취추구형 기업가 마인드를 가지고 있는 기업군A와 안정추구형 기업가 마인드를 가지고 있는 기업군B의 R&D 투자 성향을 나타낸 한 연구 결과이다. <그림>을 해석하고, 이 같은 R&D 투자 경향이 나타난 요인을 [문제 1]의 두 가지 선택유형과 (바)를 고려하여 추론하시오. (600자 내외, 280점)

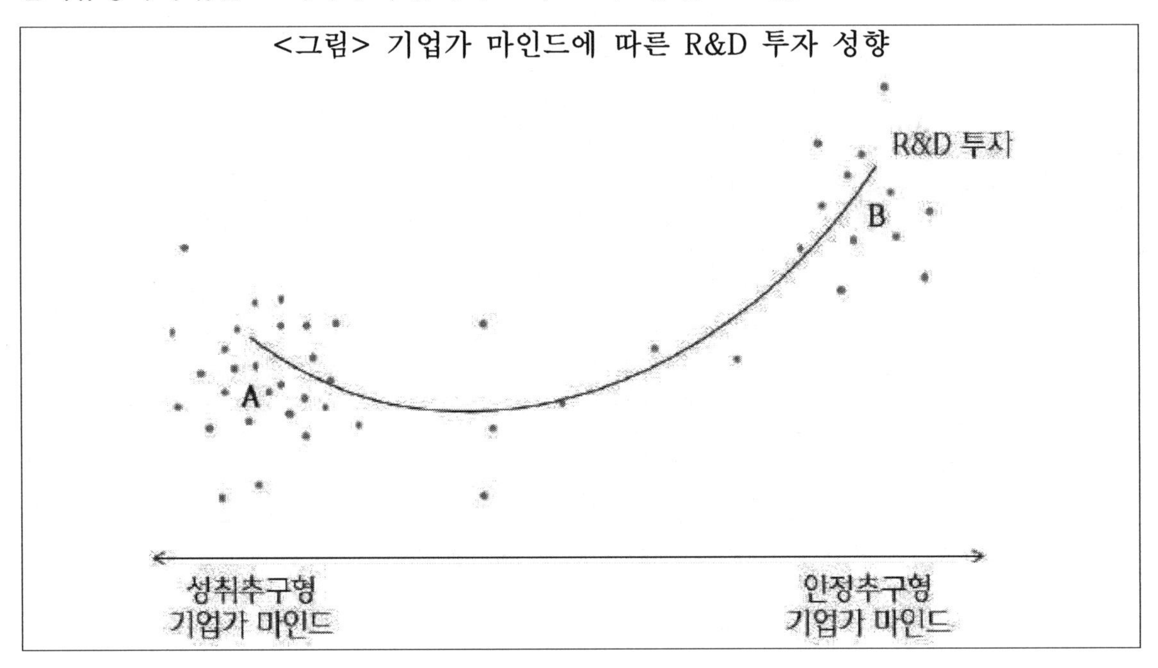

답안 작성시 주의! 2023학년도부터 글자수 제한 변경!
문제 2번 500자에서 450자, 문제 3번 600자에서 550자

지원학부(과)	수험번호	주민등록번호 앞6자리(예: 040812)

성명

1번

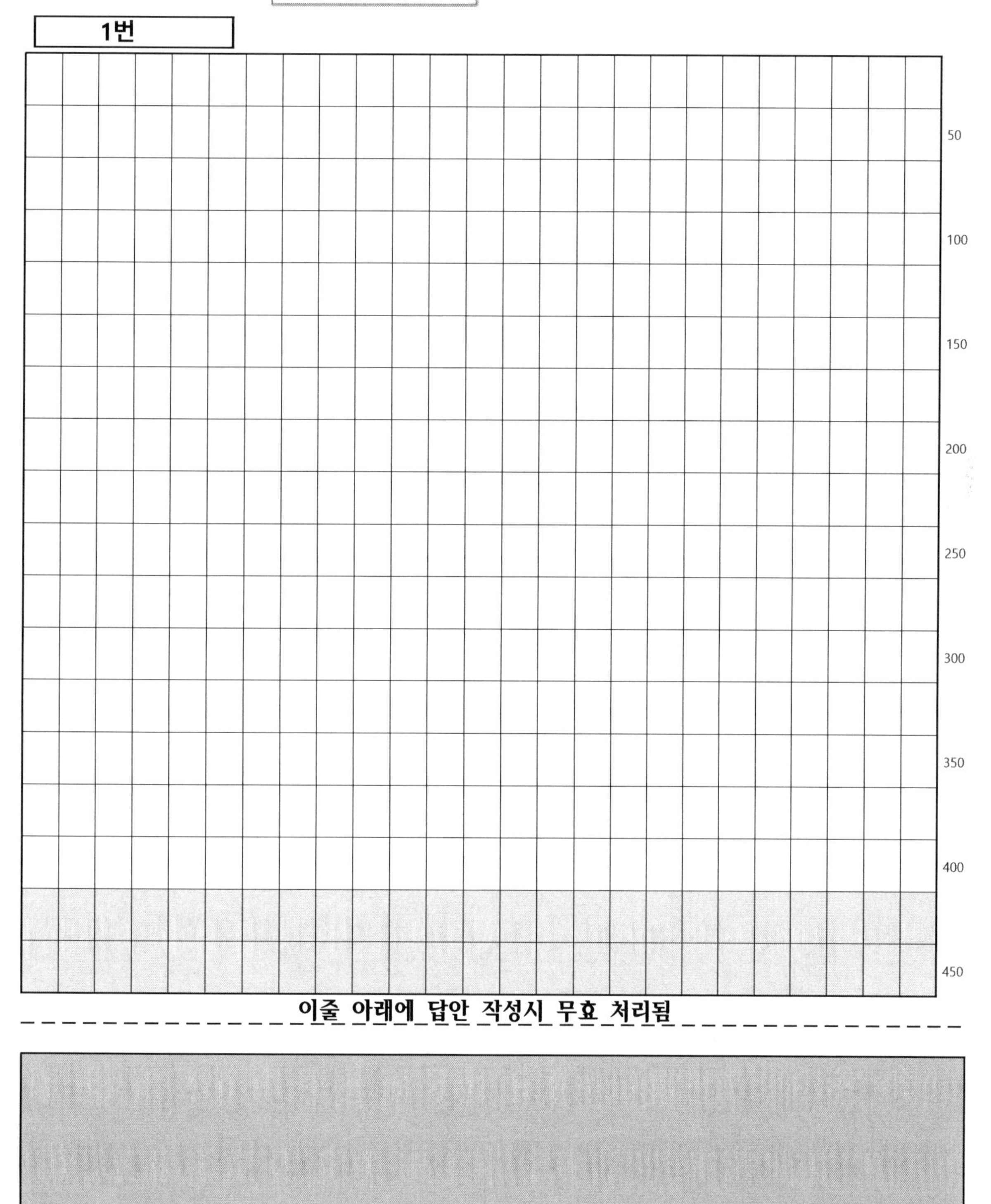

이줄 아래에 답안 작성시 무효 처리됨

이줄 위에 답안 작성시 무효 처리됨

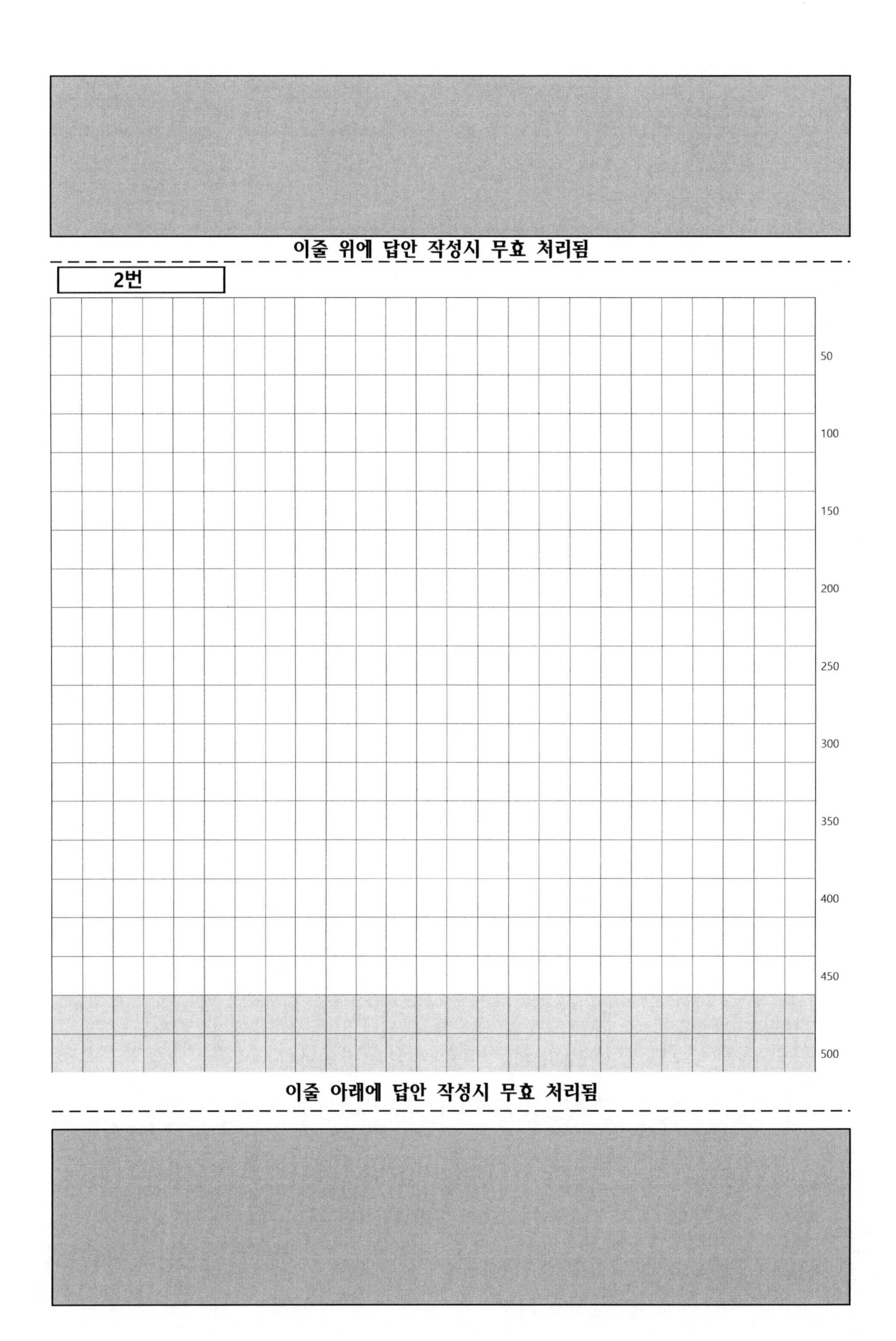

이줄 아래에 답안 작성시 무효 처리됨

이줄 위에 답안 작성시 무효 처리됨

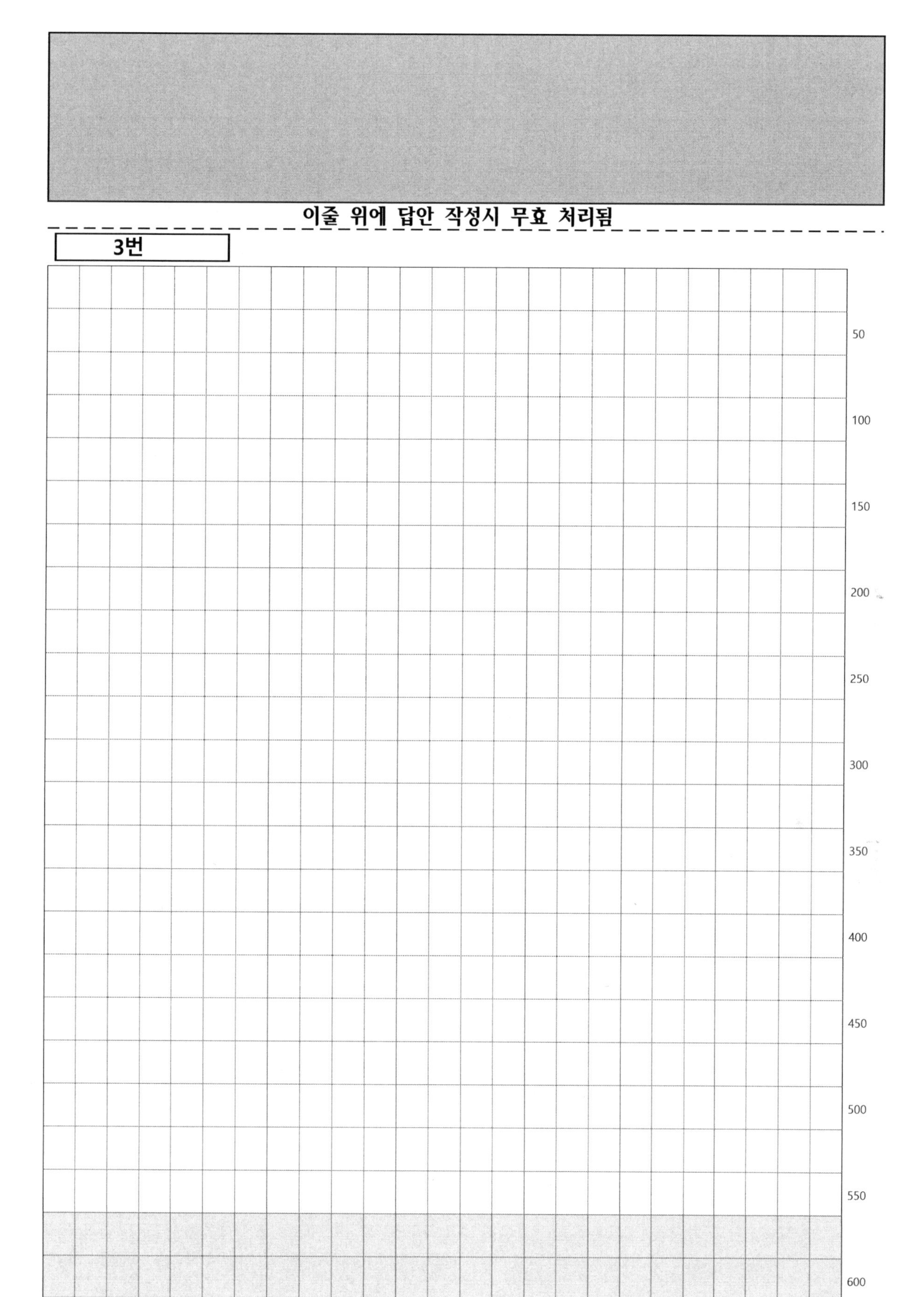

17. 2021학년도 한국외대 수시 논술 [토요일 T3]

※ 다음 글을 읽고 물음에 답하시오.

(가)

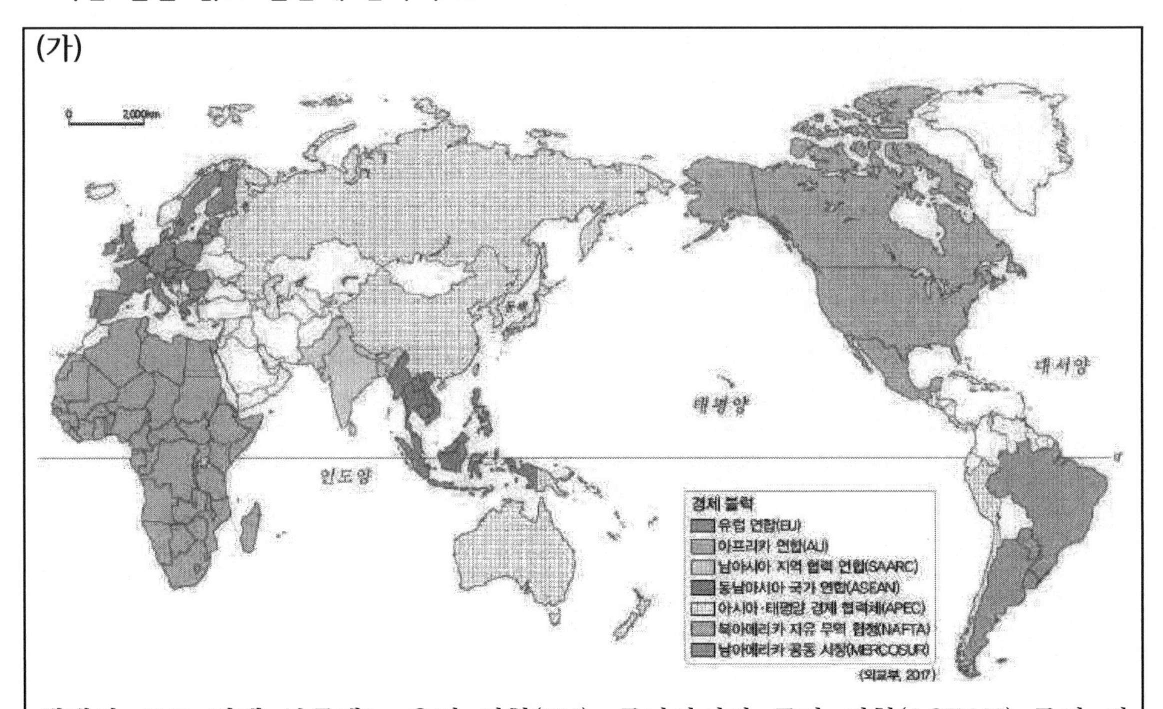

(외교부, 2017)

세계의 주요 경제 블록에는 유럽 연합(EU), 동남아시아 국가 연합(ASEAN) 등이 있다. 통합 수준에 따라 차이가 있지만, 유럽 연합 회원국 간에는 시장을 개방하여 관세와 수입제한 철폐를 통해 시장에서 상품·서비스·노동·자본의 자유로운 이동이 보장된다. 유럽 연합의 경우, 역내 시장의 확대 및 회원국 간의 시장 개방으로, 교역량이 증가하고 효율성 증진과 같은 긍정적인 효과가 나타난다. 또한, 역외 정책과 관련하여 배타적이고 폐쇄적인 규제를 적용하기도 한다. 유럽 연합 이외의 나라에 소재한 다국적 기업이 유럽 연합 역내 시장에서 상품과 서비스를 제공하는 경우, 유럽 연합 법의 적용을 받을 수 있다. 특히, 다국적 기업의 가격담합이 유럽 연합 역내 시장에 영향을 주는 경우, 유럽 연합은 시장에서의 경쟁이 왜곡되지 않도록 가격담합을 금지하고 있다. 역외의 다국적 기업에 대한 유럽 연합의 규제가 다른 국가에게는 독단적이고 폐쇄적일 수 있으나, 유럽 연합 내에서의 시장 통합 및 소비자후생에는 긍정적인 효과를 가져다준다.

- 『EBS 수능특강 세계지리』, 『고등학교 경제』 교과서 재구성

(나)

최근 누리 소통망(SNS)이 보편화되면서 시·공간의 제약 없이 이용자 간의 자유로운 의사소통과 정보공유가 가능해졌다. 그리고 우리 모두의 일상이 이제 무한한 개방 상태에 놓이게 되었다. 다시 말해, 보통 사람들의 일상이 만인에게 방송되는 '무한 라이브 스트리밍' 시대가 된 것이다. 누리 소통망을 이용하는 사람들에게서 자신의 일상이 방영될 것을 의식하는 연출적 태도와 사고방식 그리고 특정한 몸짓과 표정을 발견할 수 있다. 이처럼 일상의 삶이 다른 사람에게 개방될 것을 의식하면서 그것에 집착

하는 것은 일종의 타인의 승인에 대한 집착이라 할 수 있다. 누리 소통망에 대한 집착은 자기만족이 아닌 타인의 승인을 갈구하는 삶이다. 어떤 사람은 삶에서 주체성을 유지하는 것이 불가능해졌으며, 타인의 평가가 자신의 삶의 가치를 결정하게 되었다. 누리 소통망에 반복적으로 자신의 일상을 노출시키면서, '좋아요'로 표시되는 '타인의 승인'에 그 자신이 심리적으로 길들여진다. 자신은 타인의 승인을 받을 수 있도록 스스로를 검열하고, 결국 삶의 주도권을 타인에게 넘기게 된다. 모든 일상적 순간을 누리 소통망 가상세계에 업로드하면서 개방과 승인 강박 상태로 보내게 되며, 자아 성찰을 위한 고독의 시간은 점차 멀어지게 된다.

-『가상은 현실이다』, 『고등학교 독서』 교과서 재구성

(다)

사회적 계층 구조는 시대의 변화에 따라 각기 다른 양상을 띤다. 사냥과 채집 사회에서는 제한된 자원으로 인해 사회적 계층 구조가 뚜렷하게 형성되지 않았다. 하지만 농업 사회에 접어들어 정착생활이 일반화되고 부를 축적하게 되면서, 사회 계층이 세분화되고 점차 폐쇄적인 피라미드형 계층 구조로 바뀌게 되었다. 폐쇄적 계층 구조는 다른 계층으로의 이동 가능성이 제한되어 있는 구조로, 신분 질서가 엄격했던 사회에서 주로 나타났다. 이 계층 구조에서는 사회 고위층 인사에게 신분에 상응하는 도덕적 의무를 부과하는 노블레스 오블리주를 실천하도록 요구하기도 한다. 그렇지만 도덕적 의무의 실천에 대한 강제성이 없고, 또한 이를 실천하는 사람들도 많지 않다. 그리고 폐쇄적 계층 구조에서는 타고난 신분이 개인의 계층적 위치를 결정하며, 개인의 노력이나 능력에 따른 계층 상승을 기대하기 어렵다. 아무리 노력해도 계층 상승이 어려운 사회는 개인에게 좌절감을 준다. 따라서 이러한 폐쇄적 계층 구조는 부정적인 결과를 초래할 가능성이 크며, 계층 상승이 실현되기 어려워 사회적 혼란과 갈등을 겪기 쉽다.

-『고등학교 사회·문화』 교과서 재구성

(라)

울릉도산 취나물 북해산 조갯살 중국산 들기름
타이산 피시소스 알프스에서 온 소금 스페인산 마늘 이태리산 쌀
<중략>
독일 냄비에다 독일 밭에서 자란 유채기름을 두르고
완벽한 글로벌의 블루스를 준비한다

글로벌의 밭에서 바다에서 강에서 산에서 온 것들과
취나물 볶아서 잘 차려 두고 완벽한 고향을 건설한다
고향을 건설하는 인간의 가장 완벽한 내면을 건설한다
<중략>
선택이었다 자발적인 유배였으며 자유롭고 우울한
선택의 블루스가 흐르는 세계의 중심부에서 변방까지

불선택의 블루스가 흐르는 삶과 죽음까지
글로벌이라는 새 고향, 블루스를 울어야 하는 것이다

독일로 이주한 허수경 시인은 2009년, 「글로벌 블루스」라는 시를 발표한다. 이 시의 화자는 타향살이를 "선택"과 "자발적인 유배"로 빗대어 표현한다. 세계화가 추구하는 개방 사회에서의 삶은 "유배" 생활과 다름 아닐 정도로 쓸쓸하고 우울하기 짝이 없지만, 스스로 "선택"한 "자발적인 유배"이기에 시적 화자에게 "완벽한 내면의 건설"을 가능하게 해주었다. 화자는 "유배"와 같은 상황에 굴복하지 않기 위해 새로운 고향을 만들어 본인의 정체성을 공고히 하고자 노력하고, 그 고향에 "글로 벌"이라는 이름을 붙인다. 즉 이 시의 화자는 삶의 의지가 표출되는 블루스처럼 "글로벌"이라는 개방 사회의 긍정적 측면을 제시하고 있다.

- 『고등학교 문학』 교과서 재구성

(마)

남해의 임금을 숙이라 하고 북해의 임금을 홀이라 하며, 중앙의 임금을 혼돈이라 한다. 숙과 홀이 때마침 혼돈의 땅에서 만났는데, 혼돈이 매우 융숭하게 그들을 대접했으므로, 숙과 홀은 혼돈의 은혜에 보답할 방안을 의논했다. "사람은 누구나 눈·귀·코·입의 일곱 구멍이 있어서 그것으로 보고, 듣고, 먹고, 숨 쉬기 마련인데 이 혼돈에게만 그것이 없으니 구멍을 뚫어 줍시다." 이후 숙과 홀은 날마다 혼돈에게 구멍을 하나씩 뚫었는데, 7일이 지나자 혼돈은 그만 죽고 말았다.

이 글은 『장자』, 「응제왕」편에 실린 우화로, 숙과 홀이 무분별의 혼돈에게 분별을 할 수 있도록 감각기관을 뚫어 개방해주었더니 혼돈이 죽었다는 이야기다.

- 『장자』, 『고등학교 윤리와 사상』 교과서 재구성

(바)

기업은 숨어 있는 이윤을 찾아 끊임없이 새로운 상품과 서비스를 개발한다. 특히, 디지털 기업 성장의 중요한 요소는 지식중심의 기술혁신에 있다. 기술혁신을 위한 디지털 기업의 투자를 유인하는 데에는 특허권 보장이 중요하다. 특허권이란 발명에 대해 부여하는 권리로, 해당 특허권자의 독점적 권리를 인정하는 것이다. 특허권 제도의 취지는 산업발전의 촉진과 동시에 발명을 보호하고 장려하기 위함이다. 이러한 특허권은 기술혁신을 유인한다. 기업이 새로운 창작물을 발명하는 데에는 비용이 많이 든다. 그렇지만, 발명을 통한 기술혁신은 완성된 상품과 서비스의 생산비용을 현저하게 낮출 수 있다. 특허권의 독점적 권리는 배타적이고 폐쇄적인 속성을 가지고 있지만, 파괴적 혁신 (disruptive innovation) 또는 역동적 효율성을 증진시킨다. 이 경우, 사회 전반적으로 긍정적인 효과를 창출할 수 있다.

- 『EBS 수능특강 국어영역 독서』 재구성

(사)

디지털 경제 환경에서는 양면시장의 특징을 갖는 플랫폼 개방유무가 사업 성패의 중요한 변수가 된다. 핸드폰 단말기 운영체제(OS) 제조사인 H의 경우, 이전에는 외부

앱(App) 개발자에게 OS를 개방하지 않고 폐쇄형 플랫폼(closed platform)을 유지하고 있었다. 이것은 H사가 생산하는 운영체제에 자사의 앱만을 추가할 수 있는 것인데, 이것 때문에 네트워크 효과*가 떨어지는 결과가 나타났다. 그래서 H사는 플랫폼을 개방했고, 더 많은 데이터를 확보할 수 있게 되면서 엄청난 혁신과 성장의 기반을 마련할 수 있었다. 위의 사례가 보여주듯이, 기업이 다수에게 플랫폼을 개방하면 새로운 수익 기회를 만들어 낼 수 있다. 실제로, 네트워크 효과를 기반으로 하는 이러한 개방형 플랫폼은 H사의 매출 증가와 수익 창출을 가져왔으며, 모바일 앱마켓 시장점유율을 높이는데 중요한 역할을 하였다. 개방형 플랫폼(open platform)은 폐쇄형 플랫폼보다 긍정적인 성과를 가져다준다.

* 네트워크 효과 : 특정 재화나 서비스에 대한 사용자의 수요가 다른 사용자의 수요에 영향을 주는 효과

- 『머신, 플랫폼, 크라우드』, 『고등학교 독서』 교과서 재구성

[문제 1] (나) ~ (바)는 상반된 두 유형의 입장에 관한 글이다. 두 핵심어를 기준으로 (나) ~ (바)를 두 가지 입장으로 분류하고 각 제시문을 요약하시오. (400자 내외, 210점)

[문제 2] (가)의 입장을 바탕으로 (나)와 (다)에 제시된 의견을 비판적으로 평가하시오. (500자 내외, 210점)

[문제 3] 아래 <그림>은 2017년에서 2020년까지의 모바일 앱마켓 시장점유율의 변화를 보여주고 있다. <그림>을 분석한 후, (사)를 적용하여 핸드폰 단말기 OS를 생산하는 A사와 C사의 시장점유율 변화 이유를 추론하시오. (600자 내외, 280점)

<그림> 모바일 앱마켓 시장점유율의 변화

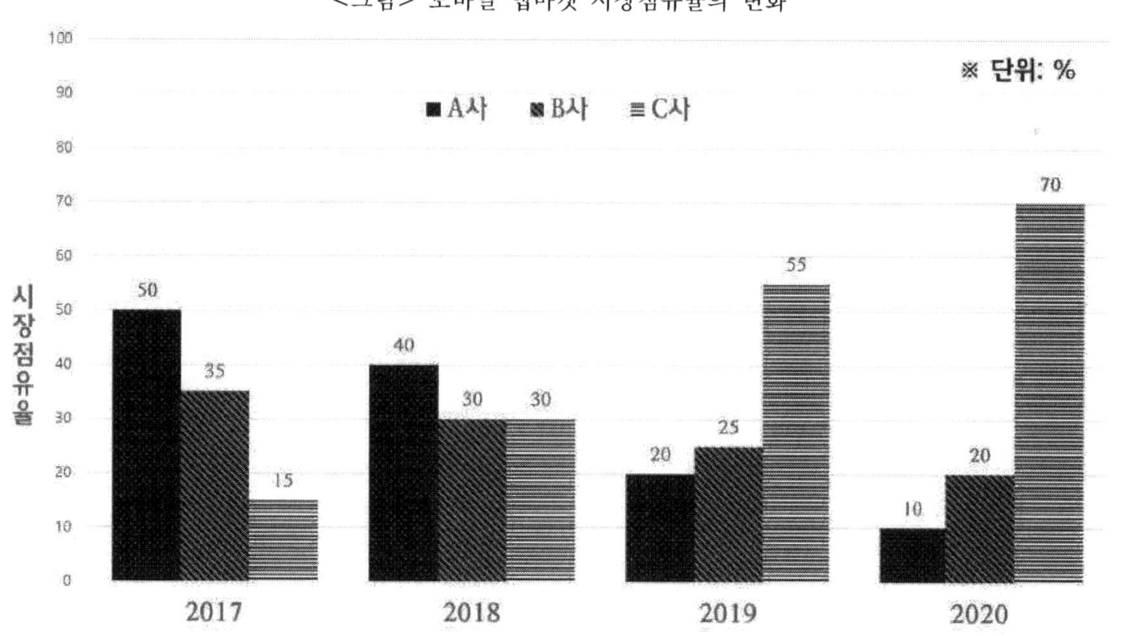

답안 작성시 주의! 2023학년도부터 글자수 제한 변경!
문제 2번 500자에서 450자, 문제 3번 600자에서 550자

한국외국어대학교
HANKUK UNIVERSITY OF FOREIGN STUDIES

지원학부(과)

수 험 번 호				

주민등록번호 앞6자리(예:040512)					

성 명

1번

50
100
150
200
250
300
350
400
450

이줄 아래에 답안 작성시 무효 처리됨

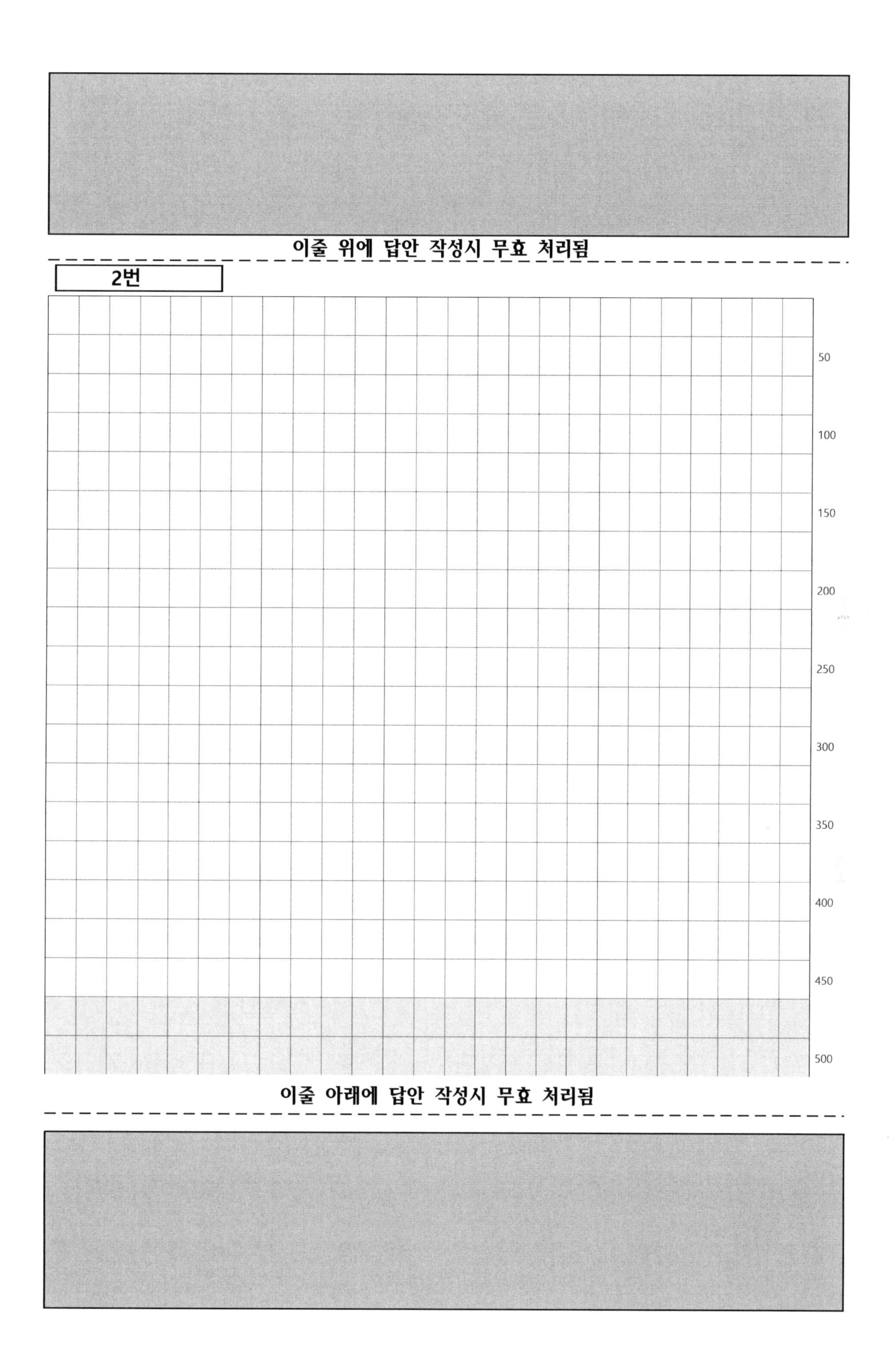
이줄 위에 답안 작성시 무효 처리됨
2번
50
100
150
200
250
300
350
400
450
500
이줄 아래에 답안 작성시 무효 처리됨

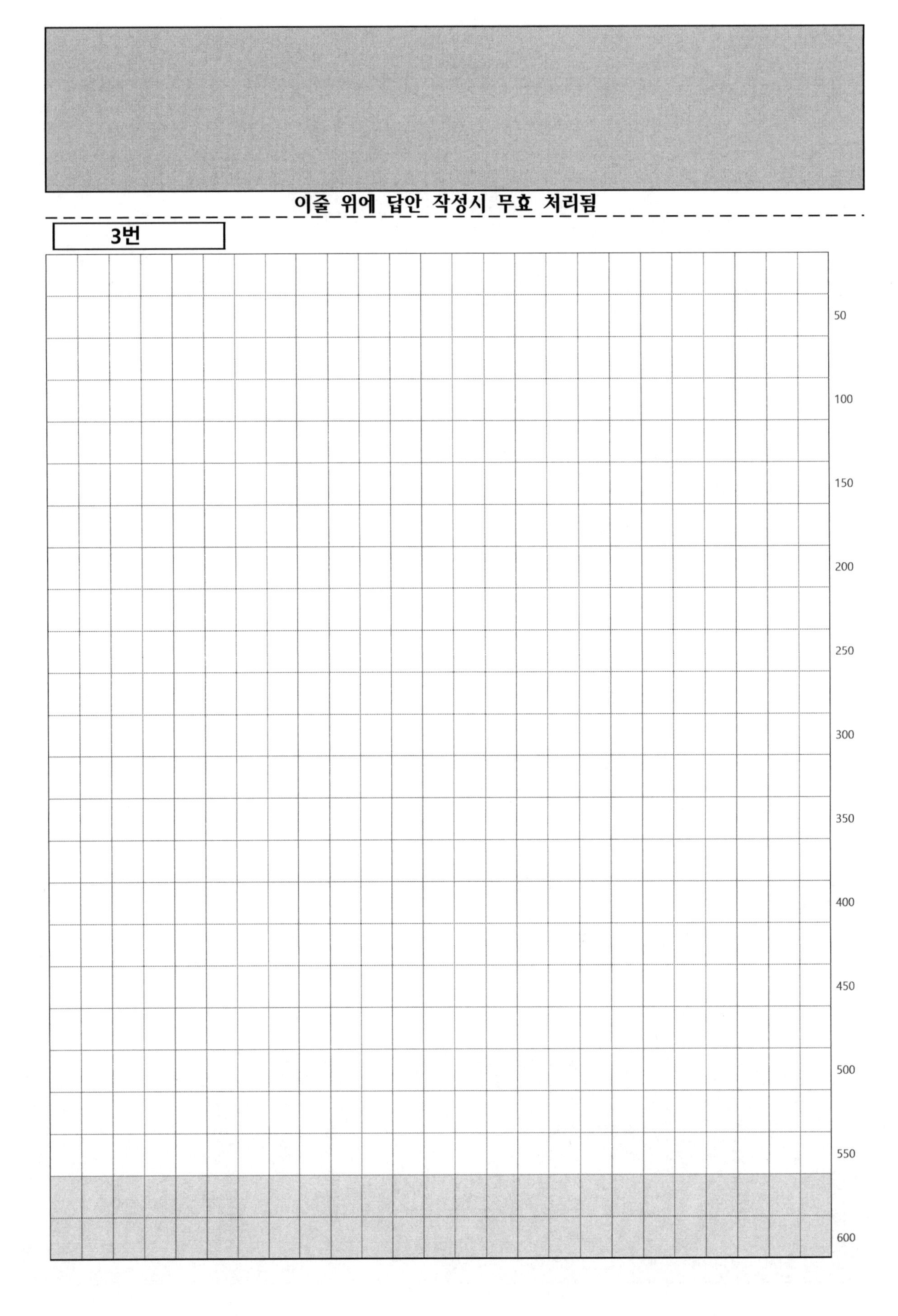

이줄 위에 답안 작성시 무효 처리됨

3번

50
100
150
200
250
300
350
400
450
500
550
600

18. 2021학년도 한국외대 수시 논술 [일요일 T1]

※ 다음 글을 읽고 물음에 답하시오.

(가)

신호교차로에서 좌회전 교통 흐름의 처리는 교차로의 운영 효율에 중요한 영향을 미친다. 비보호 좌회전은 불필요한 교통 대기 시간을 줄이고 탄력적인 교통 환경을 조성하기 위한 일종의 예외규정이다. 보호 좌회전에서 비보호 좌회전으로 전환한 교차로의 차량 지체를 분석한 결과, 비보호 좌회전으로 전환할 경우 좌회전 교통의 지체는 차량당 평균 50% 감소하는 것으로 나타났다. 또한 비보호 좌회전으로의 전환은 에너지 사용 절감과 배기가스 감축에도 도움이 되었다.

- 도로교통공단, 「교통운영체계 선진화 연구」 재구성

(나)

흥보 마누라 깜짝 놀라며,

"가지 마오 가지 마오, 불쌍한 영감, 가지를 마오. 하늘이 무너져도 솟아날 구멍이 있는 법이니, 설마한들 죽사리까. 병영 영문 곤장 한 대를 맞고 보면 죽도록 골병 된답디다. 여보 영감 불쌍한 우리 영감, 가지를 마오."

(중략)

그때에 흥보 마누라는 영감이 떠난 그날부터 후원에 단(壇)을 세우고 정화수를 바치고, 병영 가신 우리 영감 매 한 대도 맞지 말고 무사히 돌아오시라고 밤낮 기도하면서,

"병영 가신 우리 영감 하마 오실 제 되었는데 어찌하여 못 오신가. 병영 영문 곤장을 맞고 허약한 체질 주린 몸에 병이 나서 못 오신가, 길에 오다 누웠는가."

문밖에를 가만히 내다보니 자기 영감이 분명하것다. 눈물 씻고 바라보니 흥보가 들어오거늘,

"여보 영감 매 맞았소? 매 맞았거든 어디 곤장 맞은 자리 상처나 좀 봅시다."

(중략)

"얼씨구나 절씨구 얼씨구 절씨구 지화자 좋네. 얼씨구나 좋을시구. 영감이 엊그저께 병영 길을 떠나신 후 부디 매를 맞지 말고 무사히 돌아오시라고 하느님전에 빌었더니 매 아니 맞고 돌아오시니 어찌 아니 즐거운가. 얼씨구나 절씨고. 옷을 헐벗어도 나는 좋고 굶어 죽어도 나는 좋네. 얼씨구나 절씨구."

- 『고등학교 문학』 재구성

(다)

1936년에 제작된 <모던 타임즈>는 미국의 F. W. 테일러가 제시한 사업장의 생산

효율증진 방안을 모티브로 한 영화이다. 테일러리즘으로 불린 그의 제안을 더욱 발전시킨 포드는 조립라인 및 연속공정 기술을 통하여 표준화된 제품의 대량 생산을 가능케 하였다. 포드자동차가 1913년 세계 최초로 도입한 컨베이어 시스템으로 인해 근로자들은 더 이상 이리저리 이동하면서 자동차 부품을 조립할 필요가 없어졌다. 대신 제자리에 서서 이동해 오는 부품들을 조립하여 자동차를 만들면 되었다. 컨베이어 시스템의 도입은 놀랄 만한 성과를 기록하였다. 자동차 1대를 생산하는 시간이 630분에서 93분으로 단축되어서 생산성이 무려 7배 가까이 향상된 것이다. 이러한 생산 효율의 향상에 힘입어 자동차의 대량생산이 가능해졌고 그 결과 자동차 가격은 3분의 1 수준으로 떨어졌다.

- KDI, 『Click 경제교육』(2012. 07) 재구성

(라)

노동자의 안전 확보를 위해 강조되는 산업재해 예방에 관한 투자가 기업 경영성적에도 도움이 된다는 연구 결과가 나왔다. 산업안전보건연구원이 최근 발간한 '재무제표로 살펴본 기업의 산재예방 투자 효과' 연구에 따르면, 산업재해가 발생하면 1인당 매출액, 매출액 성장률, 1인당 영업이익액, 영업이익률 등 기업의 경영성과를 모두 감소시키는 것으로 나타났다. 결국, 산업재해가 발생하면 직접비용인 보상비용뿐만 아니라 노동자 신규 고용 등과 같은 간접비용의 증가로 기업의 경영성과에 부정적 영향을 미치게 되기 때문에 안전에 대한 투자는 낭비가 아니라고 연구원은 설명했다.

- 대한경제(2020. 09. 11.) 재구성

(마)

Despite unresolved safety issues on genetically modified (GM) crops and the foods derived from them, their advantages are undeniable. A recent report, after reviewing 147 relevant studies, concluded that GM crops have allowed an average increase in agricultural yield by 22 percent and increased farmers' profits by 68 percent, with profit margins even larger in developing countries. Another report indicates that between 1996 and 2015, GM crops increased global production by 357 million tons of corn and 180 million tons of soybean. In addition, the report mentions that GM crops significantly reduced the use of agricultural land due to this higher productivity. In 2015 alone they prevented almost 20 million hectares from being used for agricultural purposes, thus reducing the environmental impact cultivating forests or wild lands. This is a great environmental benefit derived from the higher agricultural yield.

- 『고등학교 통합사회』 재구성

(바)

- www.CartoonStock.com에서 재구성

(사)

배달원 H씨가 사용하는 앱은 7월부터 '인공지능(AI) 배차'를 도입했다. 주문자의 동선과 음식 특성 등을 고려해 효율적으로 배차한다는 취지였다. 하지만 '배달원 동선을 고려해 최적경로를 산출한다'는 도입 취지와 달리 안전을 도외시한 콜 배정이 횡행한다는 게 배달원들의 하소연이다. 인공지능 배차는 실제 거리가 아닌 직선거리를 기준으로 계산해 내비게이션상에서 가장 빠른 길로 가도 22분 걸리는 거리를 12분만에 배달하라고 안내하는 경우도 있다. 그에 따라 배달료가 기존보다 낮게 책정되고 배달시간도 더 촉박하게 설정되어 배달원들은 인공지능 배차 도입 이후 대체로 더많이, 빨리 배달해야 한다는 압박을 느끼고 있다. 배달원들은 제 시간 안에 배달을 마치려면 교통신호를 지킬 수 없고 난폭운전도 피할 수 없어 인공지능 배차는 배달원의 안전을 위협하고 있다고 주장한다.

- 경향신문(2020. 11. 03.) 재구성

(아)

포트폴리오(portfolio)라는 단어는 원래 간단한 자료 수집철을 뜻하는 말이다. 금융에서는 금융 자산의 목록이라는 의미로 쓰이며, 투자의 위험을 줄이기 위해 여러 가지 상품에 나누어서 투자하는 것을 말한다. 특히 금융 투자에서는 자산을 지나치게 특정 상품에만 투자하는 것은 좋지 않다. 예를 들어 증권 투자 시 한 종목에 집중 투자하였는데, 이 종목의 가격이 하락하면 크게 손해를 볼 수 있다. 그래서 금융 투자에는 '달걀을 한 바구니에 담지 말라'는 격언이 있는데, 이것은 자산 관리전반에 걸친 좋은 교훈이기도 하다.

-『고등학교 경제』 재구성

[문제 1] (가)~(마)에는 의사결정 시 고려할 가치들이 제시되어 있다. (가)~(마)를 두 유형으로 분류하고 각 제시문을 요약하시오. (400자 내외, 210점)

[문제 2] (바), (사)를 바탕으로 [문제 1]의 두 유형이 갖고 있는 한계를 지적하고, (아)를 활용하여 문제점을 보완하시오. (500자 내외, 210점)

[문제 3] A국은 코로나19 백신을 '자체 생산'할 것인가 아니면 '전량 수입'할 것인가에 대한 의견 대립을 겪고 있다. (사)와 <보기>를 참고하여, '자체 생산'과 '전량 수입' 중 어떤 결정이 타당한지 선택하고 그 이유를 설명하시오. (600자 내외, 280점)

희토류는 열과 전기가 잘 통하기 때문에 스마트폰, 전기차 등 첨단 전기·전자·광학 분야에서 다양하게 쓰이는 전략자원이다. 특히 전기자동차에 포함되는 모터의 핵심 부품인 영구자석을 생산하는 데 필수적이어서 최근 수요가 더욱 급증하고 있다. 매년 전 세계에서 12만 5천 톤의 희토류가 소비되는데 이 중 중국이 97%를 공급한다. 중국보다 채굴 비용이 비싸 경제성이 없다는 이유로 선진국에서는 생산을 거의 하지 않기 때문이다. 미·중 무역 전쟁이 격화되면서 중국 정부는 지난 2019년 5월 희토류 대미 무기화를 공식 시사했다. 최근 중국 희토류 산업 협회는 중국이 미국의 관세 조치에 대응하는 것을 지지한다는 입장을 표명했는데 이는 중국이 희토류를 미국과의 무역 전쟁에서 무기로 활용할 수 있도록 준비를 마쳤음을 의미한다. – 동아일보(2019. 09. 08.), 한국경제(2020. 05. 26.) 재구성

답안 작성시 주의! 2023학년도부터 글자수 제한 변경!
문제 2번 500자에서 450자, 문제 3번 600자에서 550자

지원학부(과)

수험번호				

주민등록번호 앞6자리(예:040812)					

성명

1번

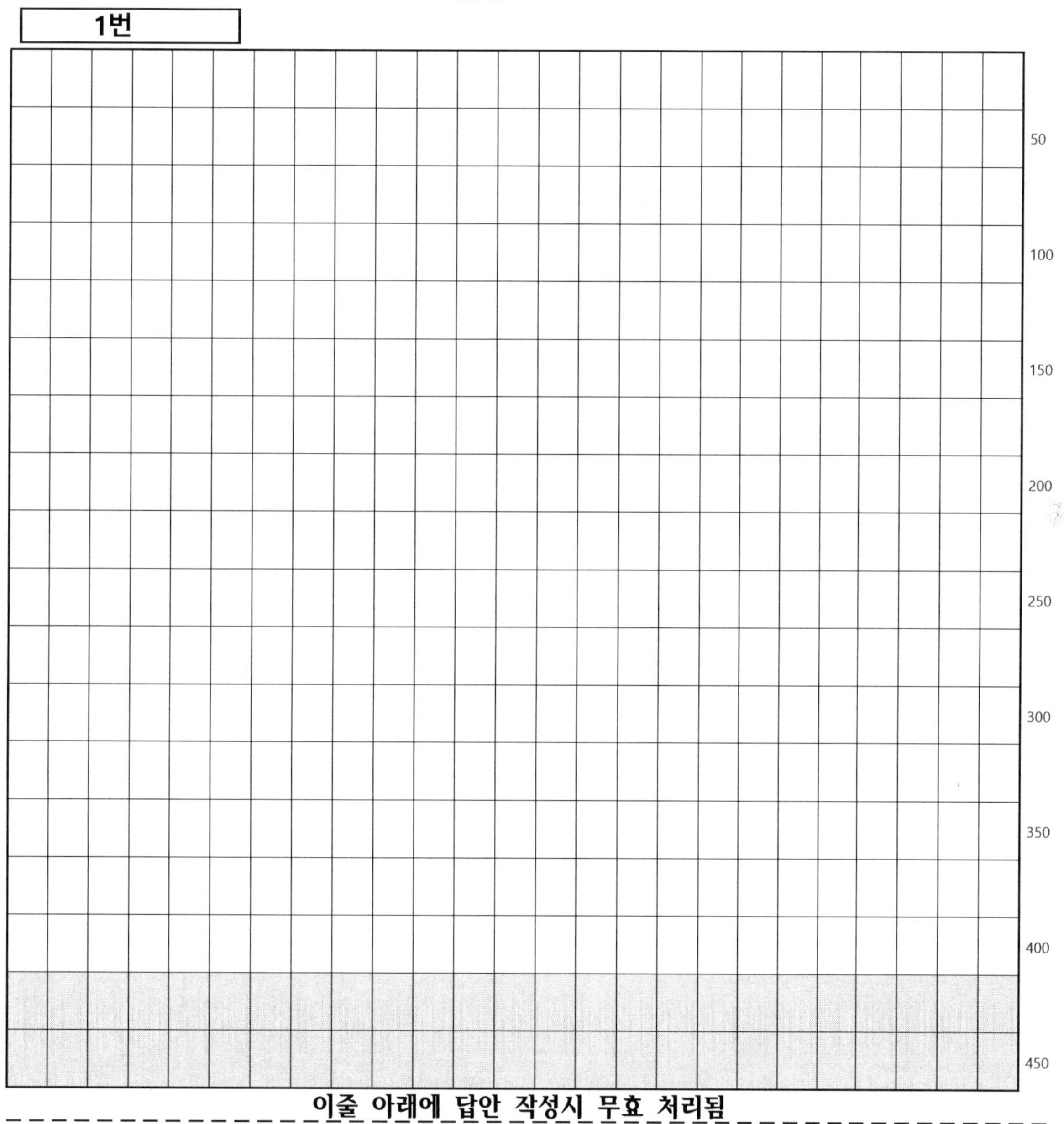

이줄 아래에 답안 작성시 무효 처리됨

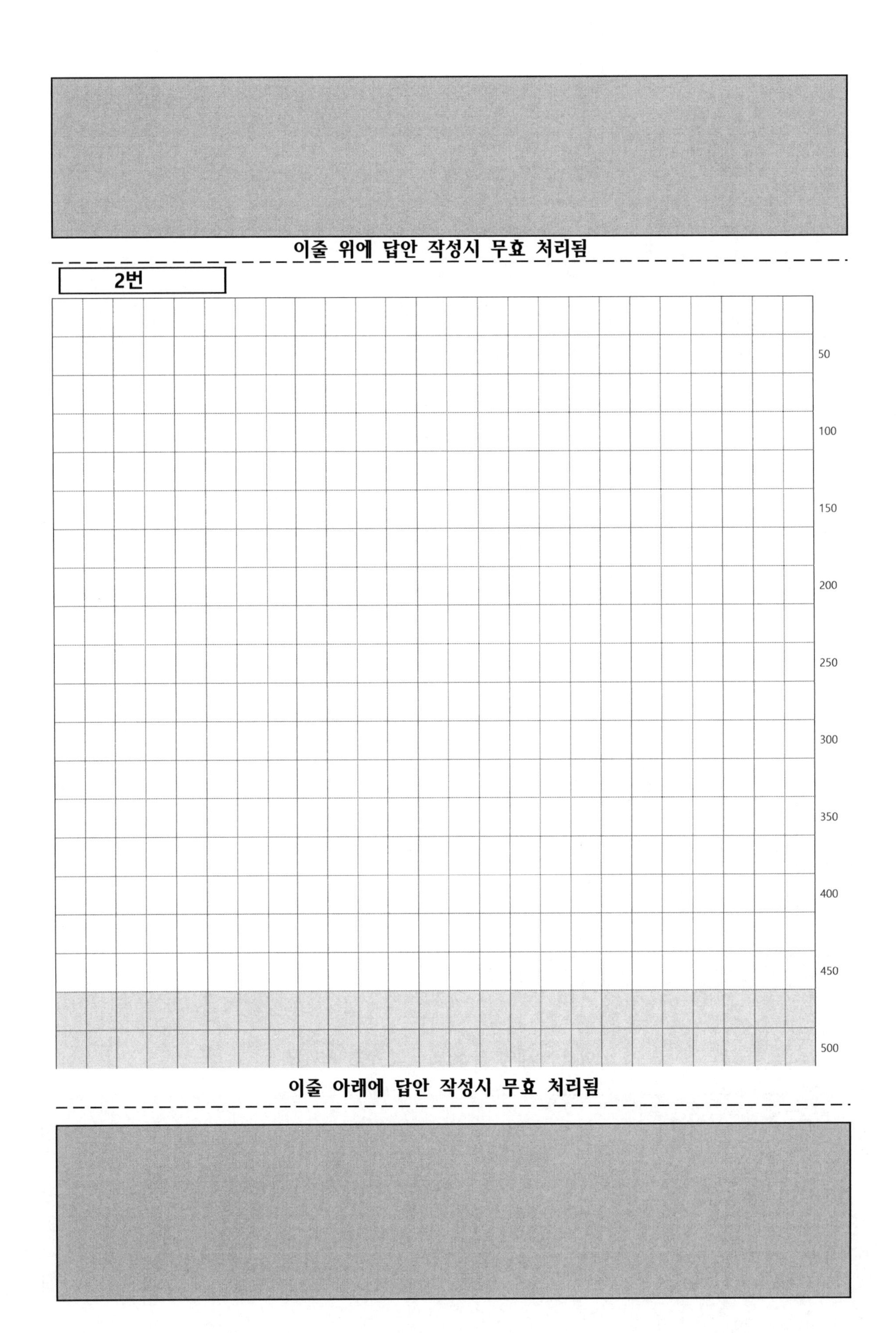
이줄 위에 답안 작성시 무효 처리됨
2번
50
100
150
200
250
300
350
400
450
500
이줄 아래에 답안 작성시 무효 처리됨

이줄 위에 답안 작성시 무효 처리됨

3번

19. 2021학년도 한국외대 수시 논술 [일요일 T2]

※ 다음 글을 읽고 물음에 답하시오.

(가)

고대철학에서 윤리 규범의 결정기준으로 상대주의와 보편주의가 있다. 후자의 입장에 있는 플라톤에 따르면 현실에서 경험을 통해 알게 되는 것은 개별적인 것에 대한 단순한 추측이거나 편협한 의견일 뿐이다. 따라서 우리가 현실 세계에서 보는 현상은 마치 동굴 속에 갇힌 죄수들이 보는 그림자처럼 불완전한 모방이다. 동굴 속의 죄수처럼 단지 몇몇 개의 불완전한 것을 보고 전체에 대한 보편적 진리를 얻을 수는 없다. 참된 진리는 태양이 빛나는 동굴 밖으로 나와 이데아의 세계에서 완전한 것을 볼 때 비로소 얻어진다.

- 『고등학교 윤리와 사상』 교과서 재구성

(나)

- 언론 보도 재구성

(다)

한 사회의 구성원 대다수가 공유하는 문화를 주류 문화라고 하는 반면, 사회 내의 일부 구성원이 공유하는 문화를 하위문화라고 한다. 주류 문화가 모두에게 적용되는 일반적 문화라면 하위문화는 분류 결정기준이 다르며, 지역, 세대, 기호에 따라 선별적으로 구성되고 향유된다. '거리의 낙서'로 불리며 공공장소에 스프레이 페인트로 그림을 그리는 비주류 예술 그래피티 역시 하위문화, 그중에서도 반문화를 이룬다. 반문화는 주류 문화를 거부하거나 그것에 저항하는 사람들이 만든 문화를 뜻하는데, 도심의 일상적 공간에 등장하는 그래피티의 화려한 색감과 강렬한 이미지가 사회적 불평등이나 고급예술에 대항한다는 의미를 지니기 때문이다. '낙서냐 혹은 예술이냐'는 논쟁 속에 아직 많은 나라는 허가 없이 그려진 그래피티를 공공 기물 파손죄로 처벌하고 있기도 하다.

- 『고등학교 사회·문화』교과서 재구성

(라)

청소년의 개성 신장에 부정적 영향을 미친다는 이유로 1983년 교복 자율화 조치가 시행되었다. 그러나 청소년 탈선 및 학생 지도의 어려움이 문제가 되자 교복제도는 3년만인 1986년 학교장 재량으로 바뀌어 현재까지 대부분의 학교에서 유지되고 있다. 교복제도는 보편을 원칙으로 운영되기에 학생들이 동일한 디자인의 교복을 입음으로써 학교에 대한 소속감을 느끼게 된다는 장점이 있지만, 단점도 크다. 먼저, 학생들 본인이 원하는 옷을 입지 못하고 교복을 입음으로써 개별 학생의 개성과 취향이 무시되고 학생들이 획일적으로 취급된다. 이는 감수성이 예민한 청소년 개개인의 창의력 발전을 저해할 우려가 있다. 창의적 인재가 점점 중요해지는 4차 산업혁명 시대에 필요한 인재의 양성에도 도움이 되지 않는 것이다.

- 『고등학교 화법과 작문』교과서 재구성

(마)

世·솅宗종御·엉製·졩訓·훈民민正·졍音음

나·랏:말ᄊᆞ·미中듀ᇰ國·귁·에달·아文문字·ᄍᆞᆼ·와·로서르ᄉᆞᄆᆞᆺ·디아·니ᄒᆞᆯ·ᄊᆡ·이런젼·ᄎᆞ·로어·린百·ᄇᆡᆨ姓·셔ᇰ·이니르·고·져·호ᇙ·배이·셔·도ᄆᆞ·ᄎᆞᆷ:내제·ᄠᅳ·들시·러펴·디:몯ᄒᆞᇙ·노·미하·니·라·내·이·ᄅᆞᆯ爲·윙·ᄒᆞ·야:어엿·비너·겨·새·로·스·믈여·듧字·ᄍᆞᆼ·ᄅᆞᆯᄆᆡᇰ·ᄀᆞ노·니:사ᄅᆞᆷ:마·다:ᄒᆡ·ᅇᅧ:수·비니·겨·날·로·ᄡᅮ·메便뼌安한·킈ᄒᆞ·고·져ᄒᆞᇙᄯᆞᄅᆞ·미니·라

한글 창제 과정에서 최만리, 김문 등 상당수의 관리는 중국과 다른 문자를 만드는 것은 사대(事大)의 예에 어긋나고 스스로 오랑캐가 되는 것이라며 한글 창제를 반대하였다. 그러나 한자는 소수의 지식인이나 양반 계층이 사용하는 문자이고 모든 백성을 위한 문자는 아니었기에 세종은 보편 원리에 바탕을 둔 문자 창제가 필요하다고 생각하였다. 그리고 한글 창제 과정에서 여러 나라의 소리와 문자를 채집하면서 우리의

문자를 만들기 위해 고심하였다. 상반되는 여러 의견을 경청하며 편향된 의견 안에 고립되지 않는 균형적 자세, 그리고 문자는 모든 백성이 보편적으로 사용해야 한다는 세종의 굳은 신념이 있었기 때문에 한글이 창제될 수 있었다.

- 『고등학교 국어』교과서 재구성

(바)

스포츠 발전 방향을 결정하는 데 있어 재능을 가진 소수의 선수를 선별해 집중적으로 육성해야 한다는 엘리트스포츠 입장이 있다. 엘리트스포츠는 생활체육과 반대되는 개념으로, 소질 있는 선수를 조기 발굴해 훈련함으로써 국가의 스포츠 수준을 제고한다는 이점을 가진다. 한국이 아무 인프라가 갖춰지지 않은 채 1948년부터 올림픽에 참가하기 시작해 평창 동계올림픽까지 총 121개의 금메달이라는 경이로운 성과를 이룰 수 있었던 것도 국가의 전폭적 지원을 받은 엘리트스포츠 정책 때문이었다. 국제대회에서의 눈부신 성과는 국위 선양 및 국민의 자긍심을 높일 뿐 아니라 기업홍보와 해외진출에도 큰 영향을 미친다. '대한체육과학연구원'의 보고서에 따르면 메달 한 개의 가치는 금메달이 561억 원, 은메달이 190억 원, 동메달 120억 원이다. 즉 올림픽 메달이 주는 경제적 효과와 코리아 브랜드 홍보 효과를 금액으로 환산해 보면 수조 원에 이르는 것이다.

- 언론 보도 재구성

[문제 1] (가)~(바)는 결정의 두 가지 기준에 관한 것이다. (가)~(바)를 두 유형으로 분류하고 각 제시문을 요약하시오. (400자 내외, 210점)

[문제 2] (사)를 바탕으로 (라)와 (바)를 비판·평가하시오. (500자 내외, 210점)

(사)

서울 서교동에 위치한 L백화점 홍대점. 가상현실(VR) 체험존으로 구성된 3층 매장에서 20대 고객들이 회당 7천 원에서 1만 2, 000원의 이용료를 내고 VR 게임을 즐기고 있었다. 의류 제품은 주로 3~5만 원대였다. 같은 시각 압구정동의 L백화점 가로수길점은 스타트업 브랜드 의류로 채워져 있었다. 20대 후반에서 30대 초반 여성이 즐겨 찾는 이 매장의 옷은 10~20만 원대였다. 같은 백화점인지 의심이 들 정도로 두 매장은 달랐다.

최근 들어 이처럼 동일한 이름을 가진 매장이지만 지역이나 소비자의 개성에 따라 확연히 다르게 꾸며진 매장이 늘고 있다. 지금까지 유통업체의 주된 전략은 획일화된 인테리어와 제품구성으로 소비자에게 일관된 브랜드 이미지를 제공하는 것이었다. 그러나 이러한 원칙이 깨지며 각 매장을 찾는 고객의 연령, 취향, 구매력을 고려해 소비자층을 선별하는 시장세분화 전략이 도입되고 있다. 이러한 전략을 기반으로 각 매장이 위치한 지역의 특성에 부합하는 소비자를 선별해 이윤 창출 효과를 극대화하고 있다.

[문제 3] (아)의 필터버블 현상이 [문제 1]의 어느 입장의 결과인지 추론하고, (마)를 (아)의 문제 해결에 적용하시오. (600자 내외, 280점)

(아)

Interested in the Internet Real-name System*, Jimin began reading about the pros and cons of the system on SNS pages. Jimin found the pros more interesting and responded only to the posts which support the system. As time went on, the information about the cons of the system stopped appearing on his feed*, and Jimin has come to believe most people support the system, mistakenly. How come Jimin ended up with such one-sided belief? Among other reasons, it is due to filter bubble. A filter bubble is an intellectual isolation which can capture you in a "bubble." It occurs when websites use algorithms to assume the information a user would want to see, and select information for the user according to this assumption. Websites make these assumptions based on the user's former browsing and search history. As users are selectively given the information that agrees with their past activities, they get less contact with opposing viewpoints and become isolated in a filter bubble.

* Internet Real-name System : 인터넷실명제
** feed : 피드 혹은 콘텐츠수신장

– Techopedia.com 재구성

답안 작성시 주의! 2023학년도부터 글자수 제한 변경!
문제 2번 500자에서 450자, 문제 3번 600자에서 550자

지원학부(과)	수험번호	주민등록번호 앞6자리(예 040312)

성명

1번

50

100

150

200

250

300

350

400

450

이줄 아래에 답안 작성시 무효 처리됨

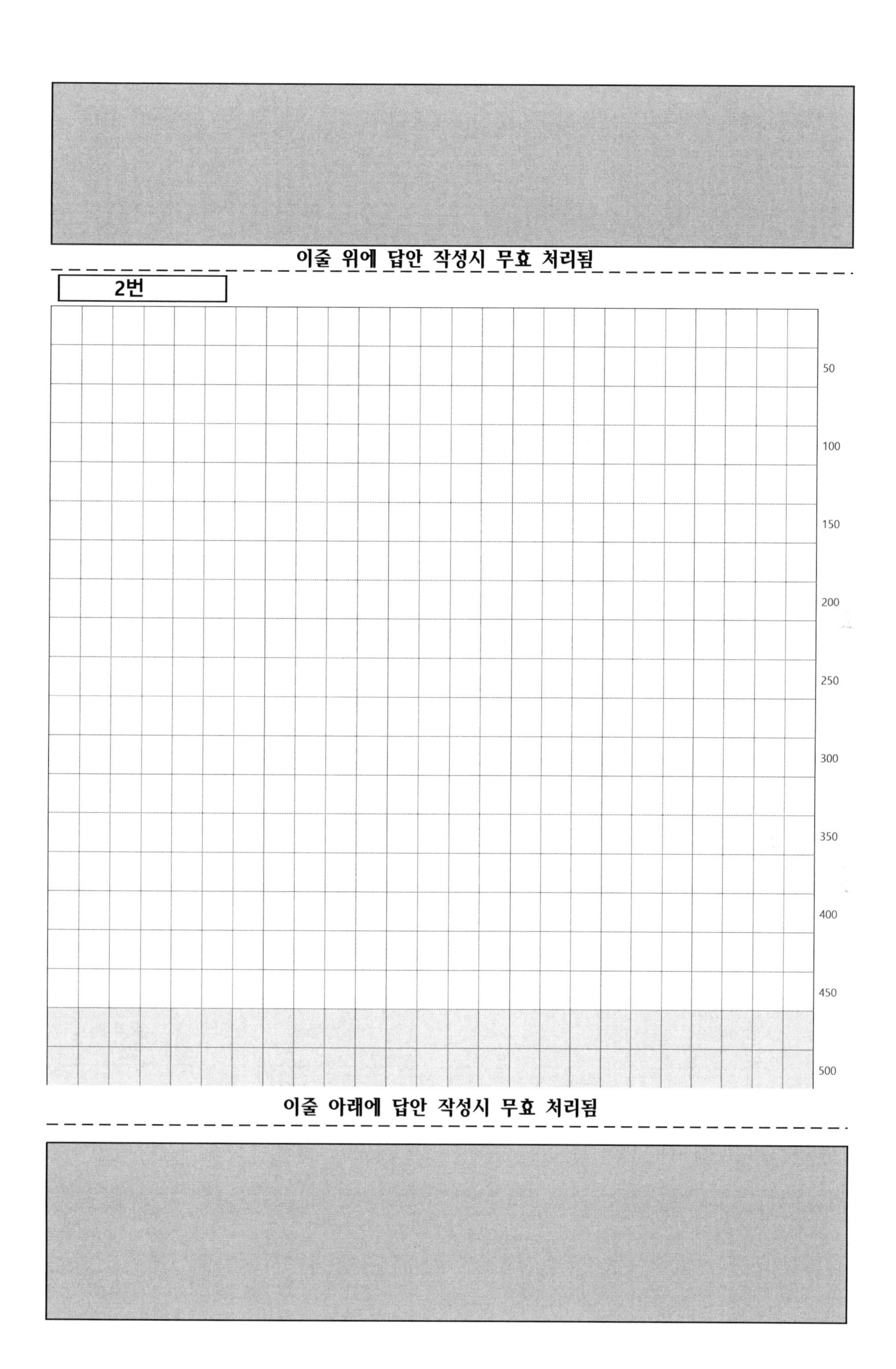
이줄 위에 답안 작성시 무효 처리됨
2번
50
100
150
200
250
300
350
400
450
500
이줄 아래에 답안 작성시 무효 처리됨

이줄 위에 답안 작성시 무효 처리됨

3번

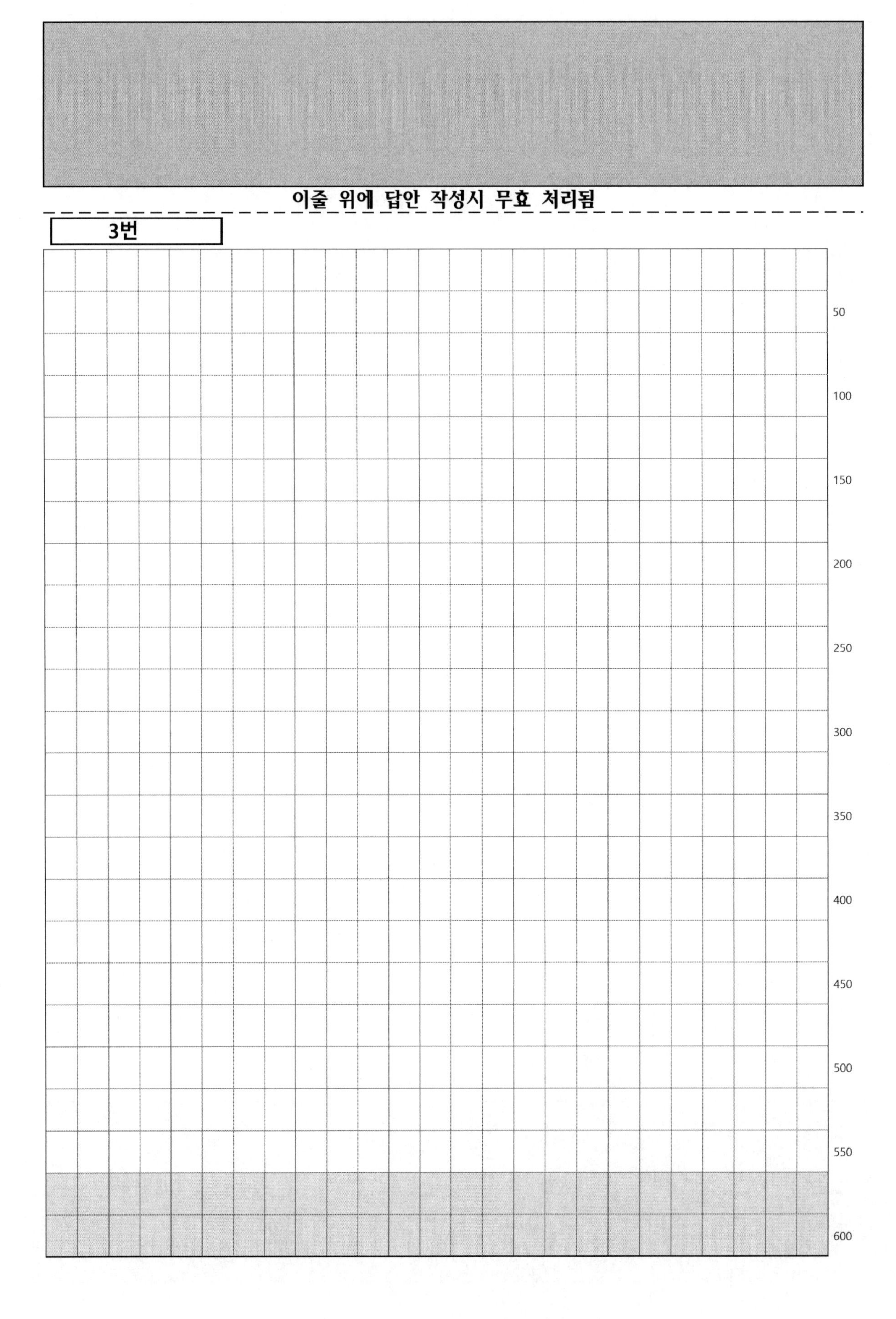

20. 2021학년도 한국외대 수시 논술 [일요일 T3]

※ 다음 글을 읽고 물음에 답하시오.

(가)

우리는 아주 빠르게 변하는 세상에서 어떻게 이에 적응하고 살아야 할지 걱정한다. 변화가 천천히 일어나던 과거에도 새로움이 강조됐다. 박지원은 "하늘과 땅은 비록 오래되었으나 끊임없이 새것을 낳고, 해와 달은 비록 오래되었으나 그 빛은 날로 새롭다"라고 했다. 이는 '옛것을 본받아 새것을 만든다'는 법고창신(法古創新)을 설명하는 말이다. 박제가는 이에 대해 "아! 소위 '법고'한다는 사람은 옛 자취에만 얽매인다는 것이 병통이고, '창신'한다는 사람은 상도에서 벗어나는 게 걱정거리다. 진실로 '법고'하면서도 변통할 줄 알고, '창신'하면서도 능히 전아하다면, 요즘 글이 바로 옛글인 것이다"라고 했다. 이 말은 옛것에 토대를 두되, 그것을 변화시킬 줄 알고 새것을 만들어 가되, 근본을 잃지 말아야 한다는 뜻이다. 우리는 과거의 전통을 잘 살피면서 새로운 시대에 맞게 창조하며 변화해야 한다.

- 『고등학교 생활과 윤리』, 『고등학교 한국사』 교과서 재구성

(나)

우리가 현대 미술가들을 어떻게 생각하든지 간에 우리는 그들이 '정확하게' 그릴 수 있는 충분한 지식을 가지고 있다고 믿어도 좋다. 설령 그들이 정확하게 그리지 않았다 하더라도, 그것은 사물을 보이는 대로 묘사하지 않고 새롭게 창조하는 것이 옳을 때도 있기 때문에 그렇게 한 것이다. <그림 1> 「암탉과 병아리들」은 현대 미술 운동의 유명한 선구자인 피카소가 그린 것이다. 암탉과 솜털이 보송보송한 병아리들을 그린 이 매력적인 그림에서 아무도 결함을 발견할 수는 없을 것이다. 반면, 그가 <그림 2> 「수탉」을 그릴 때는 단순히 닭의 모습을 재현해내는 것만으로 만족하지 않았다. 그는 수탉의 공격성, 뻔뻔스러움과 우둔함을 표현하고 싶었다. 그는 풍자화법에 의지해 수탉의 이러한 특성을 창조적으로 표현한 것이다.

<그림 1> 「암탉과 병아리들」

<그림 2> 「수탉」

- 『고등학교 고전』 교과서 재구성

(다)

"스와데시의 정신이란 우리가 가까운 주변에 모든 힘을 기울이기 위해 더욱 먼 곳은 관여하지 않는 것을 말한다. 종교를 예로 들면, 나는 우리의 고대 종교만을 믿는다. 내게 가까운 종교이기 때문이다. 비록 그 종교가 결점을 내포하고 있다 해도, 나는 결점을 고쳐 가면서라도 그 종교를 믿어야 한다. 이것은 정치 분야에서도 마찬가지이다. 경제 분야에서도 나는 가까운 이웃이 생산한 물건만을 사용해야 하며, 물건에 결함이 있다 해도 이웃의 생업이 능률적으로 이루어질 수 있도록 도와주어야 한다. 만약에 이러한 스와데시가 실천된다면 우리는 영원한 평화의 나라를 건설할 수 있을 것이다."

윗글은 20세기 초 인도의 정치인 간디의 사상이 드러난 연설문이다. '스와데시'(Swadechi)란 힌디어로 '모국'(母國)을 뜻하는 말로서, 그 정신은 인도 고유 전통의 긍정적 가치를 강조한다.

- 『고등학교 독서』, 『고등학교 세계사』 교과서 재구성

(라)

플랫폼 중심의 디지털 혁신은 완전히 새로운 고용형태를 출현시켰다. 새로운 사업방식을 기반으로 하는 창조적인 고용형태는 선택의 자율성과 독립성이라는 장점을 갖는다. 하지만 플랫폼 노동자의 착취 문제와 같은 단점을 드러내기도 한다. 최근 플랫폼 노동자는 독점적 지위를 갖는 앱과 플랫폼 기업들에 전적으로 의존하고 있다. 이러한 형태의 노동 구조는 다음과 같은 문제를 야기한다. 플랫폼 사업자가 노동자 보호를 소홀히 한다는 점이다. 예를 들어, 직영점이 아닌 가맹점의 경우 많은 물량에 비해 배달 기사의 인원이 부족하여 업무량이 늘며 과로의 문제가 생긴다. 특히, 배달 기사들이 하나라도 더 배달하기 위해 속도를 내면서, 그들의 안전도 위협받고 있다. 이러한 문제들을 해결하고자 정부는 플랫폼 노동자 종합대책을 마련하고 있으며, 배달 기사들의 산재보험과 합리적인 보험료 설정 등을 논의 중에 있다. 이와 같이 창조적 고용형태에는 많은 부정적 측면이 있으며, 그에 따른 여러 보완책이 필요하다.

- 『플랫폼 노동은 상품이 아니다』, 『고등학교 경제』 교과서 재구성

(마)

노라 : 글쎄요, 톨발. 뭐라고 대답할 수가 없군요. 저는 전혀 모르겠어요. 모든 일에 대해서 판단이 서지를 않는군요. 제가 지금 알고 있는 것이란 모든 일에 대하여 저는 당신과는 아주 다른 생각을 하고 있다는 것, 그리고 법이란 제가 여태껏 생각했던 것과는 아주 다르다는 것, 그리고 법이 옳다는 것은 아무래도 납득이 되지 않는다는 것만은 확실합니다. 여자에게는 돌아가시게 된 친정아버지에게 걱정을 끼쳐 드리지 않을 수 있는 권리가 없다는 것, 자기 남편의 목숨을 구할 권리가 없다니 말입니다. <중략>

톨발 헬멜 : 당신은 어린애와 같은 소리를 하고 있소. 자기가 살고 있는 세계가 어떤

것인지 이해를 하고 있지 않은 거요.

노라 : 그래요, 저는 모르겠어요. 그러니까 그것 역시 이제부터 배우겠어요. 이 사회가 옳은지 제가 옳은 생각을 한 것인지 반드시 알아내고 말겠어요.

헨리크 입센의 『인형의 집』은 1879년 발표된 희곡이다. 이 작품이 발표된 시대를 사상의 대전환기라고 부르기도 하는데, 이 작품은 당시 전통 사회의 통념과 가치관의 부정적 측면을 비판하고 있다.

- 『고등학교 문학』 교과서 재구성

(바)

송강 정철의 '관동별곡'과 전후(前後) '사미인곡'은 곧 우리나라의 이소*다. 하지만 그것을 한자로 베껴 낼 수 없기 때문에 오로지 악인(樂人)들이 입에서 입으로 주고받고, 혹은 한글로 써서 전할 따름이다. 어떤 사람이 칠언시로 '관동별곡'을 번역했으나 멋지게 번역할 수가 없었다. <중략> 구마라집이 말하기를, "인도의 풍속에서는 문학을 최고로 숭상하여 찬불사는 극도로 화려하고 아름답다. 이제 이것을 중국어로 번역하지만 그 의미만 전달할 수 있을 뿐, 그 가사는 옮길 수가 없다"라고 했다. 이치상 정녕 그럴 수밖에 없다.

사람의 마음이 입으로 나온 것이 말이다. 말에 리듬이 있는 것이 가(歌)·시(詩)·문(文)·부(賦)이다. 사방의 말이 비록 다르다 하더라도 정말 말을 잘하는 사람이 각각 자기 나라 말에 따라 가락을 맞춘다면, 그것들은 모두 천지를 감동시키고 귀신을 통할 수 있는 것이니, 비단 중국만 그런 것은 아닐것이다. 지금 우리나라의 시문은 자기 말을 버려두고 다른 나라의 말을 배워서 표현하므로, 설령 아주 비슷하다 하더라도 이는 단지 앵무새가 사람의 말을 하는 것에 불과하다.

김만중의 『서포만필(西浦漫筆)』은 숙종 대의 평론집이다. '서포'는 김만중의 호이고, '만필'은 일정한 주의나 체계 없이 생각나는 대로 비평한 글이라는 뜻이다. 김만중은 정철(1536-1593)이 우리말에 대한 이해도가 매우 높았고, 그러한 이해력을 바탕으로 우리말의 맛을 잘 살려 창조적으로 글을 썼다는 점을 긍정적으로 높이 평가한다.

* 이소 : 초나라의 굴원이 지은 시로, 한자 문화권에서 시인의 개성을 응집한 가장 최초의 시편으로 꼽힌다.

- 『고등학교 고전』, 『고등학교 국어』 교과서 재구성

[문제 1] (가)의 두 핵심어를 기준으로 (나)~(바)를 서로 다른 두 입장으로 분류하고 각 제시문을 요약하시오. (400자 내외, 210점)

[문제 2] 아래 <보기>의 주요 논지를 간단히 쓰고, 이를 근거로 (라)의 의견을 비판적으로 평가하시오. (500자 내외, 210점)

<보기>

Predicting how inventions and technological innovations will be used and how they will eventually influence society is often very difficult. The history of technology is full of cases of inventors and innovators who had no idea of how their inventions and innovations would ultimately be used or of the far-reaching effects that they would have on society. These cases demonstrate that every new technology has not only known and expected positive effects but also unknown and unforeseen positive effects. Powerful new technologies alter the social context in which they arise; they change the structure of our interests and values; they change the ways in which we think and work, and they may even change the nature of the communities in which we live. These cases of societal transformation testify to the importance of technological creation. – 『EBS 수능특강 영어독해연습』 재구성

[문제 3] [문제 1]에서의 가장 적절한 핵심어를 사용하여 (나)에서 제시된 <그림 2>가 좋은 작품이라고 평가 받는 이유를 (바)를 근거로 적용·추론하시오. (600자 내외, 280점)

답안 작성시 주의! 2023학년도부터 글자수 제한 변경!
문제 2번 500자에서 450자, 문제 3번 600자에서 550자

지원학부(과)

수 험 번 호				

주민등록번호 앞6자리(예:040812)					

성 명

1번

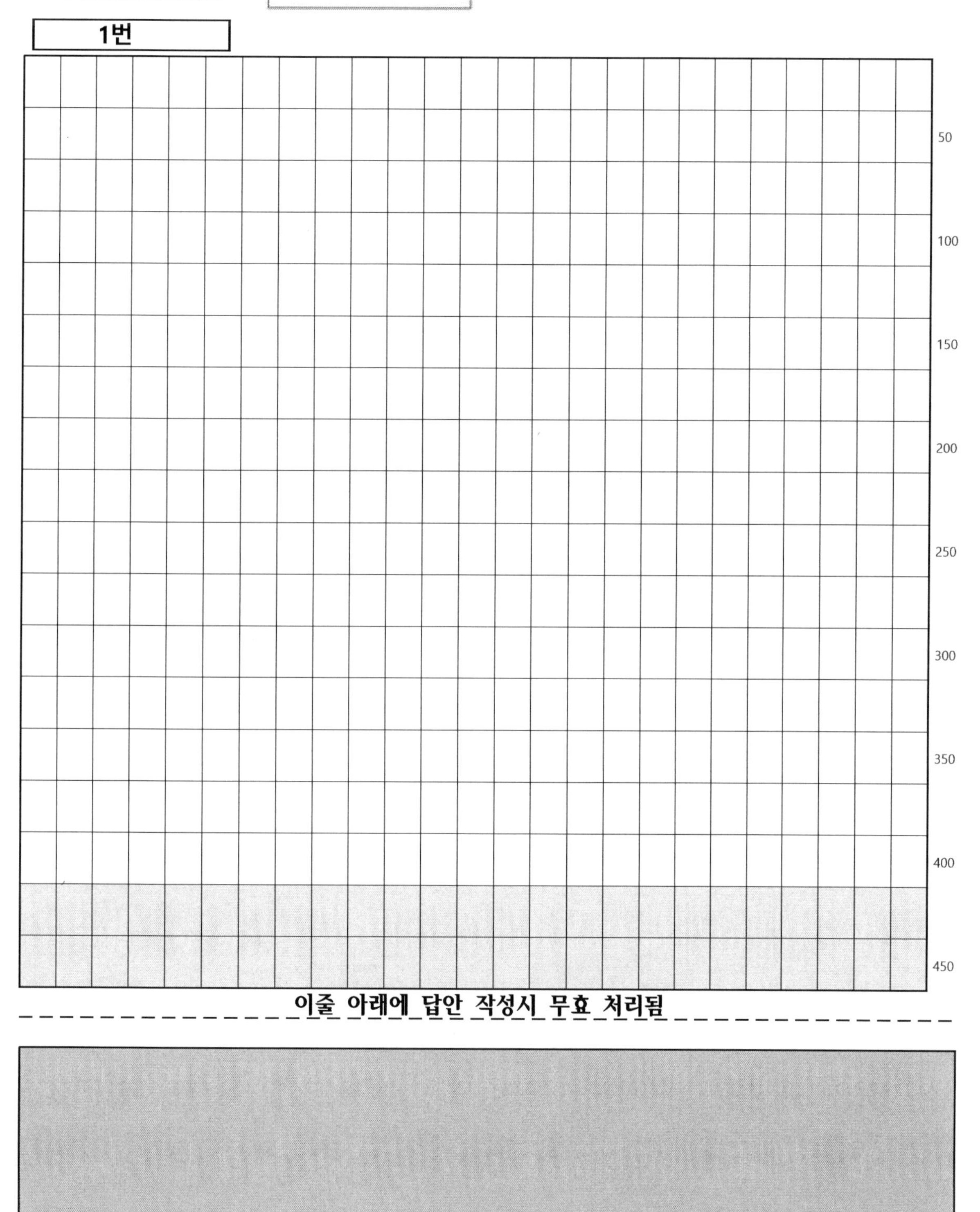

이줄 아래에 답안 작성시 무효 처리됨

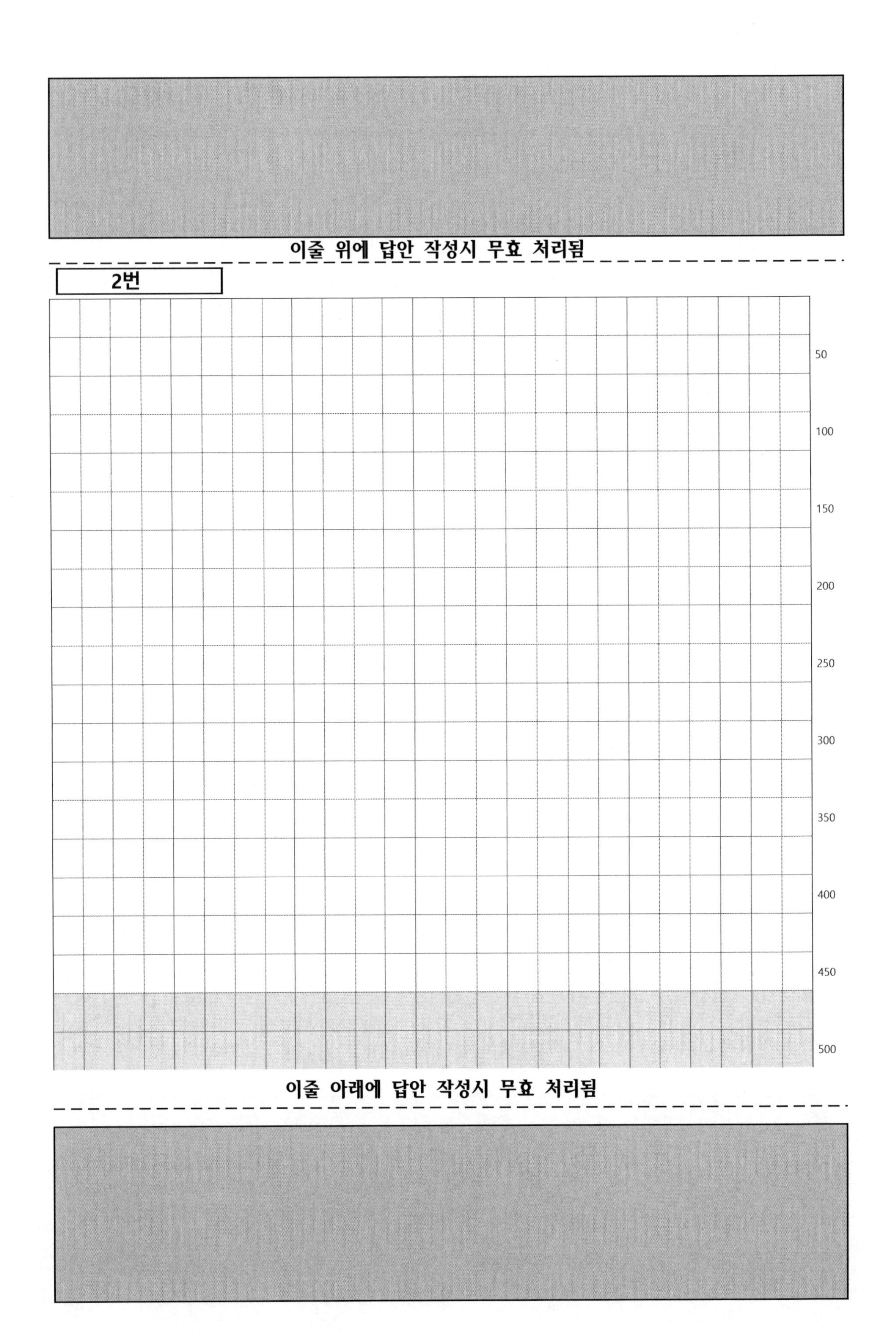
이줄 위에 답안 작성시 무효 처리됨
2번
50
100
150
200
250
300
350
400
450
500
이줄 아래에 답안 작성시 무효 처리됨

이줄 위에 답안 작성시 무효 처리됨

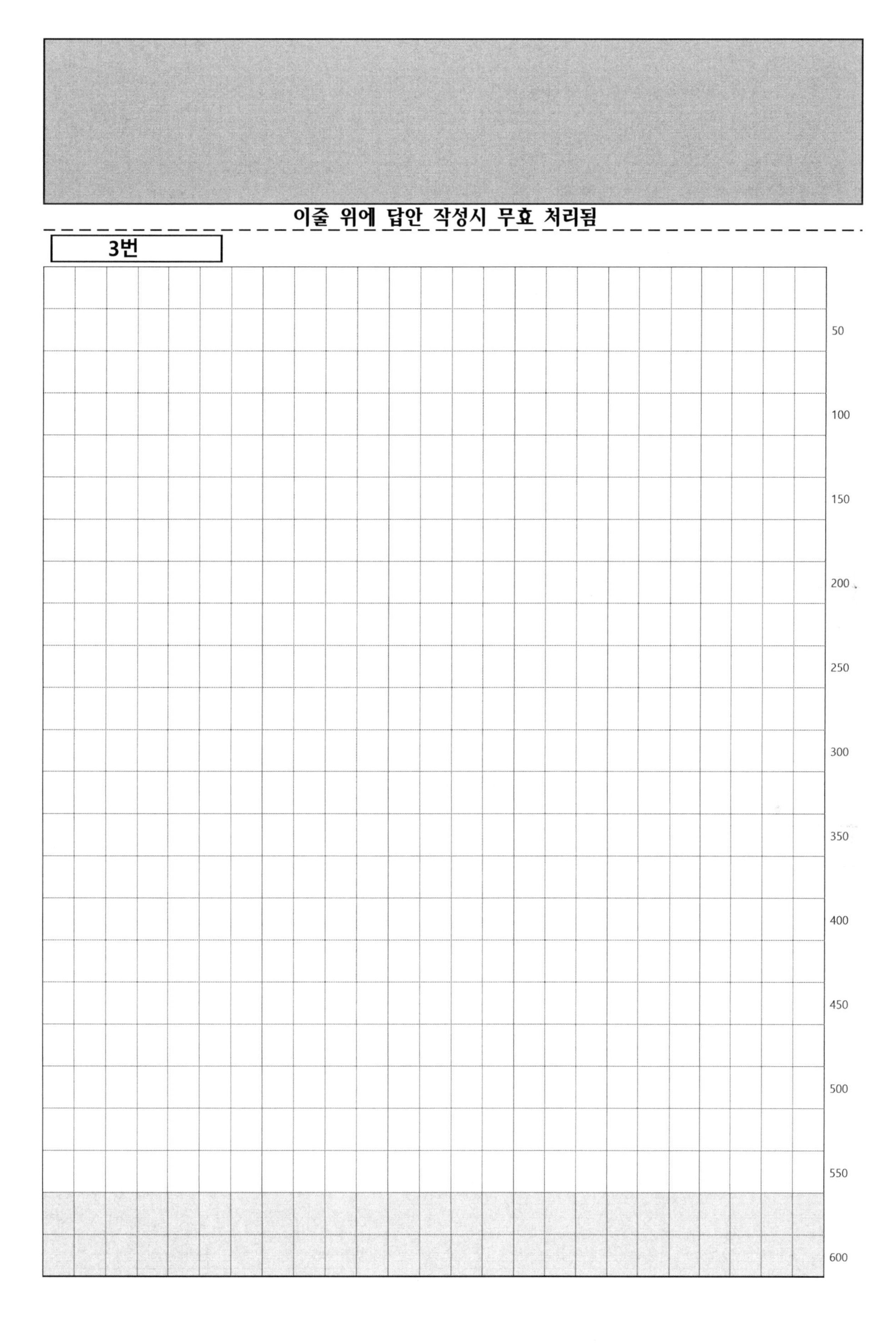

21. 2020학년도 한국외대 수시 논술 [토요일 사회계 T1]

※ 다음 글을 읽고 물음에 답하시오.

(가)

뉴미디어 아트는 뉴미디어라고 불리는 새로운 매체들을 미술과 결합시킨 예술의 융복합적 형태다. 다양한 뉴미디어 기술의 발전에 따라 기존 예술을 확장시킨 디지털아트, 컴퓨터 애니메이션, 비디오 게임, 사이보그아트 등이 그 예이다. 뉴미디어 아트는 예술의 미적 개념을 변화시키고 있을 뿐 아니라 다양한 뉴미디어를 활용하여 시너지 효과를 낸다는 점에서 기존의 미술과 구별된다. 최근 암스테르담 패션 위크에 등장한 '홀로그램 아트 패션쇼'가 바로 융복합적 협업을 통해 생겨난 시너지를 잘 보여주는 경우다. 다양한 분야의 전문인들이 '패션과 기술의 예술적 만남'이라는 공통의 목표를 위해 힘을 합쳤고, 혁신적인 상상력과 팀워크의 결과로 새로운 영역이 구축되었기 때문이다. 디자이너, 가상현실 엔지니어, 3D 미술가, 일렉트로닉 팝 음악가, 런웨이 안무가, 건축가, 디지털기상시스템 전문가, 인문학자가 참여한 이 패션쇼는 뉴미디어 아트의 융복합 시도가 공통의 목표와 팀워크라는 두 가지 조건이 충족됐을 때 더욱 큰 시너지를 낸다는 점을 보여준다.

-『 고등학교 미술문화』 교과서 재구성

(나)

추신수, 이승엽, 이대호. 이들의 공통점은 무엇일까? 바로 투수와 타자를 모두 하다가 타격에만 집중하여 성공한 야구 선수들이라는 점이다. 투수와 타자를 모두 잘하는 것은 쉽지 않다. 우선 투수와 타자는 사용하는 근육이 다르다. 투수는 유연성을 유지하기 위해 잔 근육을 단련하는 것이 중요한데 타자는 순간적으로 폭발적인 파워를 발휘해야 하기 때문에 큰 근육을 중심으로 단련해야 한다. 근육의 사용 방법 역시 이질적이다. 투수는 강한 어깨를 바탕으로 수직적 회전이 필요한데, 타자는 어깨와 팔과 허리의 수평적 회전이 매우 중요하다. 투수가 타격에도 참여하는 경우 공을 때릴 때 손목과 손가락에 전해지는 강력한 통증이 투수로서의 생명을 크게 단축시키기도 한다. 이러한 이유로 현대 야구에서 타자와 투수를 겸업하는 경우는 거의 없다. 심지어 투수의 경우에도 선발과 중간 계투, 마무리 등으로 세분화되어 있다. 자신의 임무에 최적화되도록 능력을 전문화하는 것이 유리하기 때문이다.

-『 고등학교 경제』 교과서 재구성

(다)

학문 영역을 넘나드는 연구가 혁신적인 성과를 낳는다는 인식이 강조되고 있다. 이는 학문의 융복합화를 통해 미래형 인재 육성이 필요하다는 시대적 담론으로 이어지고 있다. 학교 교육을 전공과목 중심의 교육에서 융복합 교육으로 변화시켜야 한다는 것이다. 이에 부응하여 학교 교육에서도 간학문적 교육과정이 강화되고 있다. 융복합 교육은 반드시 필요하다. 그러나 충실한 융복합 교육이 되기 위해서 유의해야 할 점이 있다. 융복합이 과도하게 강조되면 그 전제가 되는 기초 전공과목을 소홀히 하게 될 수 있다. 예를 들어, 공학 전공의 학생이 공학 지식이 부족한 상태에서 기술경영

과목을 수강하는 경우, 그 과목의 학업성취도가 낮아질 뿐 아니라 전공과목을 위한 시간이 부족해져 전공지식 습득을 소홀히 하게 된다. 이렇게 되면 효과적인 융복합 교육이 어려워지면서 혁신적인 문제해결 역량을 기를 수 없게 된다. 융복합 교육은 거스를 수 없는 추세이다. 미래형 인재 육성을 위해 융복합 교육을 강화하되 이러한 문제점을 고려해야 한다.

-『 고등학교 사회문화』 교과서 재구성

(라)

리카도는 어떤 나라가 다른 나라에 비해 두 제품 모두 더 낮은 비용을 들여 생산할 수 있다 하더라도 상대적으로 더 유리한 제품을 생산하여 무역을 하면 이익이 된다는 비교 우위론을 제시하였다. 예를 들어 축구도 잘하고 사진도 잘 찍는 학생이 있는데, 상대적으로 축구를 하는 것보다 사진을 더 잘 찍는다면 사진찍는 일에 집중하는 것이 유리하다. 이때 이 학생은 사진 촬영에 비교 우위를 갖는다. 따라서 사진 촬영에 특화하여 전문화하는 것이 이 학생에게는 이득이 된다.

-『 고등학교 경제』 교과서 재구성

(마)

전자봉건주의(electro-feudalism)라는 표현이 있다. 중세시대에 봉건영주들이 서로 분리된 독점적인 봉건영토를 소유하였듯이, 인터넷 기술이 발전한 정보화 시대에 사람들이 자신의 관심 영역에 매몰되면서 다른 분야와의 관련성이나 통합 지식을 잃어버리는 현상을 의미한다. 우리는 쏟아지는 엄청난 정보의 홍수 속에서 전문화된 자기 관심 분야의 최근 동향을 쫓아가기에 급급하다. 인터넷 덕분에 보다 많은 정보에 쉽게 접근하면서 자기 분야에 대한 전문성을 강화할 수 있지만 자칫 사회 현상의 통합적인 관련성을 파악하지 못하면서 자신의 관점과 전문 분야만이 옳고 중요하다고 생각하게 된다. 이로 인해 어느 분야에서 사회적 문제가 발생하게 되면 다른 분야의 사람들은 이를 이해하기 어렵다. 그 결과 문제가 발생하게 된 원인이나 해결책과 관련된, 충돌하는 주장 중에서 어느 것이 옳은지 판단할 능력이 부족해진다. 우리는 협소하지 않은 전문화를 추구해야 한다.

(바)

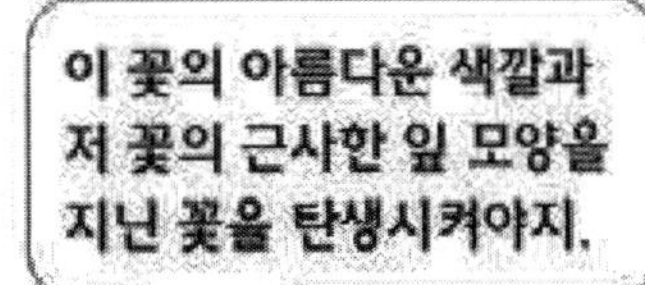

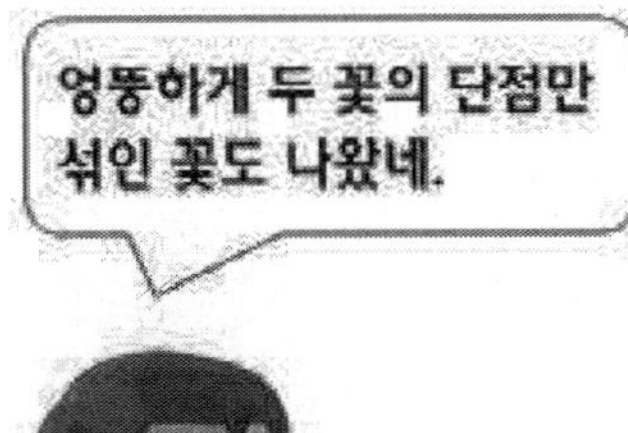

-『 고등학교 경제』 교과서

(사)

전문화된 개별 학문들에 바탕을 둔 융복합적 접근은 인공지능의 발전에 결정적인 영향을 미치고 있다. 1956년 다트머스 회의 이후 '기호주의의 인공지능'이라는 방법론이 발전하게 된다. 이 방법론에는 철학, 수학, 논리학 등 여러 학문 분야가 도입돼 탐색, 추론 및 문제해결에 필요한 형식논리와 기호체계를 확립시켰다. 인공지능 방법론은 혁신을 거듭하여 현재에는 인간이 프로그램을 코딩하는 대신, 대략적인 얼개만 잡아 두면 기계가 데이터를 통해 프로그램을 완성하는 머신러닝으로 발전하였다. 머신러닝은 신경과학의 발전과 더불어 인간의 신경세포 작동에 관한 전문적인 연구가 활성화되면서 이를 모방한 인공신경망의 탄생과 함께 시작되었다. 최근에는 인공지능의 편향된 의사결정이 문제가 되고 있다. 예를 들어 인공지능이 결정한 미인 선발대회의 우승자들은 대부분 백인이었다. 이러한 편향성을 해결하기 위해 또 다른 학문인 윤리학이 참여하여 통합적인 문제해결을 추구하고 있다. 인공지능 연구자들은 전문성에 기반을 둔 학문 간의 융복합을 통해서 혁신이 가속화된다고 말한다.

- 임영익,「 인공지능과 딥러닝」재구성

[문제 1]

(가)~(바)는 성과를 내기 위한 두 가지 접근 방법에 관한 것이다. (가)~(바)를 두 유형으로 분류하고 요약하시오. (400자 내외, 210점)

[문제 2]

(사)를 바탕으로 (다)와 (마)에 제시된 문제점을 논하시오. (500자 내외, 210점)

[문제 3]

어떤 기업에서 신입사원을 세 팀으로 나누어 팀 프로젝트를 실시했다. 경영진은 A~C팀 프로젝트 참여자의 전공 분야 다양성과 수익의 관계에 관해 아래 <그림>의 결과를 얻었다. <그림>을 해석하고, A, C팀에 비해 B팀이 가장 높은 수익을 낸 이유를 (가)와 [문제 1]에 제시된 두 가지 접근 방법을 고려하여 추론하시오. (600자 내외, 280점)

<그림> 팀 프로젝트 참여자의 전공 다양성과 수익

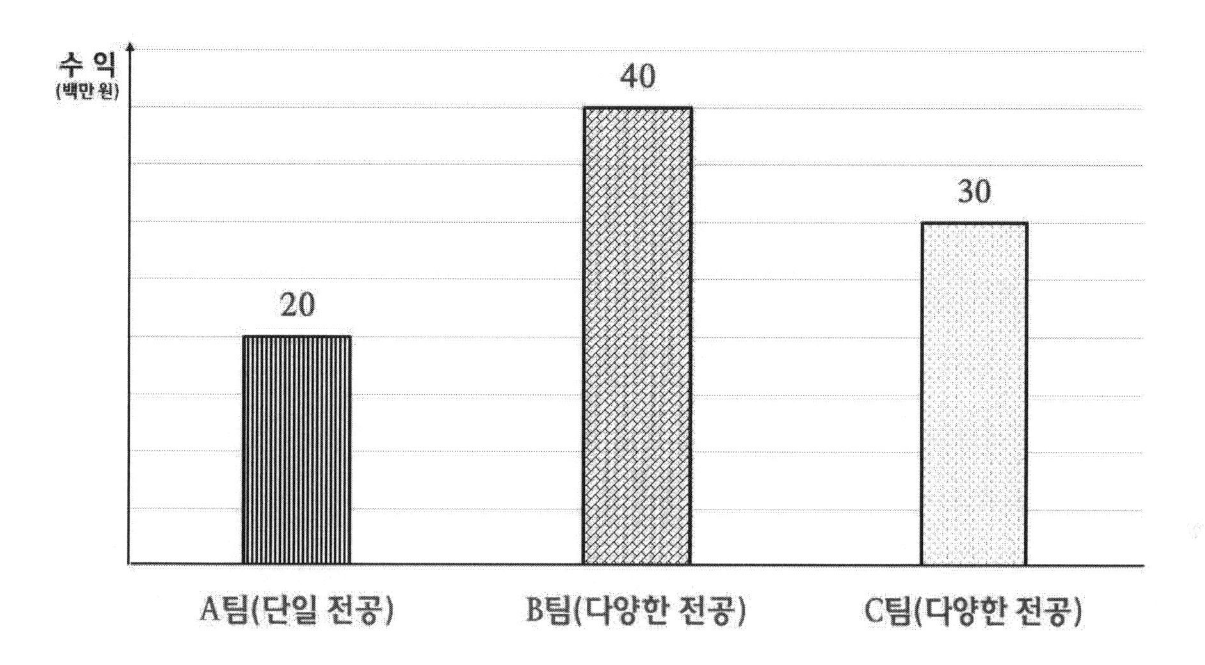

답안 작성시 주의! 2023학년도부터 글자수 제한 변경!
문제 2번 500자에서 450자, 문제 3번 600자에서 550자

지원학부(과)

수험번호

주민등록번호 앞6자리(예: 040512)

성명

1번

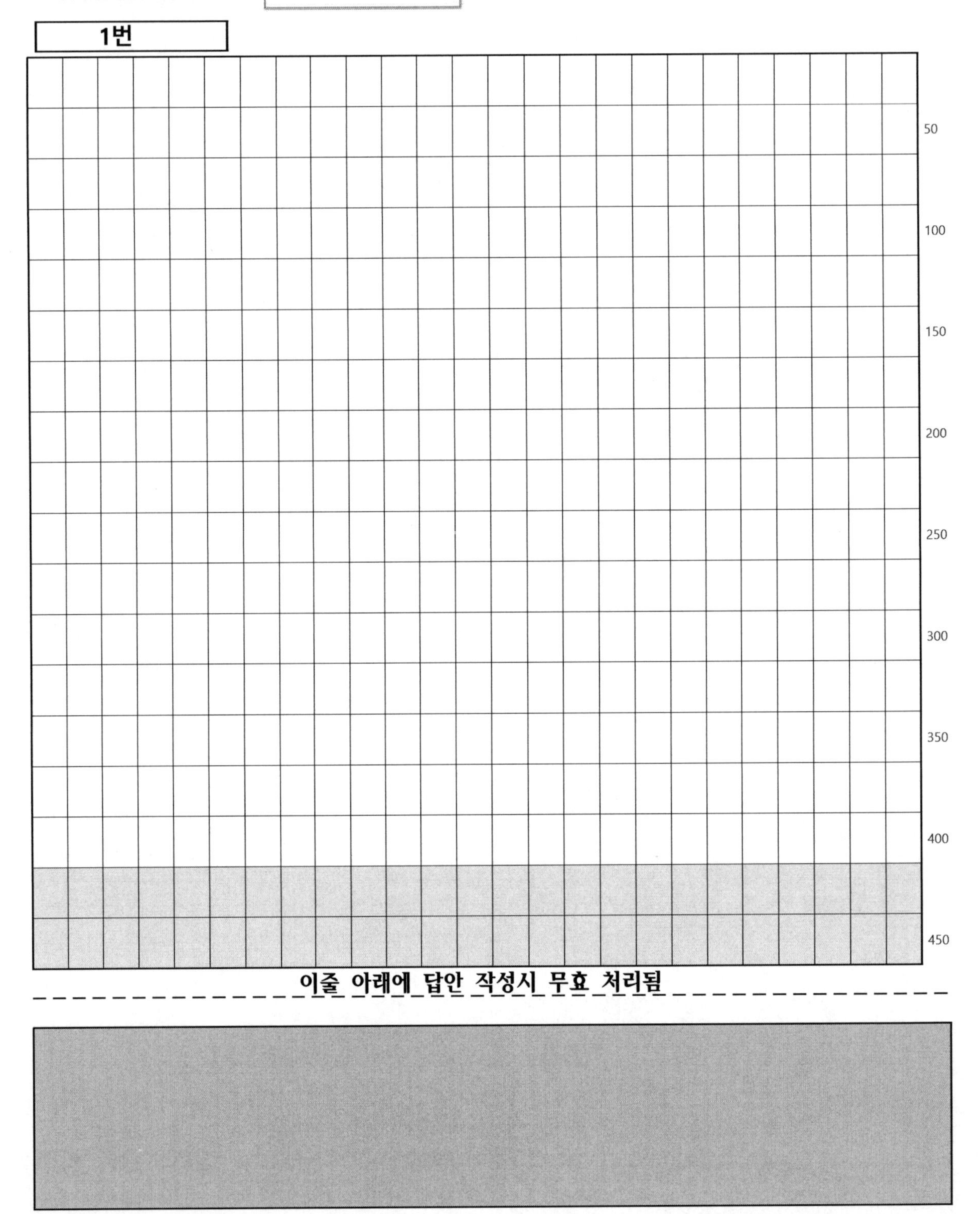

이줄 아래에 답안 작성시 무효 처리됨

이줄 위에 답안 작성시 무효 처리됨

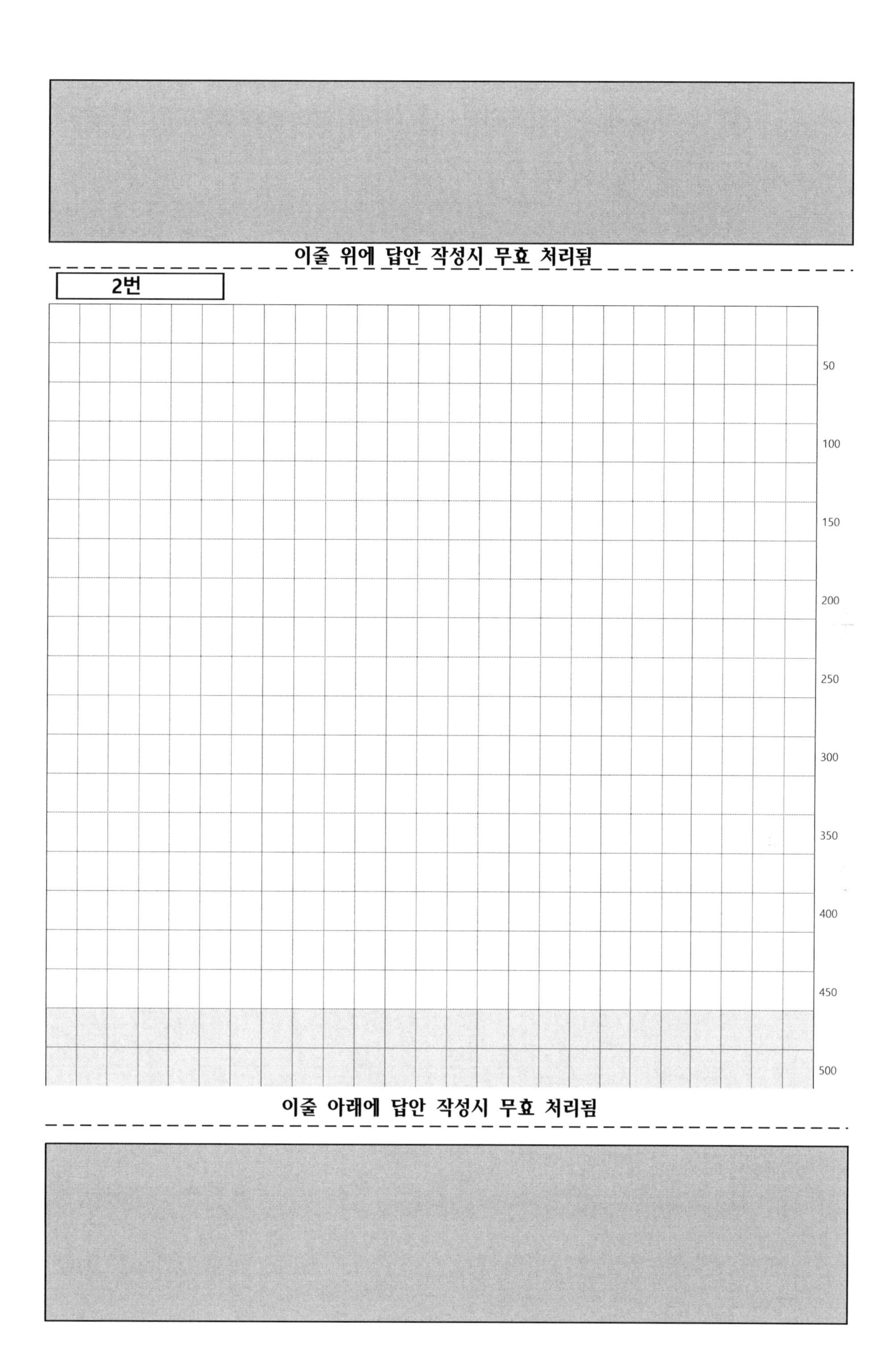

이줄 아래에 답안 작성시 무효 처리됨

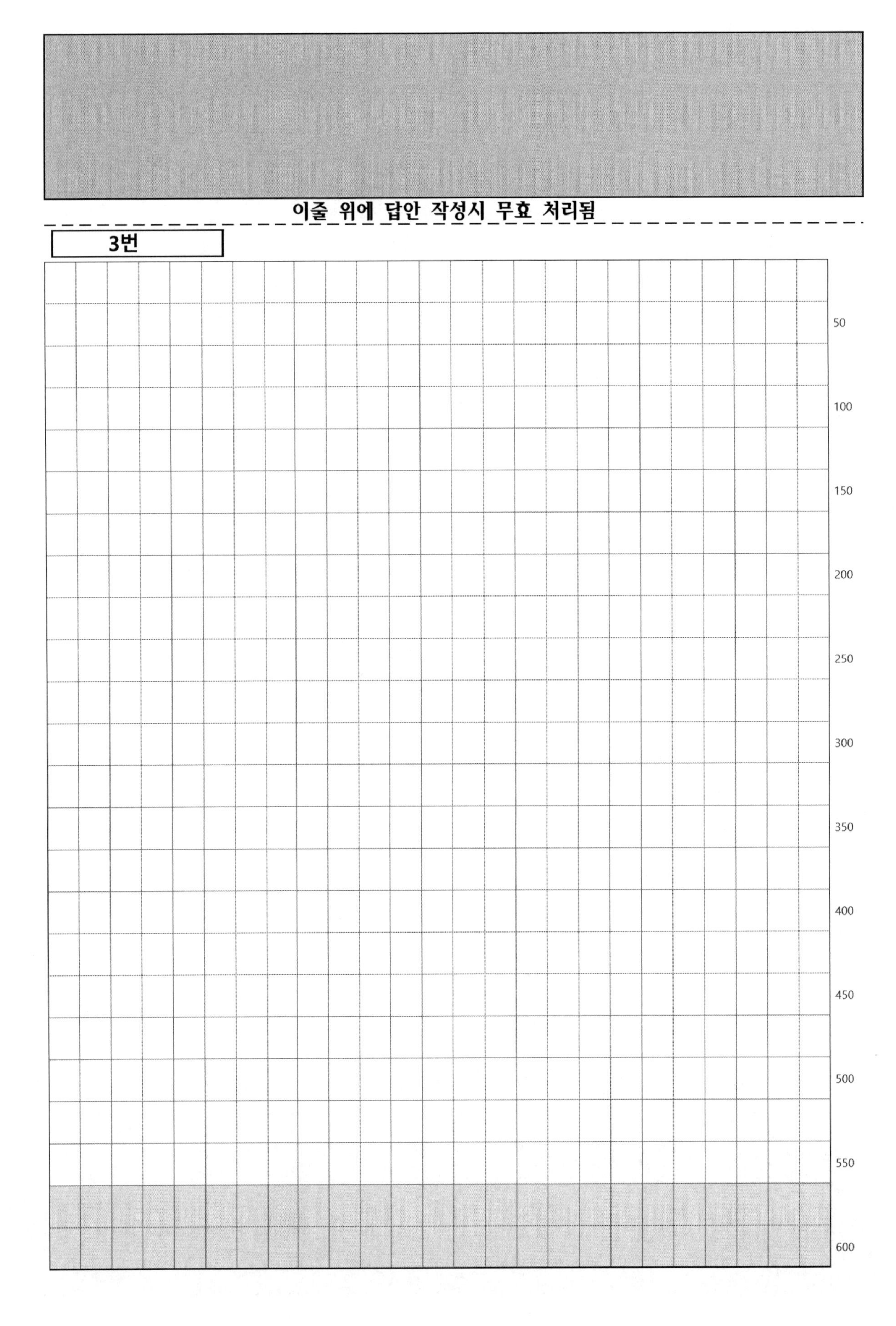
이줄 위에 답안 작성시 무효 처리됨
3번
50
100
150
200
250
300
350
400
450
500
550
600

22. 2020학년도 한국외대 수시 논술 [토요일 사회계 T2]

※ 다음 글을 읽고 물음에 답하시오.

(가)

(나)

"어이가 없네?"라는 유행어를 낳은 영화 <베테랑>은 '갑질'에 대한 우리 사회의 관심과 분노를 확인시켜 주었다. '라면 상무 사건', '땅콩 회항 사건' 등 현실에도 비일비재한 갑질 현상과 관련해 주목할 만한 사실은 당사자들이 자신들의 행동이 정당하다고 여겼다는 점이다. 즉, 그들은 아무 죄책감 없이 매우 일상적이고 자연스럽게 타인을 모욕하고 공격하였으며, 공동체적 인간에게 기대되는 행동 양식을 거의 따르지 않았다. 심리학에서는 이러한 행동 양상을 '자기애성 성격장애'로 설명한다. 이러한 성격장애를 가진 사람은 왜곡된 자기애 때문에 스스로의 성취와 능력을 과장하며, 타인으로부터 특별한 취급을 받아야 한다고 생각한다. 더욱 우려스러운 것은, 이러한 유형의 인물은 타인에 대한 공감 능력이 없어 타인을 이해하고 배려하려는 마음을 가지지 못할뿐더러 자신의 목적을 달성하기 위해 타인을 서슴없이 착취하기도 한다. 따라서 자기애성 성격장애자는 더불어 사는 삶을 영위하기 어렵다.

- 이세라,「"너무" 특별한 사람들」 재구성

(다)

HUFS신문

2019년 11월 23일 (토)
기획 01면

오늘의 단상

이타적인 삶? 왠지 슬픈 밤

가족을 위해 헌신했던 기러기 아빠가 고시원에서 죽은 채 발견되었다. 연락을 받고 도착한 유족은 가족의 더 나은 삶을 위해 기꺼이 자신을 희생했던 고인을 보고 오열했다. 평소 그를 잘 알던 이웃주민은 "가족만 알고 자신은 돌보지 못했던, 한없이 이타적이었던 그의 삶을 떠올려 보면 착잡한 마음이 든다"라고 말했다. '우리 동네 구자명 씨'라는 시가 떠오른다. 구자명 씨처럼 가족의 안식을 받쳐 들고 스스로를 헌신했던 한 존재. 그가 사랑하는 가족을 떠난 슬픈 밤이다.

김동연 기자

우리 동네 구자명 씨

고정희

맞벌이 부부 우리 동네 구자명 씨
일곱 달 아기 엄마 구자명 씨는
출근 버스에 오르기가 무섭게
아침 햇살 속에서 졸기 시작한다
경기도 안산에서 서울 여의도까지
경적 소리에도 아랑곳없이
옆으로 앞으로 꾸벅꾸벅 존다
차창 밖으론 사계절이 흐르고
진달래 피고 밤꽃 흐드러져도 꼭
부처님처럼 졸고 있는 구자명 씨,
그래 저 십 분은
간밤 아기에게 젖 물린 시간이고
또 저 십 분은
간밤 시어머니 약시중 든 시간이고
그래그래 저 십 분은
새벽녘 만취해서 돌아온 남편을
위하여 버린 시간일 거야
고단한 하루의 시작과 끝에서
잠 속에 흔들리는 팬지꽃 아픔
식탁에 놓인 안개꽃 멍에
그러나 부엌문이 여닫기는 지붕마다
여자가 받쳐 든 한 식구의 안식이
아무도 모르게
죽음의 잠을 향하여
거부의 화살을 당기고 있다

-『고등학교 문학』교과서 및 언론 보도 재구성

(라)

기업의 지나친 자기애는 사회 구성원에게 부정적인 영향을 미치기도 한다. 영화 <에린 브로코비치>에서 이러한 면모를 찾아볼 수 있다. 이 영화는 우리나라에 징벌적 손해배상제도가 도입되는 과정에서 자주 등장했던 유명한 실제 사건을 다루고 있다. 법률 사무소에 근무하는 브로코비치는 캘리포니아에 있는 P회사의 서류를 정리하다가 주민들의 의료 기록이 회사의 부동산 매입 서류와 함께 있는 것을 이상하게 여겨 조사에 나선다. 주민들을 인터뷰한 결과 P사는 주민들의 의료비를 대고 있었고, 주민들은 P사가 선의로 자신들을 돕는다고 생각하고 고마워하고 있었다. 하지만 이를 석연치 않게 여긴 브로코비치가 조사를 벌인 끝에 P사가 지하수를 오염시킨 증거가 발견된다. 이 회사가 부식 방지제로 쓰던 유해 물질이 주민이 앓는 질병의 원인이 되고 있었던 것이다. 이 유해 물질 때문에 만성 두통과 잦은 코피를 시작으로 호흡기와 간 질환이 유발되었고, 뼈가 물러지고 불임과 심장마비가 일어났다는 것이 밝혀졌다. 브로코비치는 주민을 한 사람씩 설득한 끝에 원고 634명을 모아 집단소송을 시작한다. 그리고 4년 후인 1996년 P사로부터 합의금으로 3억 3,300만 달러(약 3,717억 원)를 받아낸다. 이 사례는 자기애에 매몰되어 비윤리적으로 이윤만을 추구하는 기업의 사회적 폐해를 잘 보여주고 있다.

- 언론 보도 재구성

(마)

사회에 기여하는 기업의 역할을 '기업의 사회적 책임'이라고 한다. 기업의 사회적 책임은 전 세계적으로 강조되는 추세이며 그 의미와 범위도 넓어지고 있다. 기업의 사회적 책임이 단순히 사회에서 필요로 하는 재화와 용역을 생산하고 수익을 창출하는 회사 내 투자의 좁은 의미를 넘어 환경보호, 소비자 권익, 사회공헌 활동 등으로 확장되고 있다. 이러한 사회적 책임은 종래의 이윤 추구만이 아닌 자발적으로 사회발전을 위해 공헌하는 기업의 이타적인 행동으로 이어진다. 그리고 소비자들은 이러한 기업에 대해서 높은 신뢰를 보낸다.

대표적인 예로 신발회사 H사를 들 수 있다. 창립자는 아르헨티나를 여행하던 중 신게 된 민속 신발의 편안한 착용감과 매력에서 영감을 받아 신발을 만들었다. 한 켤레의 신발이 팔릴 때마다 한 켤레를 가난과 질병에 고통받는 맨발의 어린이들에게 되돌려주고자 결심했다. 현재 이 신발은 전 세계에서 유행하고 있으며, 우리나라에서도 선풍적인 인기를 끌고 있다. 이러한 사례는 기업이 이타심에 기반한 사회적 책임을 통해 어떻게 수익을 창출할 수 있는지 보여준다. 기업이 사회와 공존하는 사업 모델을 구현할 때 기업의 좋은 이미지에 대한 소비자의 신뢰가 축적되면서 기업의 장기적인 성장기반이 마련되는 것이다. 현대 기업경영에서 지속가능성을 중요하게 여기는 이유이기도 하다.

-『고등학교 경제』 교과서 재구성

(바)

자신을 향한 사랑과 타인을 향한 사랑이 양립할 수 없다는 믿음은 은연중에 퍼져있는 상투적인 믿음 중 하나이다. 그러나 '자기준거적 이타심'을 설파하는 학자들에 따르면, 자기애를 가졌을 때에만 타인에 대한 진정한 배려가 생겨나고 이타적 행동 역시 가능해진다고 한다. 이타심이란 단어를 들었을 때 제일 먼저 연상되는 것 중 하나가 자기희생인데, 이타심이 자기희생을 전제로 한다는 통념 역시 그릇된 것이다. 사심 없이 이타적이기만 한 개인은 존재할 수 없기 때문이다. 자기의 기본적인 필요를 잘 돌보지 못하면 자신을 잃어버리게 되어 이타심을 가질 수도 없다. 대신 우리가 추구해야 할 윤리적 삶은 자기애를 지녔으면서도 자기만을 생각하지 않는 자아로부터 출발해야 한다.

자기애를 지니는 것이 우리 사회에서 왜 중요한가. 자기애를 가진 사람은 자신을 객관적으로 보며 있는 그대로의 자신을 받아들인다. 자신의 실수로부터 배우고, 있는 그대로의 자신을 받아들이는 과정에서 성장하며 자신을 더욱 소중하게 여기게 된다. 그리고 진정한 자기애를 지닌 사람은 자신이 소중한 만큼 타인도 소중하다고 생각한다. 이러한 공감 능력이 요새 우리 사회에서 많이 사라져 가고 있어 심각한 문제가 되고 있다. 타인의 아픔에 공감하기보다 혐오의 언어로 분노를 표출하는 경우가 늘어나고 있다. 공감 능력을 회복하기 위해서는 배려와 존중이 필수적인데 이는 자기애를 가진 사람만이 획득할 수 있는 자질이다. 이러한 의미에서 이타심은 확장된 자기애라고도 정의할 수 있다.

- Li Jing,『Self-Love and Morality : Beyond Egoism and Altruism』 재구성

[문제 1]
(가) ~ (마)는 상이한 두 가지의 심리에 관한 글이다. (가) ~ (마)를 두 유형으로 분류하고 요약하시오. (400자 내외, 210점)

[문제 2]
(바)를 바탕으로 (나)와 (다)에 나타난 문제점을 논하시오. (500자 내외, 210점)

[문제 3]
아래 <그림>은 시간에 따른 A회사의 수익 변화를 보여주고 있다. <그림>을 해석한 후, (마)를 근거로 a와 b의 수익 변화가 다르게 나타나는 이유를 추론하시오. (600자 내외, 280점)

<그림> A회사의 시간에 따른 수익 변화

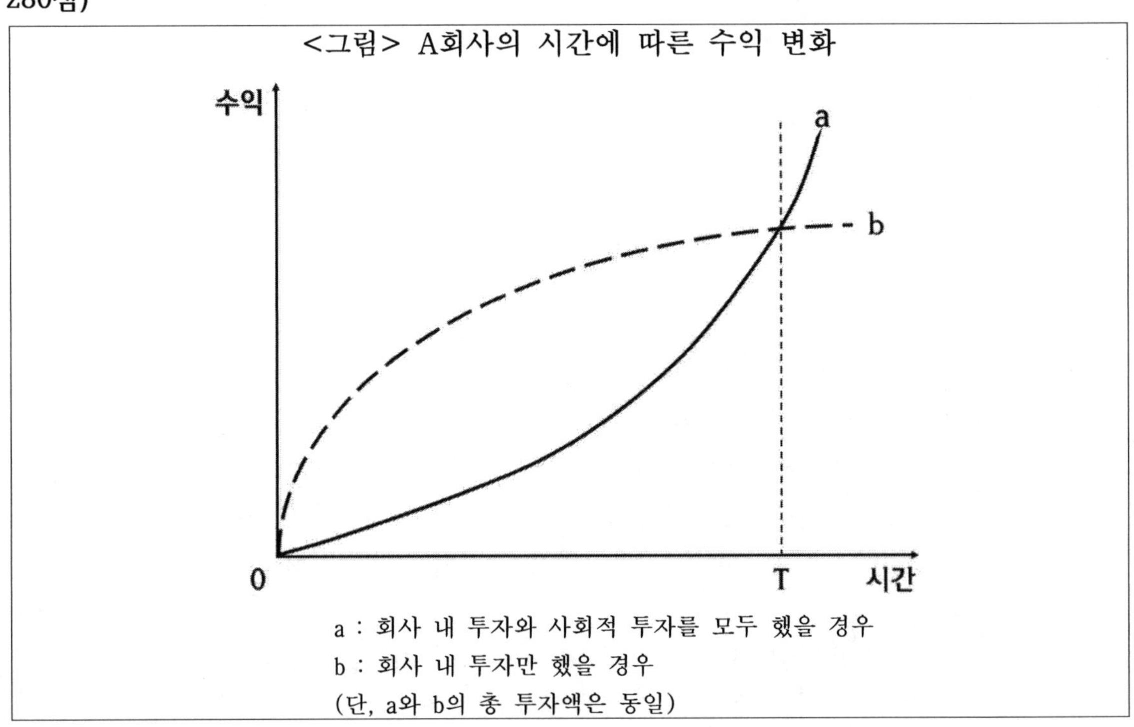

답안 작성시 주의! 2023학년도부터 글자수 제한 변경!
문제 2번 500자에서 450자, 문제 3번 600자에서 550자

지원학부(과)	수험번호	주민등록번호 앞6자리(예:040812)

성명

1번

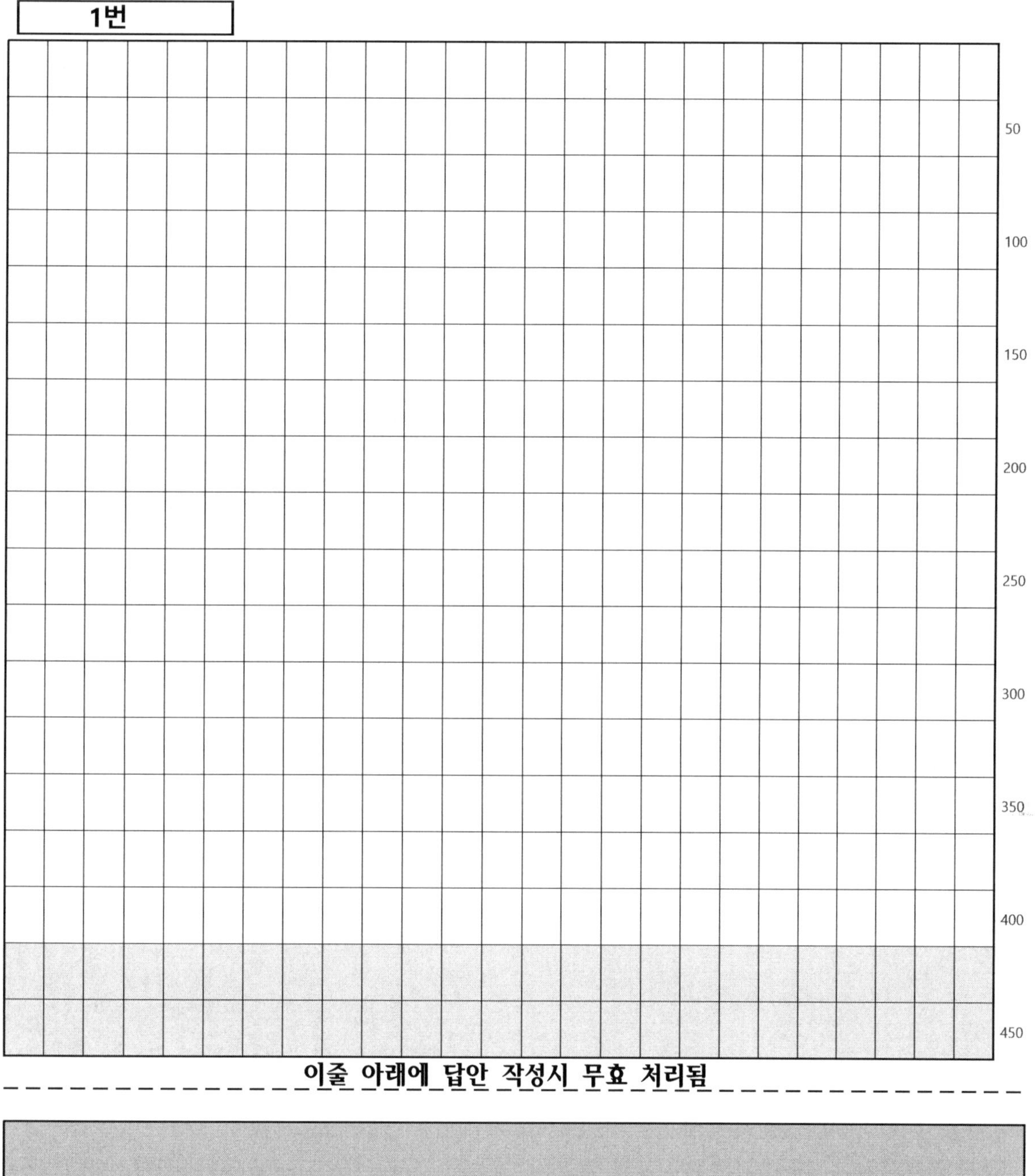

이줄 아래에 답안 작성시 무효 처리됨

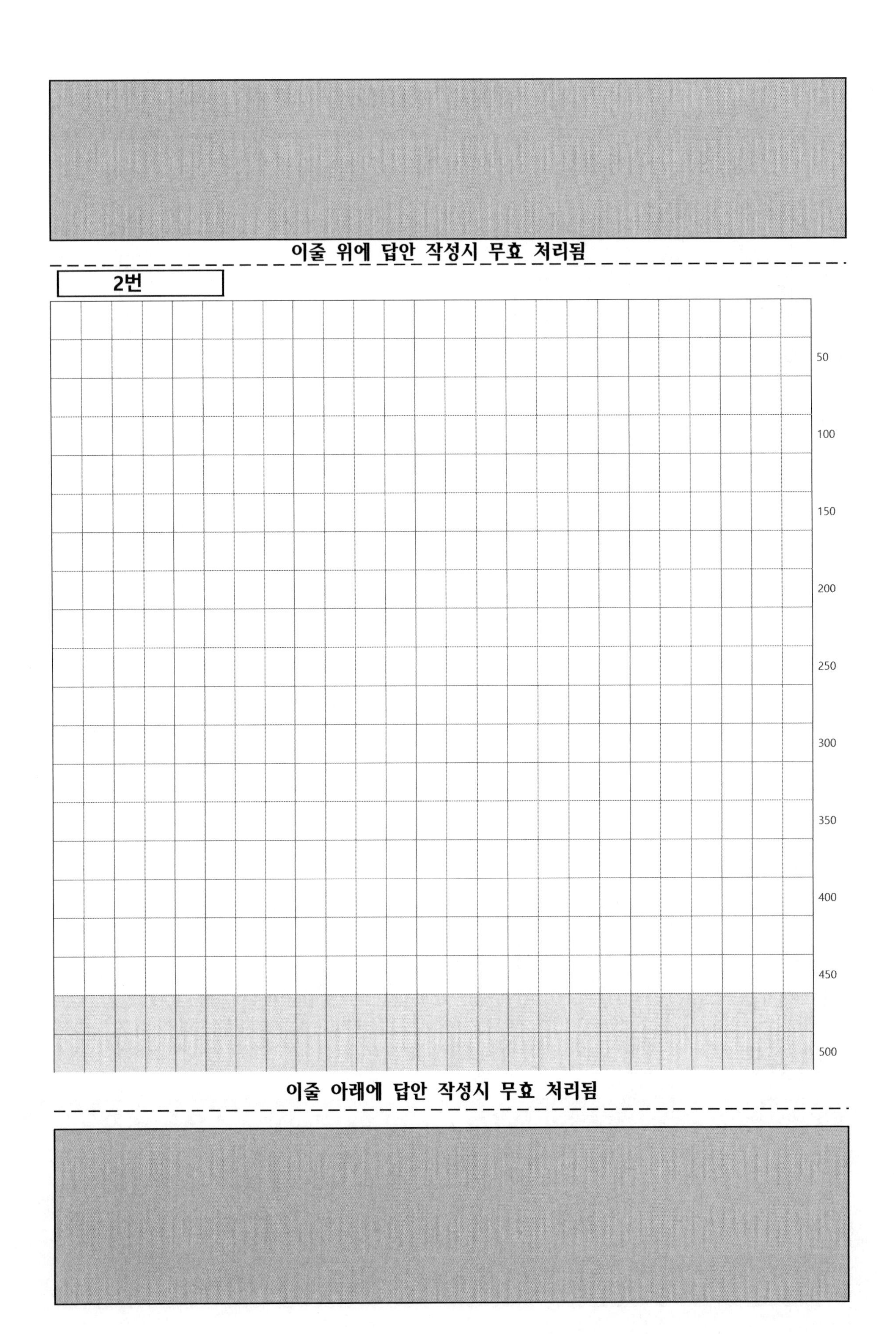
이줄 위에 답안 작성시 무효 처리됨
2번
50
100
150
200
250
300
350
400
450
500
이줄 아래에 답안 작성시 무효 처리됨

이줄 위에 답안 작성시 무효 처리됨

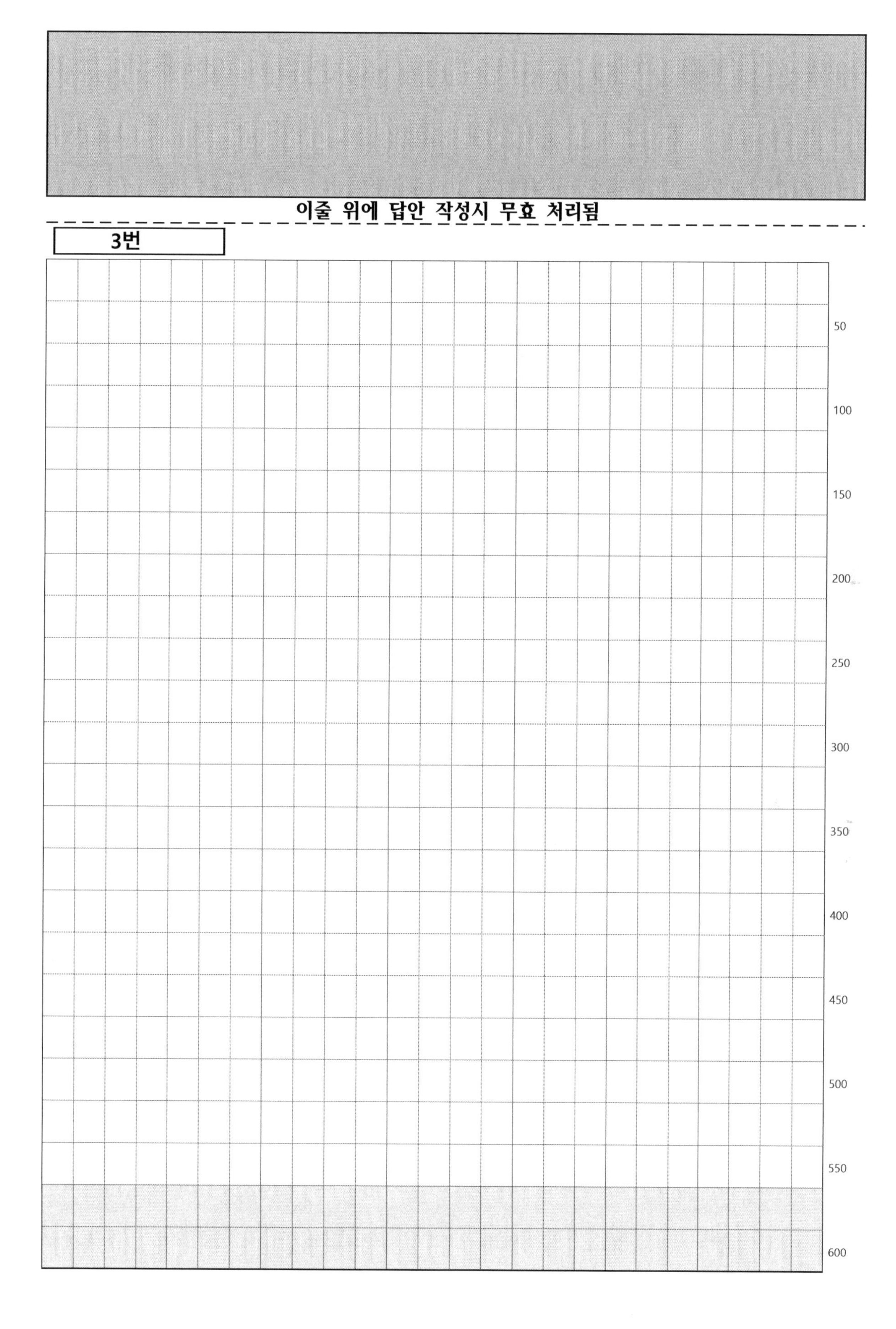

23. 2020학년도 한국외대 수시 논술 [일요일 사회계 T3]

※ 다음 글을 읽고 물음에 답하시오.

(가)

패러다임이란 한 시대 사람들의 견해나 사고를 지배하고 있는 이론적 틀이나 개념의 집합체를 뜻하는 말로 과학철학자인 토마스 쿤이 새롭게 제시하여 널리 쓰이는 개념이다. 쿤은 패러다임 속에서 진행되는 연구활동을 정상과학(normal science)이라고 했으며, 기존의 패러다임에서는 예상하지 못했던 현상을 변칙 사례라고 했다. 쿤은 정상과학이 변칙 사례를 설명해 내기도 하나, 중요한 변칙 사례가 미해결 상태로 남으면 새로운 패러다임으로의 급격한 대체 과정이 일어난다고 봤다. 이는 기존 제도로는 사회적 문제들을 해결할 수 없다는 의식이 팽배해지면 정치적 혁명이 시작되는 것과 유사하다. 과학 발전은 점진적 개량을 통해 서서히 이루어지기보다는, 혁명과 마찬가지로 하나의 패러다임이 다른 패러다임을 대체하는 방식으로 이루어진다. 이러한 의미에서 쿤은 과학에서 패러다임의 대체를 '과학혁명'이라 불렀다.

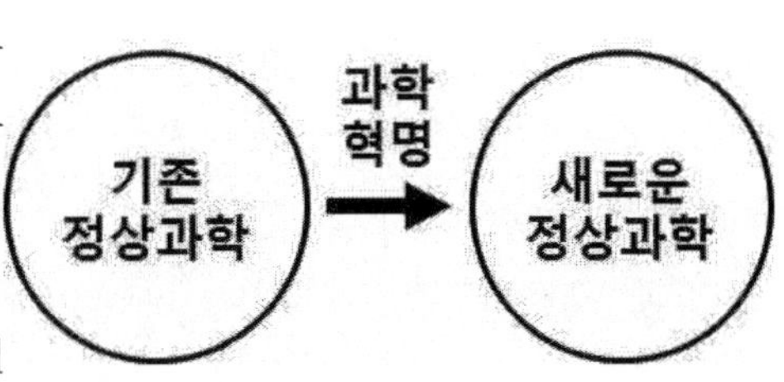

- 전국연합학력평가 국어영역에서 재구성

(나)

McDonald's did a great job with the coffee-flavor transition and it couldn't be done more wisely. The company got the job done literally right under the noses of its customers without anyone catching on. Here's what happened. In the last few years, alternative coffee brands and other offerings have exploded. In addition, coffee flavors in general were changing and, across the board, coffee has gotten both stronger and sweeter. In particular, younger coffee drinkers were looking for a lot more flavorful brew and various confections*, but seniors liked things just the way they were and didn't want espressos, lattes, syrups, or much of anything else except good old regular taste. So, McDonald's undertook a careful plan to slowly and consistently-month in and month out-increase the strength of its basic coffee without saying a word to anyone. Today, if you look at the menus, everything, including regular old coffee, is part of the McDonald's coffee family. Customers, old and young, love the modernized coffee flavor in McDonald's. What's the lesson: it's easy by the inch, but hard by the yard. Sometimes slow is the way to go, with small and sure incremental** steps, and you'll still get there.

* confections: 달콤한 디저트류
** incremental: 증가하는

- Inc.com의 글에서 재구성

(다)

2007년 스마트폰을 처음 출시한 A사는 2011년 6월부터 2년간 세계적으로 8,500만 대의 스마트폰을 판매해 약 500억 달러(약 55조 원)의 순이익을 올렸다. 스마트폰이라는 하나의 상품만으로 벌어들인 이 막대한 이윤의 원천은 무엇일까? 거기에는 분명 이전의 제품들과는 근본적으로 다른 사용자 환경과 디자인, 그리고 그것을 뒷받침해 줄 수 있는 기술의 희소성이 있다.

그러나 그 무엇보다도 중요한 것은 그러한 제품을 구상한 기업가의 통찰력과 그것을 상품으로 구현한 기업가의 도전 정신이다. 실패의 위험을 무릅쓰고 기존에 없던 새로운 가치를 창출하려는 기업가의 이러한 도전 정신을 가리켜 '기업가 정신'이라고 한다. 슘페터는 혁신을 추구하는 기업가 정신이야말로 창조적 파괴를 통해 자본주의 경제를 발전시키고 기술을 진보시키는 원동력이라고 주장한 바 있다. 기업가 정신이 충만한 사회에서는 끊임없이 새로운 기술과 상품을 개발하고 사업 기회에 도전하는 사람으로 인해 경제가 생기 넘치게 된다.

- 『고등학교 경제』에서 재구성

(라)

공자(孔子)께서 말씀하셨다. "나는 서술하되 창작하지 않고, 옛 것을 믿고 좋아했다. 나를 노팽(老彭)*에 견주어 본다." 이에 대해 주희(朱熹)는 다음과 같이 풀이했다. '서술'은 옛 것을 전하는 것일 뿐이고, '창작'은 처음으로 만들었다는 것이다. 그러므로 '창작'은 성인이 아니면 할 수 없고, '서술'은 지혜로운 자가 할 수 있는 것이다. (중략) 공자께서 '시경(詩經)', '서경(書經)' 등을 편집, 수정했던 것은 모두 선왕의 옛 것을 전한 것이지 창작한 것은 아니다. 그래서 이렇게 말할 수 있다. 그는 창작할 수 있는 성인이라고 감히 자처하지 않았을 뿐 아니라, 또한 드러내 놓고 스스로를 옛 현인에게 견주지도 않았다. 대개 그 덕이 훌륭하면 할수록 마음은 더욱 낮아져, 자신의 말이 겸손하다는 것도 깨닫지 못한다. 그러나 여러 성인들이 대체로 이루어 놓은 것을 공자께서 집대성하여 절충했으니, 그 일은 비록 전해지는 글들을 개선해 서술한 것이지만 그 공은 새로운 것을 창작한 것보다 배가 된다. 이 점 또한 알지 않으면 안 된다.

* 노팽(老彭): 상(은)나라의 현명한 대부로 옛 것을 믿고 전해 서술한 사람으로 추정됨.

- 『논어집주』에서 재구성

(마)

기업은 살아남기 위해 변화하고, 미래를 예측하려고 애쓴다. 1990년 포춘 500대 기업 리스트에 이름을 올린 글로벌 기업 중에서 2016년에도 여전히 500위권에 이름을 남긴 기업은 95개에 불과했다. 81%가 생존하지 못했거나 경쟁에서 밀려났다. 그러나 디지털 혁신을 추진했던 아마존, 구글의 모회사 알파벳, 마이크로소프트와 같은 기업은 급격한 경영 환경의 변화 속에서 성공적인 혁신을 이루어내어 최상위권의 수익률을 기록했다. (중략)

수퍼플루이드* 시대에는 최초 시장 진입자가 플랫폼을 통해 단기간에 시장 전체를 장악한다. 에어비앤비·우버·카카오톡처럼 선두 업체가 시장을 독점하는 특징을 보여준다. 수퍼플루이드 시장에서의 늦은 출발은 선두 업체와의 더 큰 격차를 의미한다. 경쟁에서 살아남아도 수ㄴ익은 현저하게 낮다. 따라서 수퍼플루이드 시대에는 제품이나 서비스의 점진적인 향상을 추구하거나 시장 선두 기업을 모방해서 추종하는 전략은 실패 가능성이 크다. 오히려 아직 미성숙한 시장, 선두 업체가 없는 시장에 기존과는 전혀 새로운 방식으로 첨단의 디지털 기술을 활용해 빠르게 플랫폼을 구축하는 것이 효과적이다. 그러나 드물게 이러한 혁신은 인간의 태도 또는 문화적 변화를 필요로 하는 사업 영역에서는 효과적으로 이루어지기 어려운 경우도 있다.

* 수퍼플루이드(Superfluid): 상품과 서비스의 유통 과정에서 생산자와 소비자, 생산자와 판매자 사이에 물류의 흐름이 초스피드로 이루어지는 것을 뜻함.

- 중앙시사 매거진(2019. 11. 17.)에서 재구성

(바)

(1) <그림 1>은 토끼 또는 오리로, <그림 2>는 마주 보고 있는 두 사람 또는 받침대로 볼 수 있다. 두 그림 에는 공통점이 있다. 일단 한쪽으로 보는 순간, 다른 형상이 사라지고 새로운 것이 보인다는 점이다.

<그림 1>

<그림 2>

(2) 우리가 일상적으로 사람을 대하거나 사물을 보고 인식하는 것은 틀에 박힌 고정관념(固定觀念)에 지나지 않는다. 그렇기 때문에 이미 알아 버린 대상에서는 새로운 모습을 찾아내기 어렵다. 아무개 하면, 자신의 인식 속에 들어와 이미 굳어 버린 그렇고 그런 존재로밖에 볼 수가 없는 것이다. 이건 얼마나 그릇된 오해인가. 사람이나 사물은 끝없이 형성되고 변모하는 것인데. 그러나 보는 각도를 달리함으로써 그 사람이나 사물이 지닌 새로운 면을, 아름다운 비밀을 찾아낼 수가 있다. 우리들이 시들하게 생각하는 그저 그렇고 그런 사이라 할지라도 선입견에서 벗어나 맑고 따뜻한 '열린 눈'으로 바라본다면 시들한 관계의 뜰에 생기가 돌 것이다. 내 눈이 열리면 그 눈으로 보는 세상도 열리는 법이니까.

인도의 철학자인 크리슈나무르티는 그의 저서 『아는 것으로부터의 자유』에서 다음과 같이 말하고 있다. "우리가 보는 법을 안다면 그때는 모든 것이 분명해질 것이다. 그리고 보는 일은 어떤 철학도, 선생도 필요로 하지 않는다. 아무도 당신에게 어떻게

볼 것인가를 가르쳐 줄 필요가 없다. 당신이 그냥 보면 된다."

-『고등학교 문학』에서

(사)

<허생전>으로 대표되는 연암 박지원 문체의 특징은 참신하고 독창적인 소설식 문체와 해학적인 표현에 있다. 연암은 전통 고문체를 거부하고, 혁신적인 소설식 문체를 통해 현실의 생동하는 모습을 묘사했다. 하지만 정조는 문체반정(文體反正)을 선언해 문체를 기존의 전통 고문체로 되돌리려 했다. 정조는 주자서 등 기존의 규범이 될 만한 책들을 간행하는 한편 자유로운 문체의 명·청 소설의 국내 유입을 금했다. 문체반정은 문체의 정통성을 위한 조치였다 하더라도 결국 당시 활발하게 움직였던 18세기 문예 운동을 위축시킨 관권의 개입으로 평가된다.

-『고등학교 문학』에서 재구성

[문제 1] (가) ~ (라)는 변화에 관한 글들이다. 제시문들을 두 유형으로 분류하고, 각 제시문을 요약하시오. (400자 내외, 210점)

[문제 2] (마)의 주요 논지를 근거로 [문제 1]의 두 유형 중 한쪽을 지지하고, (나)를 평가하시오. (500자 내외, 210점)

[문제 3] (바)와 (사)를 모두 적용하여 (다)의 '기업가 정신'을 실현하기 위한 내적·외적 조건에 대해 추론하시오. (600자 내외, 280점)

답안 작성시 주의! 2023학년도부터 글자수 제한 변경!
문제 2번 500자에서 450자, 문제 3번 600자에서 550자

지원학부(과)

수 험 번 호				

주민등록번호 앞6자리(예: 040512)					

성 명

1번

50
100
150
200
250
300
350
400
450

이줄 아래에 답안 작성시 무효 처리됨

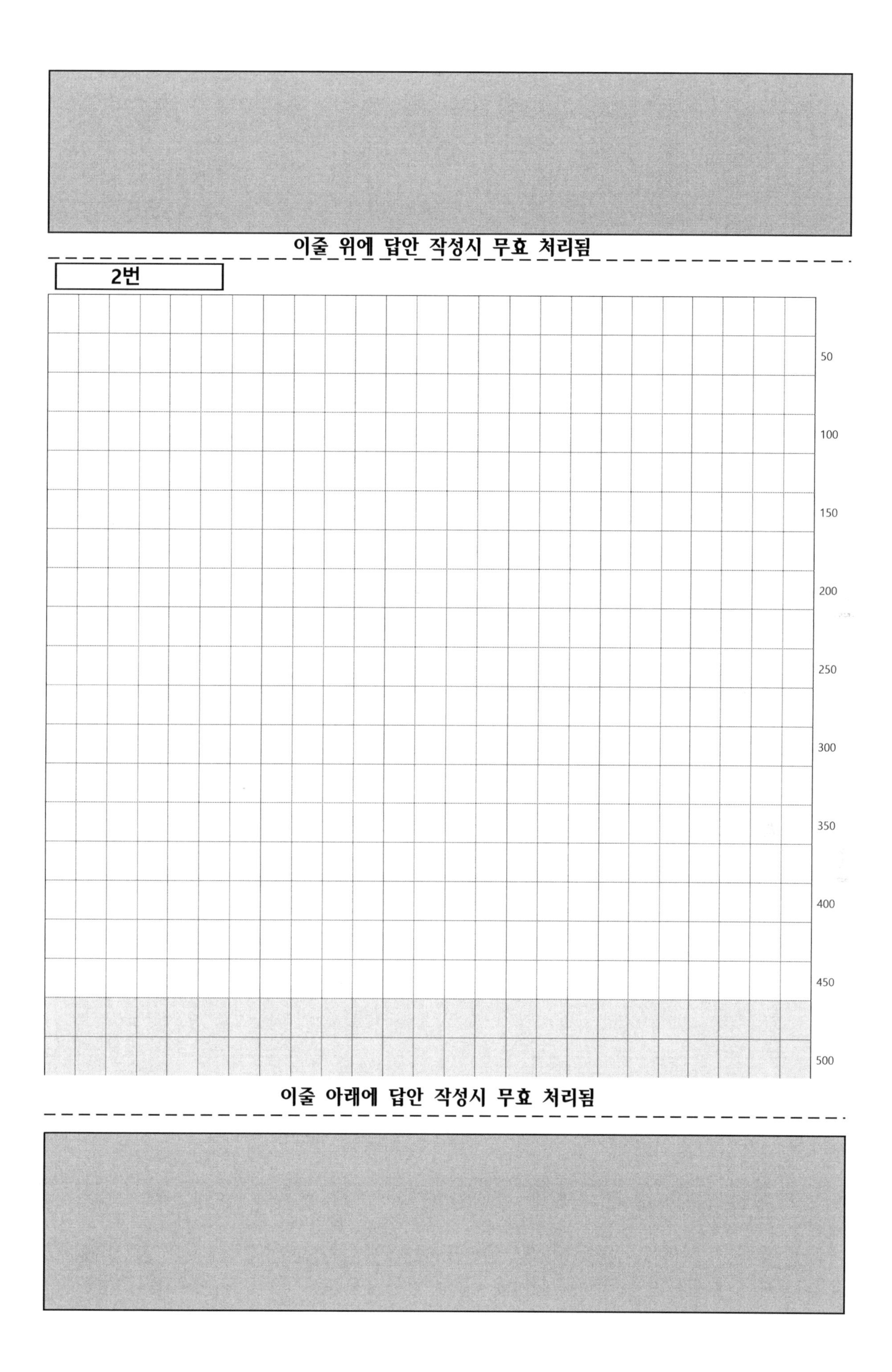
이줄 위에 답안 작성시 무효 처리됨
2번
50
100
150
200
250
300
350
400
450
500
이줄 아래에 답안 작성시 무효 처리됨

이줄 위에 답안 작성시 무효 처리됨

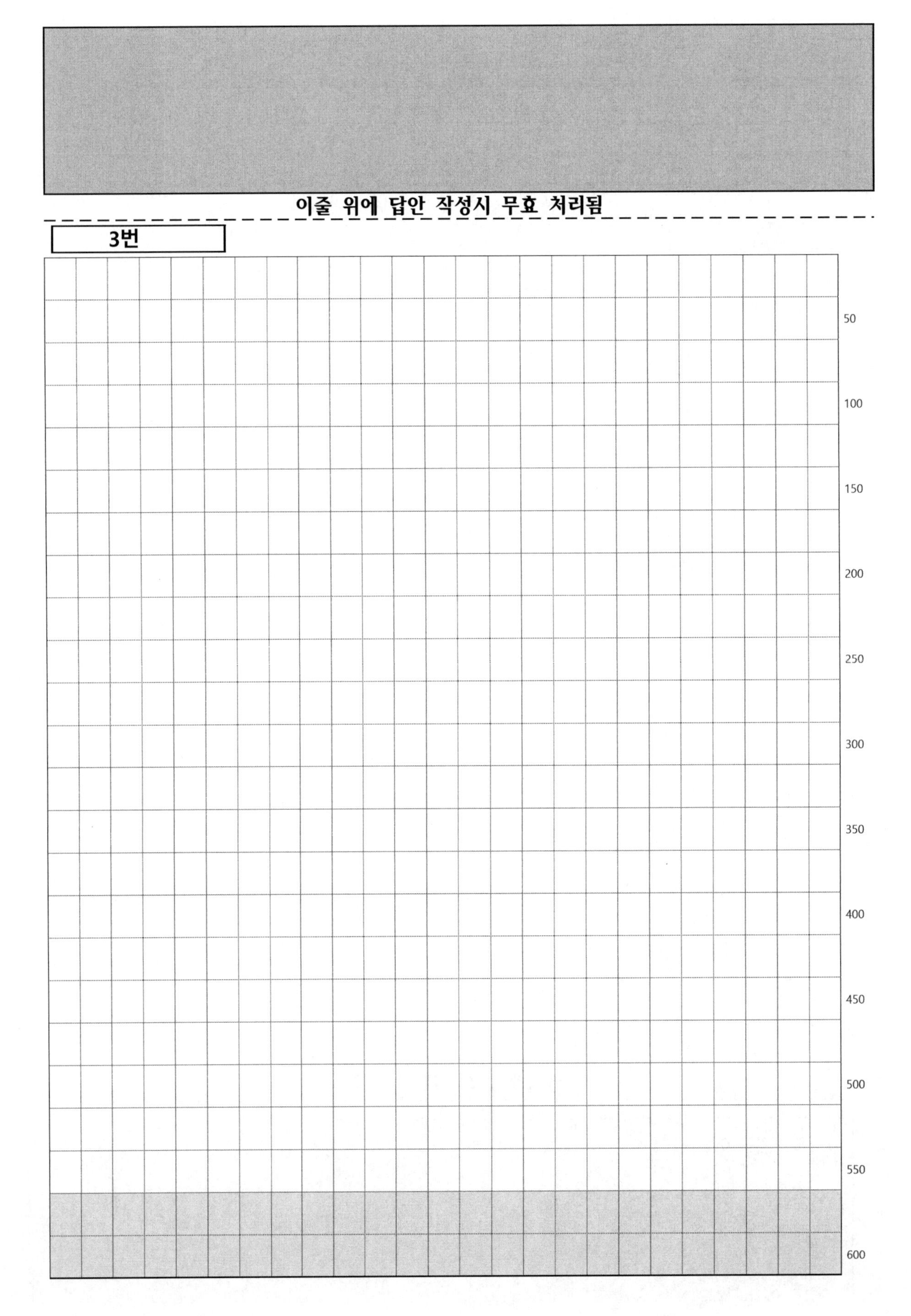

24. 2020학년도 한국외대 수시 논술 [일요일 사회계 T4]

※ 다음 글을 읽고 물음에 답하시오.

(가)

맹자(孟子)께서 말씀하셨다. “나라를 다스리는 데 어진 정치를 베풀면 그 나라는 번영하고, 어질지 못한 정치를 베풀면 타국의 침공을 받거나 국내에 반란이 일어나 치욕을 당하게 된다. 만일 치욕당하는 걸 싫어한다면 다음의 원칙을 지켜라. 첫째, 덕있는 이를 귀히 여겨라. 둘째, 선비를 존중하라. 셋째, 어진 이가 적당한 직책을 맡게 하라. 그러면 나라는 우환 없이 무사하여 한가하게 된다. 마지막으로, 이러한 때에 정사와 형벌을 원칙에 따라 잘 펼치고 집행하라. 이렇게 하는 나라라면, 비록 큰 나라일지라도 반드시 그 나라를 두려워할 것이다. (중략) 공자(孔子)께서 ‘이 시를 지은 이는 도(道)를 알고 있구나. 자기 나라와 가정을 미리부터 원칙을 지켜 잘 다스려 두면 누가 감히 그 나라와 가정을 모욕하겠는가.’라고 말씀하셨다.”

- 『맹자』에서 재구성

(나)

최근에 새로 부임한 H중학교 교장 선생님은 생활 질서를 바로 잡고 면학 분위기를 조성하기 위해, 학생들이 생활 규정을 조금이라도 어길 경우 예외 없이 벌칙을 부과했다. 아래 그림은 그 결과이다.

- Change.org에서 재구성

(다)

학연, 지연, 혈연 등의 사적 관계가 정치·경제 활동 등의 공적인 영역에 개입되면 그 사회는 부패해지기 쉽다. 연고주의나 정실주의가 만연해지면 사회 전반적으로 준법 의식이 약화되는 경향이 많기 때문이다. 이러한 현실에서 한비자(韓非子)의 말은 많은 것을 시사하고 있다. 한비자는 “항상 강한 나라도 없고, 항상 약한 나라도 없다. 법을 받드는 것이 강하면 강한 나라가 되고, 법을 받드는 것이 약하면 약한 나라가 된다. 법은 귀족을 봐주지 않는다. 먹줄이 굽지 않는 것과 같다. 법이 시행되는 데 지자(智者)도 이유를 붙일 수 없고, 용자(勇者)도 감히 다투지 못한다. 과오를 벌하는 데 대신(大臣)도 피할 수 없으며, 선행에 상을 내리는 데 필부(匹夫)도 빠뜨리지 않는다.”고 말했다. 한비자의 법가 사상을 수용한 진나라는 엄격한 법률과 그에 기반을 둔 통치를 통해 중국을 통일하였다.

- 『고등학교 법과 정치』, 『고등학교 생활과 윤리』에서 재구성

(라)

평생 가난한 목수로 일해 온 안토니오는 심장병 때문에 일을 하면 안 된다는 의사의 진단을 받는다. 그래서 그는 일을 그만 두고 고용보험국에 질병 수당을 신청한다. 하지만 규정과 형식적인 절차만 따지는 고용보험국 심사관 때문에 번번이 안토니오의 신청이 좌절된다. 심사관은 오직 주어진 매뉴얼에 따라 안토니오가 질병 수당 수급 대상자인지를 확인하려 한다.

심사관: 혼자서 50미터를 걸을 수 있나요?
안토니오: 그렇소.
심사관: 윗주머니까지 손을 들어 올릴 수 있나요?
안토니오: (한숨을 쉬며) 할 수 있죠.
심사관: 모자를 쓰듯 팔을 들어 올릴 수 있나요?
안토니오: 아니, 나는 심장병 환자고 그런 건 다 할 수 있소. 심장병 얘기를 합시다.
심사관: 규정에 따라 질문을 하는 겁니다. 전화기 버튼을 누를 수 있나요?
안토니오: (화를 내며) 아니 당신 전문가 맞소? 난 심장병 환자고 사지는 멀쩡하오. 내 담당 의사가 더
이상 일을 하면 안 된다고 했다고. 대충 기록하고 질병 수당을 받게 해주면 안 되나요?
심사관: 그럼 나더러 거짓말을 하란 말이요?

심사관은 안토니오의 처지를 이해하면서도 규정에 따른 검사 결과를 들어 안토니오에게 일을 할 수 있는 능력이 있다며 질병 수당을 줄 수 없는 것으로 판정한다. 안토니오는 질병 수당을 받기 위한 항소 과정에서 발생한 극심한 스트레스와 악화된 심장병으로 결국 사망하게 된다.

(마)

‘깨진 유리창 이론’이란 작은 문제를 방치할 경우 무질서와 범죄가 확산돼 도시 전

체가 무법천지 혹은 슬럼(slum)화될 수 있다는 이론이다. 1994년 뉴욕 시장에 취임한 루돌프 줄리아니는 취임 직후부터 이 이론을 적용해 도로변 건물이나 지하철 등에 스프레이로 휘갈겨진 낙서들을 깨끗이 지워나갔다. 또 쓰레기 무단 투척, 무임승차 등 기초 질서를 위반한 경범죄도 법에 따라 엄격하게 단속했다. 그 결과 뉴욕의 우범지대였던 할렘 지역의 범죄율은 40%가량 떨어졌고, 뉴욕 지하철 내 범죄율은 75% 정도 줄었다. 살인 사건 발생 횟수도 절반으로 뚝 떨어졌다.

- 『고등학교 사회·문화』에서 재구성

(바)

Lying has been viewed in two different perspectives.

According to St. Augustine and divine law, on the one hand, lying is both illegal and immoral; it undermines relationships and the will of God. Immanuel Kant argued that because we cannot be certain of the consequences of our actions, lying in even the most seemingly justifiable circumstances is wrong.

On the other hand, some philosophers and historians have taken a less definitive position. They argued that lying can be thought of as a normal part of human development and may even be encouraged in certain situations. For example, utilitarians* have viewed lying as more or less justifiable according to the goodness or badness of its consequences. In their viewpoint, lies that are meant to protect others or ease their burdens are generally considered to be acceptable under specific circumstances.

*utilitarian: 공리주의자

- Dictionary.com, 『고등학교 윤리와 사상』에서 재구성

(사)

한국 불교를 대표하는 신라의 고승 원효(元曉)는 일심(一心)과 화쟁(和諍)을 강조한다. 그는 석가모니 이후 생겨난 여러 주장들은 붓다의 '하나의 소리'가 중생의 인연과 상황에 따라 '여러 소리'로 분화되어 이해된 것으로 해석한다. 원래 부처님의 가르침은 하나인데, 이를 받아들이는 사람들의 상황에 따라 가르침의 내용을 다르게 설명하고, 또 받아들이는 사람이 그 수준에 따라 다양하게 이해하고 정립한 이론들이 생겨난다. 다양한 이론들과 주장들은 다 그 나름대로 일리(一理)가 있지만, 다양한 주장들이 그 일리만을 강조하고 고집하면 다툼이 생긴다. 다양한 주장들이 각각 자신의 주장을 고집하지 않고 서로 존중하면 조화가 이뤄진다는 것이 화쟁(和諍)이다. 이를 이론과 종교에 적용하면, 어떤 이론들 간 주장 혹은 종교들 간 관점의 차이로 발생하는 갈등은 해결될 수 있다.

- 『고등학교 윤리와 사상』에서 재구성

[문제 1]

(가) ~ (마)는 법 또는 규칙의 엄격한 적용에 따른 상이한 결과를 보여주고 있다. 제시문들을 두 유형으로 분류하고 각 제시문을 요약하시오. (400자 내외, 210점)

[문제 2]

(바)의 두 입장을 각각 적용하여 (라)에 나타난 '심사관'의 행위를 평가하시오. (500자 내외, 210점)

[문제 3]

(사)의 관점에서 다음의 상황을 해결하기 위한 방안을 [문제 1]의 내용을 적용하여 추론하시오. (600자 내외, 280점)

Y상사는 다양한 제조 설비에 사용되는 기계 부품을 생산하는 중견 제조업체이다. 약 500여 명의 직원이 근무하고 있는 이 회사는 높은 영업 성과에 힘입어 지속적인 성장을 해 왔다. 그러나 최근의 제조원가 상승과 사업의 무리한 확장으로 인해 재무 상황이 양호하지 못하여, 매달 지출되는 비용을 감당하기에 벅찬 상황에 처해 있다. 그런데 최근 실시된 회계 감사에서 폭넓은 인맥을 통해 영업 매출의 90%이상을 담당하고 있는 박 부사장의 영수증 처리에서 문제가 지적되었다. 매출 목표 달성을 위한 업무 활동 중 규정에 맞지 않는 용도로 사용된 영수증이 발견된 것이다.

현재까지 유지해온 회사 규정에 따르면 이는 해고 사유에 해당하기 때문에 박 부사장에 대한 인사권을 쥐고 있는 장 대표는 심각한 고민에 빠지게 되었다. 만약 박 부사장을 해고하게 되면, 현재 영업 매출의 90% 이상을 잃게 되어 당장 다음 달 돌아오는 어음 결제를 할 수 없고, 회사는 부도 처리될 것이다. 회사가 부도 처리되면, Y상사의 500여 명 임직원과 그 가족들은 엄청난 어려움에 처할 것이다. 그렇다고 박 부사장의 잘못을 묵과하는 것은 회사의 규정에 반(反)하기 때문에 대표에게 매우 큰 부담으로 작용할 것이다. 장 대표는 이 문제를 어떻게 처리해야 할까?

답안 작성시 주의! 2023학년도부터 글자수 제한 변경!
문제 2번 500자에서 450자, 문제 3번 600자에서 550자

지원학부(과)	수험번호	주민등록번호 앞6자리(예:040812)

성명

1번

50

100

150

200

250

300

350

400

450

이줄 아래에 답안 작성시 무효 처리됨

이줄 위에 답안 작성시 무효 처리됨

2번

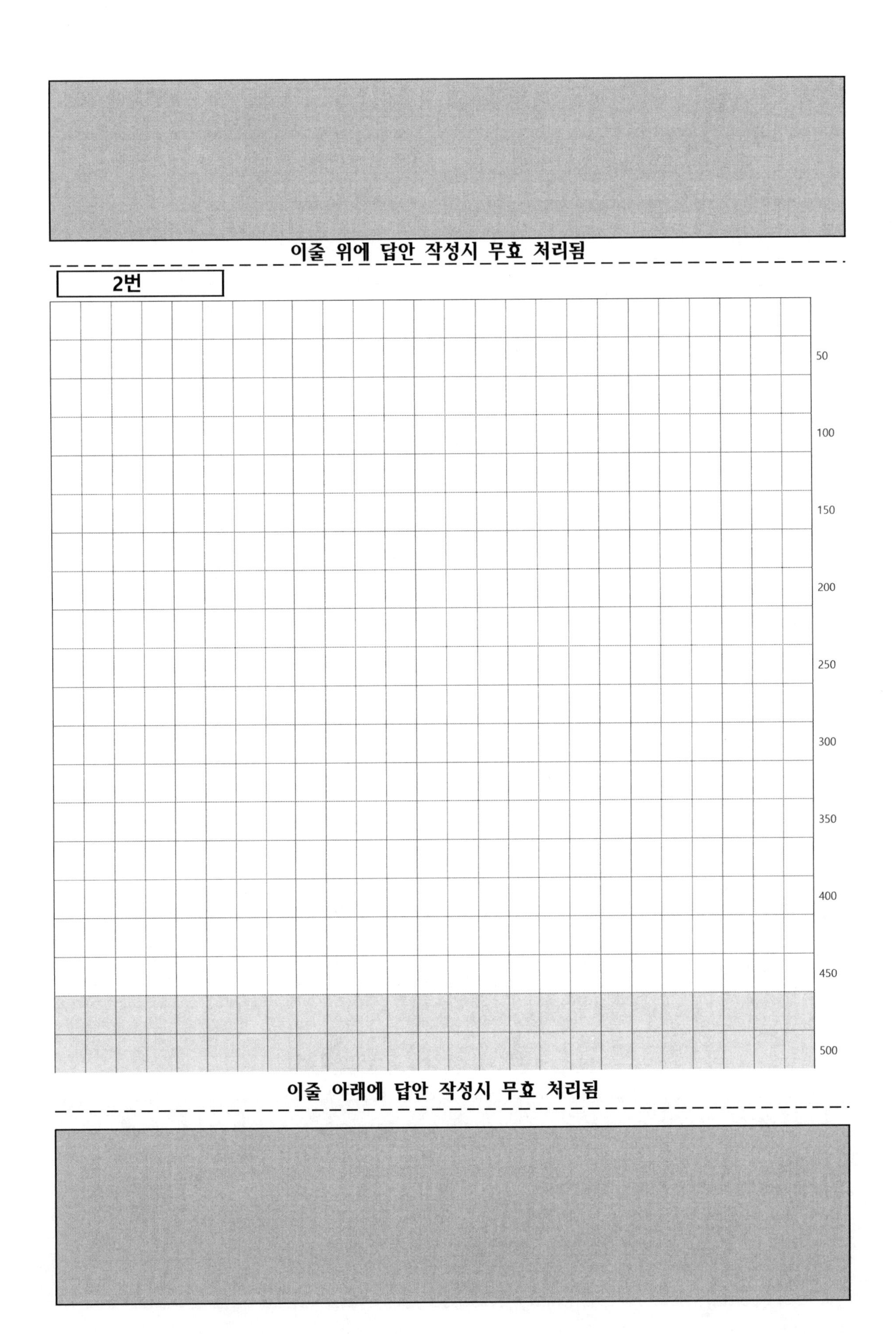

이줄 아래에 답안 작성시 무효 처리됨

이줄 위에 답안 작성시 무효 처리됨

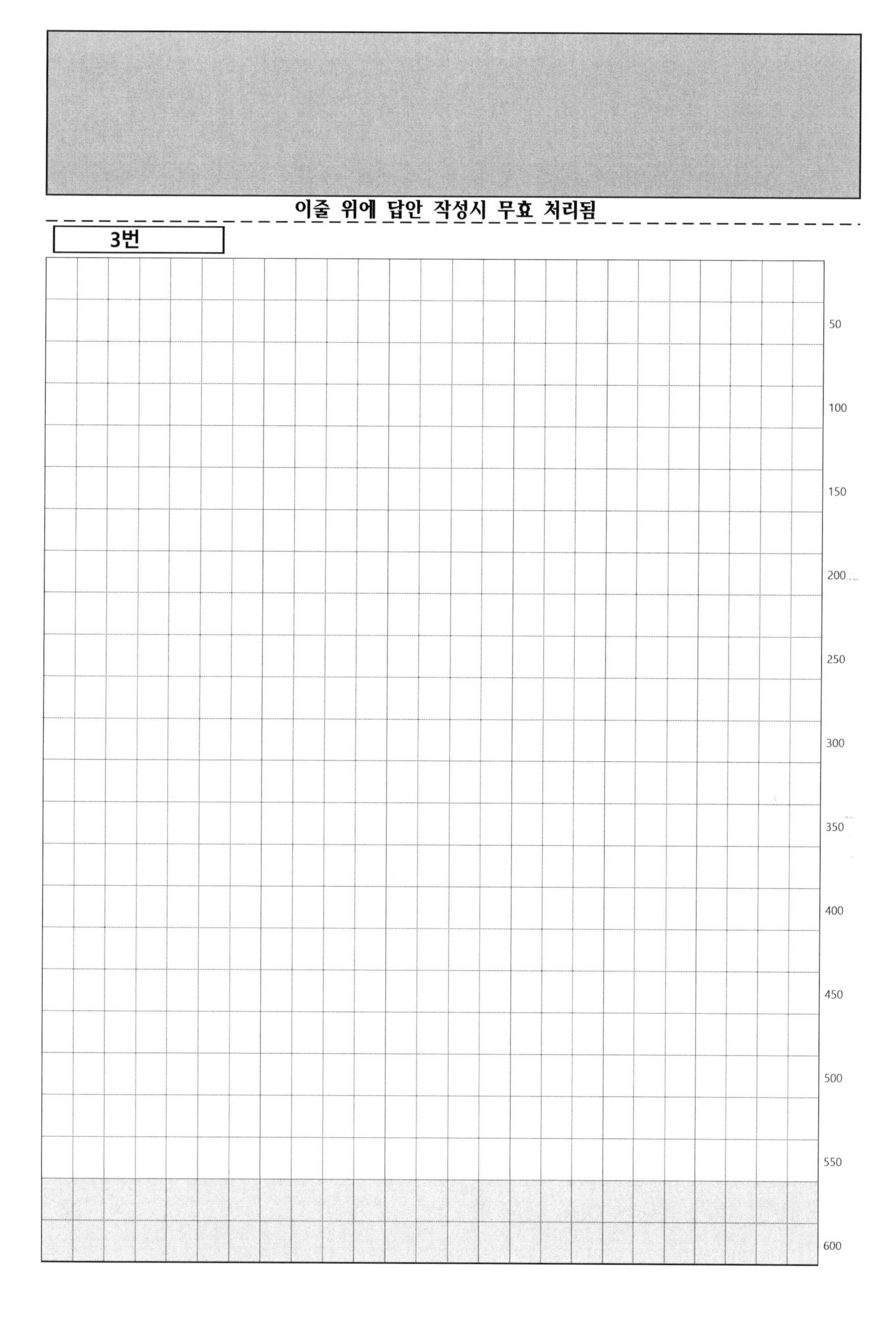

VI. 예시 답안

1. 2024학년도 한국외대 수시 논술 [토요일 T1]

[문제 1]
(가) ~ (바)는 어떤 '변화'와 그 결과를 보여주고 있다. 결과가 긍정적인지 부정적인지에 따라 (가) ~ (바)를 분류하고 요약하시오. (400자 내외, 240점)

[문제 2]
<보기 1>을 바탕으로 (다)와 (라)를 대조·평가하시오. (450자 내외, 240점)

[문제 3]
<보기 3>의 요나스(Jonas)의 관점에서 (사)를 설명하고, 이를 바탕으로 <보기 3>의 벤담의 관점에서 <보기 2>의 밑줄 친 주장이 왜 타당한지를 추론하시오. (500자 내외, 320점)

[문제 1]

변화의 결과에 따라 (가)~(바)를 분류하면 (가), (나), (바)는 부정적, (다), (라), (마)는 긍정적 결과로 나눌 수 있다. (가)에서 의사 성과급 제도 도입은 의료비용을 높이고 의료 서비스의 질을 떨어지게 했고, (나)에서 품종 개발, 소품종 대량 생산에 의한 음식의 균질화는 생물 다양성을 현저히 감소하게 했다. (바)에서 성북동 산에 번지가 생긴 것은 성북동 비둘기가 사랑과 평화까지 낳지 못하고 쫓기는 결과를 가져왔다. 반면에 (다)에서 패스트패션 산업의 확산은 소비자들의 패션 욕구를 충족시켰고, (라)에서 세계 주요국의 온실가스 감축을 위한 공동 노력 강화는 경제성장과 온실가스 배출량의 탈동조화라는 결과로 이어졌다. (마)에서 인상주의 화가들에 의한 화풍의 변화는 현대 미술의 탄생을 가능하게 했다. (405자)

[문제 2]

<보기 1>은 지속가능발전이 성장과 개발에 있어 미래 세대와 생태계에 대한 책임감 있는 윤리 의식을 강조함을 설명하면서 이에 대한 실천 방안을 제시하고 있다. 이러한 지속가능성의 측면에서 볼 때, (다)와 (라)는 대조를 보인다. (다)에서 패스트패션 산업은 현대인들의 패션 욕구를 충족시켜 주고 있으나, 지속가능성을 실천하지 않고 있다. 패스트패션 산업은 일회적 소비와 폐기, 다양한 상품들의 빠른 생산과 소비를 부추기면서, 환경과 미래 세대를 고려하는 책임 있는 모습은 보이지 않는다. 반면, (라)에서 세계 주요국들은 책임 의식을 가지고 지구 온난화 문제를 해결하기 위해 노력하면서 지속가능성을 실천하고 있다. 온실가스 감축 노력의 결과, 경제성장과 온실가스 배출량의 탈동조화를 이루었고, 탄소중립에 관한 구체적인 목표를 설정하는 한편, 목표 이행을 위한 국가 간 협력 체제를 강화하는 공동의 노력을 기울였다. (456자)

[문제 3]

요나스는 세 가지 이유를 들어 과학 기술에서 윤리적 책임이 필요하다고 주장하였다. 이를 (사)에 적용하면, 첫째, AI가 현대 사회에 많은 편리함을 제공하고 있지만, 다양한 부작용 또한 발생하고 있다는 점에서 그 결과가 모호하다. 둘째, 다양한 분야에서 AI 기술의 활용 가능성이 확대되면서 그 적용의 강제성이 높아지고 있다. 셋째, AI는 전 세계에 영향을 미치고, 미래 세대에게까지 고통을 줄 수 있어 그 영향이 시공간적으로 광역적이다. 이를 벤담의 관점으로 접근하면 장기적 관점에서 부정적으로 평가할 수 있다. 벤담은 어떤 행위를 결정할 때 그 행위가 가져다줄 쾌락과 고통을 계산해야 한다고 본다. AI가 현재 인류에게 혜택을 주고 있지만, 장기적으로는 AI 기술 개발이 가진 우려들로 인해 인간에게 쾌락보다 더 큰 고통을 줄 수 있으므로 AI를 지속적으로 개발하는 것이 부정적이라고 평가할 수 있다. 따라서 AI 기술 개발을 잠정적으로 중단하자는 국제기구 A의 선언은 타당하다고 평 가할 수 할 수 있다. (509자)

2. 2024학년도 한국외대 수시 논술 [토요일 T2]

[문제 1]

아래 두 사람의 대화 내용의 핵심어와 화자의 입장을 바탕으로 (가) ~ (마)를 두 유형으로 분류하고 각 제시문을 요약하시오. (400자 내외, 240점)

image: Freepik.com

[문제 2]

(바)의 '마을 사람들'의 행위를 <보기>의 구성 요건과 비교분석하고, 해당 행위의 관용 성립 여부를 평가하시오. (450자 내외, 240점)

<보기>

관용이 성립하기 위한 다음의 세 가지 요건이 있다고 가정하자.

첫째, 어떤 행위가 도덕적으로 선하다는 믿음이 있어야 한다.
둘째, 베푸는 자와 베풂을 받는 자 모두에게 유익해야 한다.
셋째, 위의 두 요건이 상충하지 않아야 한다.

[문제 3]
<그림 1>은 도시 '갑'과 도시 '을'의 특정 시점에서의 정보기술 분야 일자리 창출 성과 지표 현황이다. <그림 1>에 드러난 도시 '을'의 문제점을 제시하고, 이 문제점의 원인 및 해결 방안을 제시문 (사)의 관점에서 <그림 2>와 <표>를 활용하여 추론하시오. (500자 내외)

[문제 1]

대화 내용에 기초하여 무조건적 관용과 선택적 조건적 관용의 관점이 도출되고, 이에 기초하여 제시문을 분류하면 첫째, 무조건적 관용의 입장인 (가), (마)가 있고, 둘째, 선택적·조건적 관용의 입장인 (나), (다), (라)가 있다. (가)는 노자의 무위를 기반으로 조건 없이 호의를 베풀어야 함을 보여주고, (마)의 안산시는 외국인 근로자의 인권을 고려하며 내·외국인을 똑같이 존중하는 다문화 정책 시행으로 조건 없는 관용을 보여준다. 반면, (나)는 일정 연령 미만의 소년에게 적용되는 촉법소년 문제를 다루며 선택적 관용을 보여주고, (다)는 복지와 노동을 연계하는 생산적 복지제도를 통해 조건이 있는 선택적 관용을 나타내며, (라)는 관용의 역설을 통해 불관용은 관용의 대상이 되어서는 안 된다는 선택적 관용을 보여준다. (406자)

[문제 2]

(바)에서 마을 사람들은 '제 입 하나도 먹이지를 못하는' 앉은뱅이 재곤에게 '마을을 돌며 밥을 빌어먹고 살 권리'를 주었으며, 추위를 견딜 옷과 불을 주어 돌봐 주었다. 이러한 마을 사람들의 행위는 관용의 세 가지 요건을 충족한다. 첫째, 마을 사람들은 재곤을 돌보는 행동을 인정을 베푸는 것이라고 여겼다. 그들 자신의 행동이 도덕적으로 선하다고 믿은 것이다. 둘째, 마을 사람들은 재곤을 돌봐 주는 행동이 '하늘의 벌'을 면할 수 있는 유익함이 있다고 여겼다. 또한 재곤은 마을 사람들 덕분에 굶지 않고 따뜻하게 지냈고, 이는 재곤에게도 유익한 일이었다. 즉, 베푸는 자와 베풂을 받는 자 모두에게 유익한 것이다. 셋째, 마을 사람들의 행위가 도덕적으로 선하다는 믿음, 마을 사람들과 재곤 모두에게 유익함이라는 두 요건이 상충하지 않는다. 위의 세 요건을 모두 충족하므로 마을 사람들의 행위는 관용이라 볼 수 있다. (458자)

[문제 3]

<그림 1>의 성과지표 현황을 보면, 도시 을의 정보기술 분야 일자리 창출이 도시 갑에 비해 현저히 낮다. <그림 2>와 <표>를 고려하여 그 이유를 분석해 보면, 두 도시는 다양성 정도에서 차이를 보인다. 다양성 지표 중 한 요소인 성별 비율에는 유의미한 차이가 없으나, 또 다른 요소인 인종·민족 분포도에서는 차이가 현저히 나타나며, 도시 을은 도시 갑보다 다양성 정도가 낮다. 제시문 (사)의 3T 이론에 따르면, 관용은 재능있는 사람들을 모으고 이를 바탕으로 기술이 발전한다. 따라서, 다양성 지표가 낮은 도시 을은 도시 갑보다 관용 정도가 낮다고 추론할 수 있으며, 관용 및 다양성 정도가 낮기 때문에 다양한 인재들의 유입을 방해하고, 그 결과 정보기술 분야의 일자리 창출이 저조한 것이다. 도시 을의 문제를 해결하기 위해서는 인종·민족의 다양성을 증가시키는 관용 정책을 추진해야 할 것이다. 관용 정책으로 다양한 인재들이 모이게 되면 창의성이 발휘되고, 정보기술 분야의 일자리 창출이 증가할 것이다. (509자)

3. 2024학년도 한국외대 수시 논술 [일요일 T3]

[문제 1]

아래 대화 내용의 핵심어와 이에 대한 화자의 태도를 바탕으로 (가) ~ (바)에서 밑줄 친 주체를 두 유형으로 분류하고 각 제시문을 요약하시오. (400자 내외, 240점)

image: Freepik.com

[문제 2]

(라)와 (마)의 입장을 <보기>의 '변화의 방식'을 기준으로 비교하고, 각 입장을 <보기>의 '더 나은 방향'의 관점에서 평가하시오. (450자 내외, 240점)

<보기>

우리는 주어진 시스템 안에서 생활하고 있다. 하지만 때때로 그 시스템에 대해 비판적 태도를 보이거나 약간의 거리를 두고 시스템을 바라보기도 한다. 일부는 기존 시스템 자체의 문제와 한계를 고민하면서 그 제도와 규칙 속에서 개선책을 모색하고자 한다. 하지만 과거의 역사를 돌아보면 시대마다 그 시대를 지배하던 시스템이 새로운 형태로 대체됨으로써 세계가 발전해 온 측면도 있다. 그래서 또 다른 이들은 우리가 활용하고 있는 시스템을 새로운 것으로 교체하려고 노력하기도 한다. 이렇게 보면 궁극적으로 세상에는 좀 더 나은 방향을 지향하는 두 가지 변화의 방식이 존재한다.

① 기존 시스템을 받아들이면서 개선책을 모색하는 방식
② 기존 시스템을 그대로 받아들이지 않고 새로운 것으로 바꾸는 방식

[문제 3]

(사)에서 '글자를 만드는 일'에 대한 이도의 생각을 요약하고, <보기>에서 언급한 듀이의 관점을 적용하여 이도의 생각이 도구주의적 인식이 되는 근거를 추론하시오. (500자 내외, 320점)

<보기>

존 듀이(John Dewey)에 의하면 인식은 문제를 성공적으로 해결하려는 도구이다. 그가 말하는 도구주의에서의 인식이란 ①당면한 문제를 인지하고, ②그에 대한 해결 방법을 알 뿐만 아니라, ③일어날 수 있는 결과를 미리 예측할 수 있는 사고 능력을 말한다. 다시 말하면 어떠한 지식도 도구에 지나지 않으며, 도구의 가치는 도구 속에

있는 것이 아니라 그것을 잘 사용한 결과에 있다는 것이다.

- 박해용·심옥숙, 『다시 읽는 서양철학사』 재구성

[문제 1]

대화를 통해 '원칙적 적용'과 '비원칙적 적용'이라는 분류 기준이 도출되며, (가) (다) (바)는 원칙적 적용의 사례로 (나) (라) (마)는 비원칙적 적용으로 사례로 분류된다. (가)의 마르쿠스는 문자화나 효용성 여부와 상관없이 법은 예외 없이 지켜져야 한다고 말한다. (나)의 브레히트는 전통 연극론의 틀을 깨는 새로운 연극을 창시했다. (다)의 직업인은 청렴의 덕목을 반드시 지켜야 한다. (라)의 마그리트는 데페이즈망 기법을 통해 기존의 사실주의를 거부한다. (마)의 루스벨트는 미국 경제 회복을 위해 전통적 경제체제를 유지하면서 정부규제라는 개념을 포용한 뉴딜정책을 시행하였다. (바)의 A 문화권 사람들은 해당 직원을 해고함으로써 지난 1년간의 성과를 고려하여 재계약 또는 해고를 결정한다는 원칙을 따랐다. (402자)

[문제 2]

두 가지 '변화의 방식'을 기준으로 (라)의 데페이즈망은 현실의 법칙을 벗어난 기이하고 낯선 장면을 표현하는 등 기존의 사실주의 기법을 거부하고 새로운 기법을 사용함으로써 기존 시스템을 그대로 받아들이지 않고 새로운 것으로 바꾼 예이며, (마)의 뉴딜정책은 미국의 경제 회복을 위해 전통적인 시장경제를 유지하는 동시에 정부 규제라는 개념을 경제체제 안으로 포용함으로써 기존 시스템을 받아들이면서 개선책을 모색한 예로 비교된다. (라)의 데페이즈망은 기존의 사실주의 기법에서 불가능했던 미스터리와 신비에 대한 환상 및 자유와 상상의 공간에 대한 새로운 경험을 가능하게 하였다는 점에서, (마)의 뉴딜정책은 미국 경제를 안정시키고 일자리를 제공하며 고통받는 사람들에게 위안을 제공함으로써 경제 회복과 국가적 위기 극복을 기대케 한다는 점에서, 둘 모두 '더 나은 방향으로의 변화라고 평가할 수 있다. (450자)

[문제 3]

이도는 유학의 도를 구현하기 위해 가장 중요한 덕목인 백성의 언로를 틔워야 하지만 관료들이 백성의 뜻을 왜곡하거나 편집해 올리기 때문에 한자가 제 기능을 못 한다고 판단한다. 그러므로 백성의 언로를 틔워 만민의 소리를 들을 수 있게 하려면 백성의 글자가 필요하다는 입장이다. <보기>에서 듀이의 도구주의적 인식은 ①당면한 문제를 인지하고 ②그에 대한 해결 방법을 알고 ③그 결과를 예측할 수 있는 사고 능력을 말한다. 이도는 ①유학의 도를 구현하기 위해 백성의 언로를 틔워야 하지만 한자가 제 기능을 하지 못하고 있다는 당면 문제를 인지하고, ②언로의 왜곡과 편집을 막기 위해 새로운 글자를 만들어야 한다는 해결 방법을 제시하고 있으며, ③그렇게 되면, 백성들이 자신의 뜻을 왜곡 없이 전달할 수 있으므로 언로가 트이게 되는 결과를 낳고, 그것은 궁극적으로 유학의 도를 성공적으로 실천하는 결과를 낳을 것이라고 예측한다. 그러므로 이도의 생각은 듀이의 도구주의적 인식에 부합한다는 추론이 가능하다. (502자)

4. 2024학년도 한국외대 수시 논술 [일요일 T4]

[문제 1]

(가) ~ (바)의 밑줄 친 주체들은 '부분' 또는 '전체'를 중시하는 입장을 가지고 있다. '부분'과 '전체' 중 어느 쪽을 중시하는지에 따라, 주체들을 둘로 나누고 요약하시오. (400자 내외, 240점)

[문제 2]

(마)의 '편집장'과 (사)의 '일부 가입자'를 <보기 1>을 바탕으로 구분하고, <보기 2>의 관점에서 대조·평가하시오. (450자 내외, 240점)

<보기 1>

'집단주의'는 개인의 이익이나 목표보다는 집단의 이익이나 목표를 우선시하는 관점이다. '전체가 있으므로 개인이 존재한다'는 논리에 근거하여 집단의 존속과 발전을 위해 개인의 자유나 권리가 어느 정도 제한되는 것을 인정하며 미덕으로 삼기도 한다. 집단주의는 공동체의 목표를 추진하는 데 있어 매우 효율적으로 작용한다. 하지만 집단과 개인의 경계를 무시하고, 공동체의 목표를 위해 개인의 희생만을 강요하면 집단주의는 '전체주의'로 변질된다. 한편, '개인주의'는 집단보다 개인의 존재와 가치를 중시하는 사상과 태도를 일컫는다. 개인의 자유와 권리, 개인의 자율성과 독립성 등을 중시하고, 개인의 목적·욕구·성취 등에 관한 권리가 국가, 공동체 등의 통제나 간섭을 받는 것을 거부한다. 개인주의는 개인의 창의성과 다양성을 통해 공동체의 발전에 도움을 줄 수 있다. 하지만 타인에 대한 배려와 존중 없이 나만의 이익만을 추구하는 태도는 타인 또는 공동체의 이익을 훼손하는 '이기주의'로 전락한다.

<보기 2>

자유주의에서는 시민의 자유가 모든 권리의 바탕이 된다. 이때 시민의 자유는 외부의 간섭을 받지 않고 스스로 하고 싶은 일을 선택하여 실행할 수 있는 자유로, 불간섭으로서의 자유라고도 부른다. 이러한 자유의 바탕에는 개인이 이성에 따라서 스스로 규범을 세우고 지켜나갈 수 있다는 믿음이 깔려 있다. 따라서 자유주의는 국가를 비롯한 누구도 개인의 자유와 권리를 침해해서는 안 된다고 본다. 이러한 자유주의 개념을 다른 각도에서 보면, 한 개인이 타인에게 간섭받지 않을 자유를 누리기 위해서는 동시에 타인의 자유를 침해해서는 안 된다는 것을 의미한다. 따라서 개인에 대한 사회적 제재는 오직 타인에게 해를 끼친 행위에 대해서만 가해질 수 있다. 다시 말해, 개인은 타인에게 해를 끼치지 않는 한도 내에서 자신의 자유를 누릴 수 있다는 것이다.

[문제 3]

기업 A는 개인주의 문화가 지배적인 국가 B에서 현지인으로 구성된 해외 법인을 설립하려고 한다. 기업 직원들의 인식과 태도에 관한 일반적인 연구 결과를 보여주는 <그림 1> ~ <그림 3>에 기초하여, 국가 B의 문화적 특성에 적합한 직원 관리전략을 추론하시오. (500자 내외, 320점)

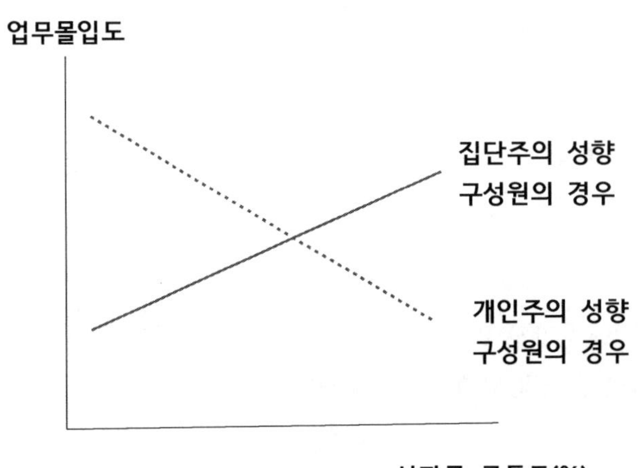

<그림 1> '성과급 균등도'와 '업무 몰입도'의 관계

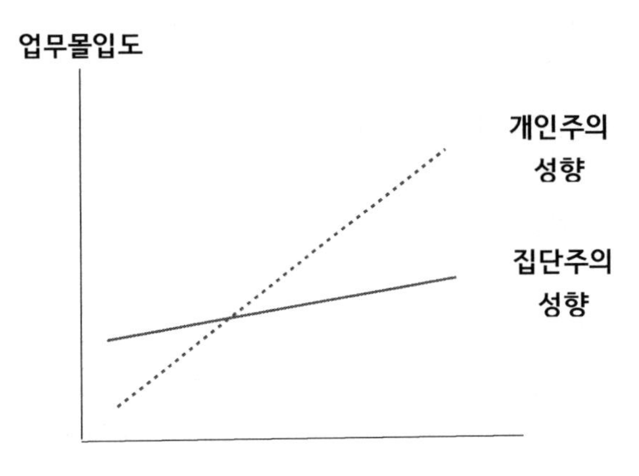

<그림 2> '개인 성장 인식도'와 '업무 몰입도'의 관계

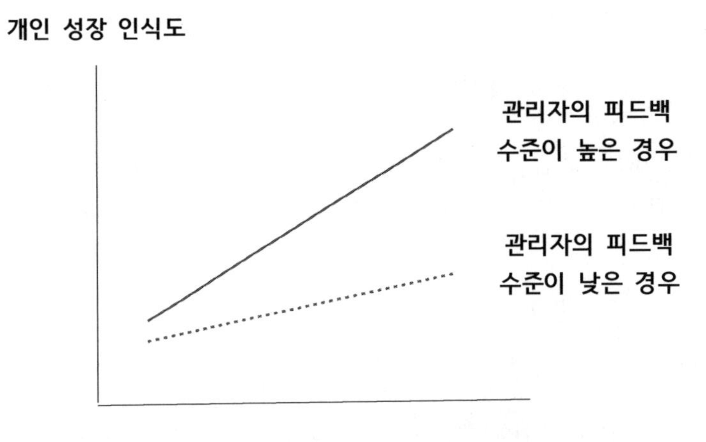

<그림 3> '업무 자율성'과 '개인 성장 인식도'의 관계

*개인 성장 인식도: 업무가 자신의 성장에 기여한다고 인식하는 정도

[문제 1]

각 주체의 관점에 따라 (가)~(바)를 분류하면 (가), (다), (라)는 부분을, (나), (마), (바)는 전체를 중시하는 것으로 나눌 수 있다. (가)의 하이에크는 사회과학이 전체 현상의 부분인 인간의 견해를 분석하는 것이 중요하다고 인식했고, (다)의 일부 기업들은 핵심 부품의 가치를 중시하여 부품에 브랜드를 부여하였다. (라)의 로댕은 대상에 깊이 공감하는 데에 조각상의 부분적 요소들을 감상하는 것이 중요하다고 보았다. 반면에 (나)의 스티븐 존슨은 창발성을 통해 더 높은 수준의 새로운 질서를 형성하는 전체를 중시하였고, (마)의 '편집장'은 공화국을 위한 '당'의 판단과 명령이 절대적인 가치를 가진다고 보았다. (바)의 생태학자들은 펭귄들이 몸비빔을 하는 상호작용이 무리 전체의 생존을 위해 필수적이라고 여겼다. (408자)

[문제 2]

<보기 1>의 정의와 구분에 따르면 (마)의 편집장은 '전체주의'에, (사)의 일부 가입자는 '이기주의'에 해당한다. 편집장은 집단의 가치만을 중시하여 주인공 이명준에게 개인주의 사상을 버리고 당의 명령에 무조건 복종할 것을 강요하고 있다. 한편, 일부 가입자는 자신의 이익만을 추구하여 과잉 진료를 받음으로써 보험료 인상, 의료 서비스의 질 하락이라는 공동체 이익의 훼손을 가져왔다. 이어 <보기 2>의 자유주의적 관점에 따라 (마)의 편집장과 (사)의 일부 가입자를 대조하고 평가해 보면, 둘 간의 차이를 확인할 수 있다. 편집장은 개인의 자유와 독립성을 인정하지 않고, 타인에게 해를 끼치지 않은 개인의 존재와 권리를 부당하게 억압하고 있다. 이와 달리 일부 가입자는 자신의 자유와 이익만을 지나치게 추구함으로써, 결과적으로 건강에 관한 타인의 자유와 권리를 현저히 침해하고 있다. (440자)

[문제 3]

기업 A가 국가 B에서 법인을 성공적으로 운영하기 위해서는 직원들의 개인주의 성향을 고려하여 업무몰입도를 극대화하는 두 가지 전략을 시행해야 한다. 첫째, 성과급의 균등도를 낮춰야 한다. 이러한 전략의 근거는 <그림 1>을 통해 도출할 수 있다. <그림 1>에 따르면 개인주의 성향이 강한 직원들의 업무 몰입도는 성과급의 균등도와 반비례한다. 둘째, 업무 자율성과 관리자의 피드백 수준을 높임으로써 개인 성장 인식도와 업무 몰입도를 증대해야 한다. 이러한 전략의 근거는 <그림 2>와 <그림 3>을 종합해 도출할 수 있다. <그림 2>에 따르면 개인주의 성향의 직원들은 개인 성장 인식도가 증가함에 따라 업무 몰입도 또한 증가한다. 한편, <그림 3>에 따르면 개인 성장 인식도는 업무 자율성이 클수록 높고, 업무 자율성이 같은 수준에서는 관리자의 피드백 수준이 높을 때 더욱 높다. 결론적으로, B에 적합한 직원 관리전략은 성과급 균등도를 낮추되, 개인의 업무 자율성과 관리자의 피드백 수준을 높이는 것이다. (510자)

5. 2023학년도 한국외대 수시 논술 [토요일 T1]

[문제 1] 다음은 평등한 분배에 관한 토론 수업 모습이다. 학생들의 발표를 바탕으로 (가)~(바)를 두 유형으로 분류하고 요약하시오. (400자 내외, 210점)

모든 구성원을 동등하게 대우하며 절대적 평등을 추구해야 한다고 생각합니다.

아닙니다.
개인의 능력이나 업적, 필요 등 상대적 차이를 충분히 고려해야 한다고 생각합니다.

제시문들은 절대적 평등을 보여주는 (나), (라), (마)와 상대적 평등을 보여주는 (가), (다), (바)로 분류된다. (나)는 삼균주의를 통해 개인, 국가, 민족간의 평등을 이룬다는 절대적 평등을 보여준다. (라)는 태평천국의 천조전무제도와 대동이념을 통해 절대적 평등을 실현하려 했던 노력을 보여주고, (마)는 절대적 평등을 추구했던 소련연방 시절에 대한 고려인 노년층의 향수를 보여준다.

이와 달리 (가)는 능력주의를 옹호하는 청년세대들의 공정에 대한 인식을 통해 상대적 평등을 보여준다. (다)는 업적을 기준으로 급여를 결정하는 N사의 성과급제를 통해 상대적 평등을 보여주며, (바)는 H시가 생계급여제 정책을 통해 시민의 최소한의 생활을 보장하는 필요에 의한 상대적 평등을 보여준다.

[392자]

[문제 2] (가)에 나타난 청년세대들의 인식과 (바)에 기술된 H시의 정책을 <보기>의 노직의 관점에서 비교·평가하시오. (450자 내외, 210점)

<보기>

정의와 관련하여 분배기준 자체보다 공정한 분배를 위한 절차를 강조하는 입장이 있다. 이 입장에서는 절차나 과정이 공정하면 결과의 공정성도 보장된다고 본다. 이러한 절차적 정의를 논한 대표적 인물로 롤스와 노직이 있다.

롤스는 구성원들이 기본적 자유를 평등하게 가지면서도 가장 불우한 처지에 놓인 사람에게 최대한의 이익을 주는 방식으로 소득의 재분배 방식을 합의해야 한다고 주장한다. 개인의 기본적 자유를 보장하고, 공정한 기회균등의 원칙을 준수하면서도 복지정책 등을 통해 정의를 구현해야 한다는 것이다.

반면 노직은 개인의 자유를 중시하는 점에서는 롤스에 동의하지만, 차등의 원칙에는 반대한다. 노직은 재화의 취득과 이전의 절차나 과정이 정당하다면, 이를 통해 얻은 소유물에 관해서는 개인이 절대적 소유 권리를 가진다고 보았다. 그는 국가가 강압, 절도, 사기, 강제 계약의 발생을 막는 일 이상의 역할을 해서는 안 되고, 재화의 분배에 적극적으로 관여하기보다 개인의 자유에 최대한 맡겨야 한다고 주장했다.

- 고등학교 교과서 『생활과 윤리』

노직은 정당한 절차를 통해 획득한 소유물에 대해서는 개인이 절대적 소유권을 가지며, 국가는 재화의 분배에 관여하지 말고 개인의 자유에 맡겨야 한다고 주장했다. (가)에서 K씨는 할당제의 부작용을 말하며 능력에 따른 인재 선발을 주장했고, L씨는 정당하게 축적

한 부의 재산권을 보장해야 한다며 과도한 세금 부과에 반대했다. K씨와 L씨의 견해는 정당한 절차와 과정을 중시하며 이를 통해 취득한 소유물에 관한 개인의 절대적 소유권을 주장하는 노직의 견해에 부합한다고 평가된다. 반면 노직의 관점에 따른다면 (바)에서 H시가 복지재원을 충당하기 위해 시행한 부유세는 정당하게 축적한 소유물에 관한 개인의 절대적 소유권을 침해할 우려가 있다. 또 시민의 생계유지에 필요한 최소한의 물품과 비용을 지급하는 생계급여제는 개인의 자유에 맡겨야 할 재화의 분배에 H시가 과도하게 관여한다고 비판적으로 평가할 수 있다.

(451자)

[문제 3] <그림 1>과 <그림 2>는 호봉제를 폐지하고 성과급제를 도입한 A사와 B사의 보수체계 개편과 그에 따른 성과지표 현황이다. A사와 B사의 성과지표 추이를 해석하고, (다)를 바탕으로 두 회사의 성과지표 차이의 요인을 추론하시오. (500자 내외, 280점)

<그림 1> A사의 보수체계 개편과 그에 따른 성과지표 현황

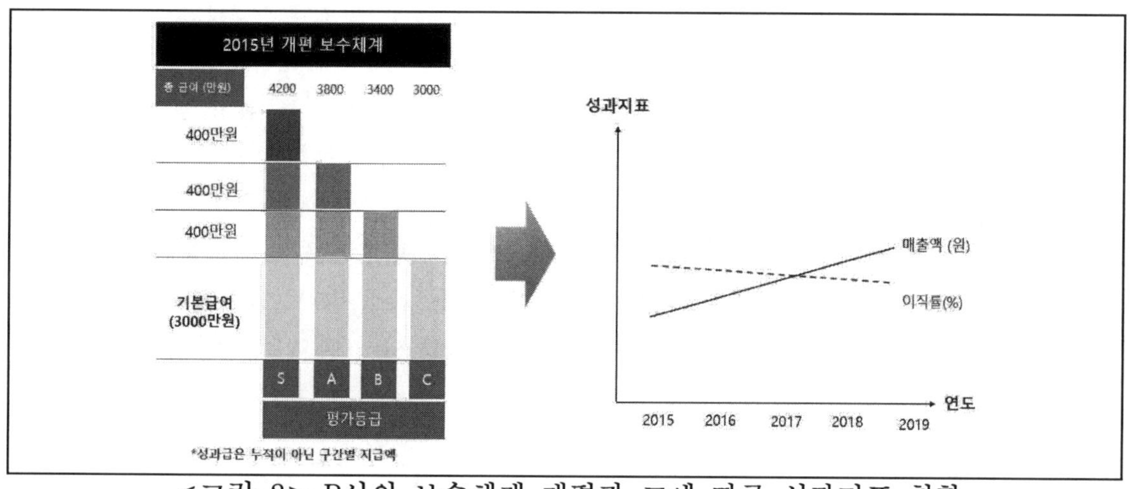

<그림 2> B사의 보수체계 개편과 그에 따른 성과지표 현황

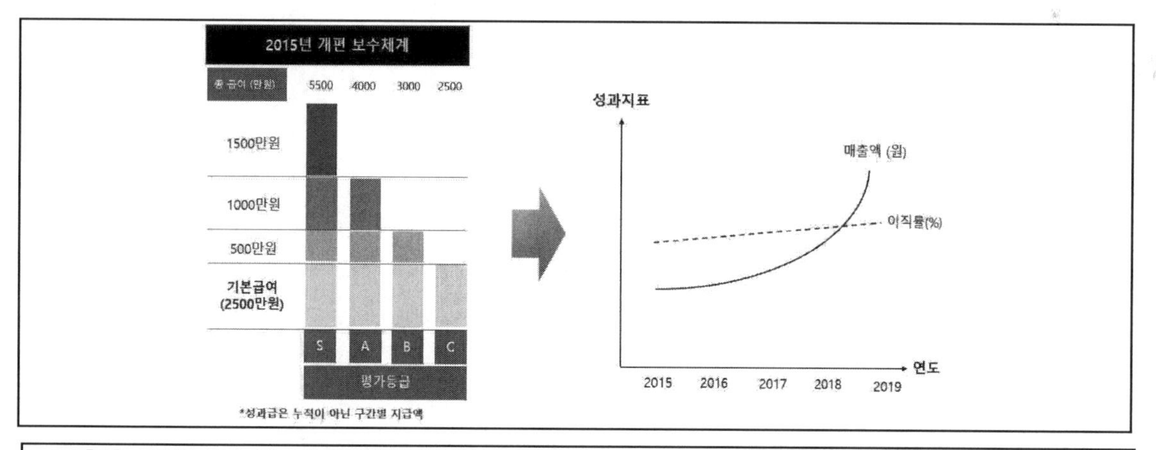

A사의 성과지표 중 매출액은 2015년 보수체계 개편 후 지속해서 상승하고 있고, 이직률은 지속해서 감소하고 있다. A사의 성과급제는 구간별 성과급지급액은 균일하다. 이는 N사의 초기 성과급 도입제도와 유사한 형태로서, 성과급의 도입으로 인해 A사 직원들의 직무만족도가 전체적으로 상승하였고, 이것이 매출액 상승 및 이직률 감소라는 긍정적인 성

과지표로 연결되었음을 추론할 수 있다.

B사의 성과지표 중 매출액은 2015년 보수체계 개편 후 급격하게 상승하는 반면, 이직률은 지속해서 증가하고 있다. B사의 경우, A사와 비교해 기본급이 적고, 성과급 구간별 지급액이 차등적이다. 그 결과 S, A급과 같은 고평점자의 총급여는 A사에 비해 높지만, B, C급과 같은 저평점자들의 총급여는 A사에 비해 낮다. B사의 경우, 성과급 강화로 내부 경쟁이 심해져 매출액은 급격하게 증가하였지만, 직원들간 위화감이 조성되어 근무환경이 불안정해짐에 따라 이직률이 증가하고 있음을 알 수 있다.

[497자]

6. 2023학년도 한국외대 수시 논술 [토요일 T2]

[문제 1] (가)에 나타난 두 가지 갈등 유형을 토대로 (나)~(마)를 분류하고, 갈등의 주체·내용·결과를 중심으로 각 제시문을 요약하시오. (400자 내외, 210점)

(가)에 따르면 갈등은 결과적 측면에 따라 '생산적 갈등'과 '소모적 갈등'으로 나뉜다. 이를 토대로 (나)와 (마)는 생산적 갈등으로, (다)와 (라)는 소모적 갈등으로 분류할 수 있다. (나)에서 윌버와 오빌 라이트 형제는 글라이더의 급강하 문제를 놓고 논쟁을 벌이지만, 결국 완벽하게 조종 가능한 글라이더를 만들어내는 데 성공한다. (마)의 A시와 B시는 쓰레기소각장 건설 문제로 갈등하지만 A시가 B시의 하수를 처리해주고 B시가 A시의 쓰레기소각장 건설을 허용해 주는 방안에 합의한다. (다)의 붕당은 정치 권력을 둘러싸고 갈등하다가 서로를 인정하지 않고 정치 기반 자체를 무너뜨리게 된다. (라)에서 '나'의 아버지와 응웬 아줌마는 베트남전에서 한국군의 행위에 대한 인식 차이로 갈등하다가 대화를 중단하게 된다.

(403자)

[문제 2] 아래 <보기>를 바탕으로 (마)와 (바)를 비교·평가하시오. (450자 내외, 210점)

<보기>

사회학자 ○○에 따르면 기피 시설 설치 등의 공공정책으로 인한 정부 부처, 지자체, 지역주민의 갈등을 원활하게 해결하기 위해 공공기관은 체계적인 갈등관리 방안을 마련해야 한다. 구체적으로, 공공기관은 다음과 같은 노력을 기울여야 한다. 첫째, 주민공청회 등을 통해 관련 정보를 실질적으로 공유해야 한다. 둘째, 주민 생활에 큰 영향을 주거나 이해 상충으로 인한 심각한 갈등이 우려되는 경우 정책의 영향을 분석하는 절차를 거쳐야 한다. 셋째, 이해당사자 및 전문가들이 원활하게 의견을 나누고 협상을 진행할 수 있는 다양한 협의의 장을 마련해야 한다.

<보기>는 공공기관의 체계적 갈등관리 방안으로, 실질적 정보의 공유, 갈등 영향에 대한 분석, 이해당사자 간 협의체 마련을 제시한다. (마)는 환경 기초시설 건설을 둘러싼 A시와 B시 간의 갈등을, (바)는 K시의 교도소 재건축 관련 갈등을 소개하고 있다. (마)에서 A시와 B시는 주민공청회를 통해 정보를 실질적으로 공유하였고, 정책이 미치는 영향을 분석하였으며, 두 시의 시민, 지역 위원, 전문가를 포함하는 업무 협의회를 구성하여 환경

빅딜을 이루었다. 반면 (바)에서 교도소 재건축을 추진한 부처는 갈등과 관련된 정보의 공유를 제한하였고, 갈등 발생이 우려되는 상황에서도 갈등영향분석을 진행하지 않았으며, K시 시민들의 위원회 참여를 독려하지 않았다. 따라서 <보기>에 제시된 기준으로 볼 때, (마)의 A시와 B시는 갈등을 제대로 관리한 반면, (바)의 부처는 갈등을 적절하게 관리하지 못했다.

(449자)

[문제 3] 어떤 조직의 관리자가 조직의 성과를 높이기 위해 취해야 할 갈등관리 방법을, (사)의 사례를 참고하고 <그림 1>과 <그림 2>를 적용하여 추론하시오. (500자 내외, 280점)

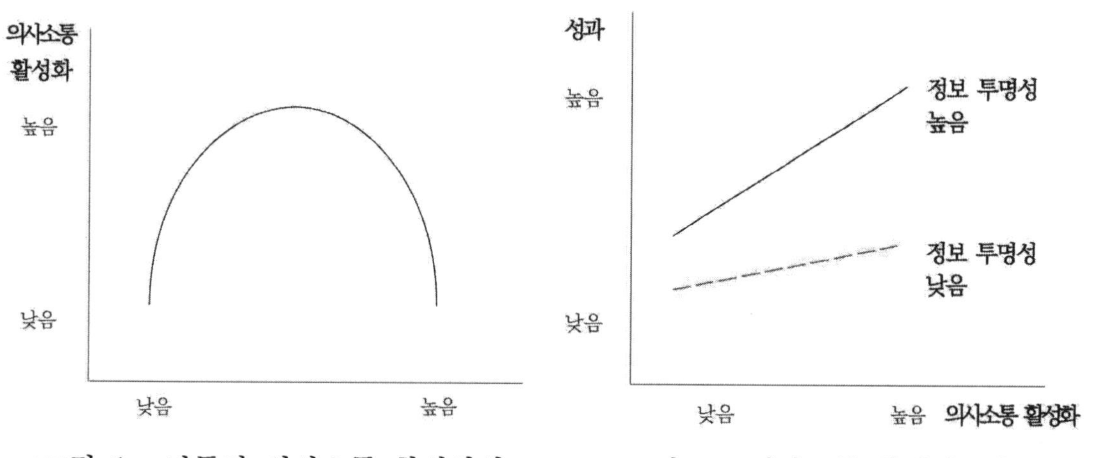

<그림 1> 갈등과 의사소통 활성화의 관계

<그림 2> 의사소통 활성화, 정보 투명성, 성과의 관계

(사)에서 허쉬버그는 셈플과 플라워스처럼 스타일과 가치관 등 모든 면에서 전혀 다른 두 디자이너가 한 팀에서 함께 일하도록 한 이후, 적절히 지원함으로써 일정 정도의 갈등을 유지하여 생산적 결과에 이르도록 하였다. 갈등을 이렇게 잘 관리하면 생산적 결과가 나온다는 것은 <그림 1>과 <그림 2>에서 추론할 수 있다. 우선 <그림 1>에 따르면 갈등이 지나치게 높거나 지나치게 낮을 때 의사소통 활성화가 낮아지고, 갈등이 일정 수준으로 유지될 때 의사소통 활성화가 높아진다. (사)의 허쉬버그는 일정 정도의 갈등을 유지하게 함으로써 의사소통 활성화를 높였다고 볼 수 있다. <그림 2>는 의사소통 활성화가 높을수록 성과가 높아지며, 여기에 더해 정보 투명성이 높으면 정보 투명성이 낮은 경우보다 언제나 성과가 높다는 것을 보여준다. 따라서 조직 관리자는 조직 성과를 높이기 위해 일정 정도의 갈등을 유지하도록 하여 의사소통 활성화를 높이고, 높은 수준의 정보 투명성을 유지해야 한다.

(496자)

7. 2023학년도 한국외대 수시 논술 [일요일 T3]

[문제 1] 밑줄 친 주체의 정체성에 대한 인식을 기준으로 (가) ~ (바)를 두 유형으로 분류하고 요약하시오. (400자 내외, 210점)

주체의 정체성 인식을 기준으로 글을 분류하면 (가),(다),(바)는 단일 정체성에 해당하며 (나),(라),(마)는 다중 정체성에 해당한다. (가)의 마을 주민들은 장승제를 통해 농경사회의 단일 정체성을 형성하고 살아간다. (다)의 카운터 직원은 한국인은 단일민족이라는 인식을 바탕으로 단일 정체성을 보여준다. (바)의 통일 신라는 삼한일통의식이라는 새로운 통합 정체성을 통해 단일한 국가 정체성을 확립하고 있다. 반면, (나)의 개인은 자신의 정체성을 장소와 역할에 맞게 다양하게 변화시키는 다중 정체성을 보여준다. (라)의 작가들은 한반도에 뿌리를 두고 일본에 살아가는 다중 정체성을 그림으로 표현한다. (마)의 최근 우리나라는 다양한 문화의 공존을 추구하는 문화 다원주의적 인식을 통해 다중 정체성을 강조한다.

(400자)

[문제 2] (바)의 통일신라와 <보기>의 영국의 사례에 나타난 정책 결정에 영향을 미친 정체성의 특징을 비교하고, 그 결과를 국가 발전의 관점에서 평가하시오. (450자 내외, 210점)

<보기>

1993년 마스트리히트 조약의 발효로 EU(유럽연합)가 출범하고, 이는 유럽시민이라는 새로운 통합 정체성이 확산되는 계기가 되었다. 이러한 통합 정체성은 2002년 단일화폐인 유로화의 사용으로 더욱 강화되었다. 많은 유럽인들은 국적에 상관없이 유럽인이라는 의식을 가지고, 자국의 국가 정체성도 중요하지만 유럽시민이라는 공동 정체성을 널리 확산하는 것이 더 중요하다고 생각하게 되었다.

하지만 영국은 2016년에 EU를 탈퇴하는 브렉시트(Brexit)*를 결정하였다. 브렉시트를 결정한 영국의 정책은 영국인의 국가 정체성과 깊은 연관이 있다고 볼 수 있다. 한 연구에 따르면 영국인의 경우 새롭게 형성된 유럽시민으로서의 초국가적 정체성을 부정하고 오래전에 확립된 기존의 자국 정체성만 인정하는 비율이 EU의 다른 회원국에 비해 월등히 높은 62%라는 수치를 보여주었다.

한편 많은 연구들이 브렉시트를 영국의 장기적 비전 결여와 연관 짓기도 한다. 영국인들은 EU 분담금에 대한 불만 등의 단기적 이해관계에 매몰되어 장기적 발전 전략을 충분히 논의하지 않은 채 투표한 것으로 확인되었다. 브렉시트 이후, 영국은 유럽 집행위원회에 참여하지 못하게 됨에 따라 국제적 입지가 약화되고 있다. 아울러 영국인들은 EU의 후원 아래 개최되는 수많은 행사 및 에라스무스와 같은 교육·학술교류 프로그램에 대한 접근이 크게 제한되어, 사회·문화적인 타격도 불가피할 것으로 예상된다. 2021년 영국 정부의 보고서에서는 브렉시트로 인해 영국의 무역 손실이 크게 확대되고 금융중심지로서의 위상도 약화될 것으로 예상했다.

* 브렉시트(Brexit) : 영국을 뜻하는 Britain과 탈퇴를 뜻하는 exit의 합성어로 영국의 EU 탈퇴를 일컫는다.

- 윤성욱, 2017「양날의 칼로서의 영국 정체성」『영국연구』 재구성

통일신라의 삼국 유민 통합 정책에 영향을 미친 정체성은 삼한일통의식인데, 이는 삼국통일 이후 새롭게 내세워진 통합 정체성이다. 영국의 브렉시트 결정에 영향을 미친 것은 영

국의 자국 정체성인데, 이는 새로운 통합 정체성이 아니라 오래전에 확립된 기존의 단일한 국가 정체성이다. 국가 발전에 대한 관점은 경제적 번영, 국제적 위상, 문화적 측면에서 평가할 수 있다. 통일신라의 경우, 새로운 통합 정체성과 장기적인 국가 발전 전략을 바탕으로 확장된 영토를 효율적으로 다스려 경제적 번영을 누리고, 적극적인 외교활동을 통해 국제적 위상을 높였으며, 삼국의 문화를 융합하여 문화적인 융성을 이루었다. 영국은 자국의 국가 정체성에 매몰되어 장기적 발전 전략 없이 브렉시트를 결정함으로써 무역 손실, 금융중심지로의 위상 약화, 국제적 입지 약화, 사회문화적 교류 제한이라는 부정적 결과가 예상되고 있는 상황이다.

(450자)

[문제 3] <보기>의 밑줄 친 주체의 희망을 구현하기 위한 독일 정부의 정책 방향과 그에 따른 긍정적 유발 효과를 (마)를 참조하여 추론하시오. (500자 내외, 280점)

<보기>

In the 1960s, without a sufficient workforce to hold an economic boom, the West German government allowed Turkish laborers to enter the country. Over three million Turkish workers immigrated to Germany with their families, building a big Turkish community. West Germany encouraged the immigrants, young children in particular, to learn German for successful assimilation*. Although this strategy appeared effective in uniting different groups of immigrants, Turkish included, it led to serious communication and identity problems.

Many studies find that the second language learning is facilitated when the home language is fully developed. Children of Turkish descent in Germany had difficulty learning German because they were not given enough time to learn their home language, Turkish, due to the assimilation policy. This is why **the Turkish mothers,** who were unable to communicate with their children properly, began to resist the German government's emphasis on assimilation. In other words, they wanted their children to settle down and be successful in Germany without losing their home language and Turkish identity.

* assimilation: 동화, 흡수

- Austin Davis, 2015 "Repairing the Cultural Divide", Pulitzer Center 재구성

영문 번역

1960년대에 서독 정부는 경제 호황을 유지할 충분한 인력이 없어 터키 노동자들의 입국을 허용했습니다. 3백만 명이 넘는 터키 노동자들이 그들의 가족과 함께 독일로 이민을 와서 큰 터키 공동체를 이루었습니다. 서독은 이민자들, 특히 어린 아

이들에게 성공적인 동화를 위해 독일어를 배우도록 장려했습니다. 비록 이 전략이 터키인을 포함한 다양한 이민자 그룹을 통합하는 데 효과적인 것처럼 보였지만, 그것은 심각한 의사소통과 정체성 문제로 이어졌습니다.

많은 연구에서 모국어가 완전히 발달했을 때 두 번째 다른 언어 학습이 촉진된다는 것을 발견합니다. 독일에 거주하는 터키계 아이들은 동화 정책 때문에 모국어인 터키어를 배울 충분한 시간이 주어지지 않아 독일어를 배우는데 어려움을 겪었습니다. 아이들과 제대로 의사소통을 할 수 없었던 터키 엄마들이 독일 정부의 동화 정책에 저항하기 시작한 이유입니다. 다시 말해, 그들은 그들의 아이들이 모국어와 터키의 정체성을 잃지 않고 독일에서 성공적으로 정착하기를 원했습니다.

밑줄 친 주체는 터키 이주노동자 가족의 어머니들로서 자녀들에 대한 모국어 교육의 부족으로 자녀들과의 언어소통에 많은 어려움을 겪고 있다. 이에 이들은 자녀들이 모국어인 터키어와 터키인으로서의 정체성을 잃지 않은 채 독일 사회에 성공적으로 정착하는 것을 희망하고 있다. (마)에서 우리나라는 2013년에 다문화가족지원법을 개정하여 한국어 교육뿐 아니라 결혼이민자등인 부 또는 모의 모국어 교육까지 지원하고 있다. 이를 참조하면 독일 정부는 독일어뿐 아니라 터키 이주노동자의 모국어인 터키어 교육까지 시행하는 것이 필요하다고 할 수 있다.

이러한 모국어 교육의 강화를 통해 독일어 학습도 수월하게 함으로써 독일 사회에 성공적인 정착을 유도할 수 있다. (마)를 참조하면, 이러한 정책으로 다양한 문화의 공존을 도모하여 갈등을 방지하고, 풍부한 문화적 경험을 재공하여 새로운 문화창조의 원동력을 창출할 수 있다. 나아가 이주집단과 모국 사이의 네트워크를 긴밀하게 하여 국가경쟁력을 높일 수 있다.

(500자)

8. 2023학년도 한국외대 수시 논술 [일요일 T4]

[문제 1] (가)~(라)에서 밑줄 친 인물을 '이상 지향'과 '현실 지향'의 두 유형으로 분류하고 각 인물의 관점을 요약하시오. (400자 내외, 210점)

이상과 현실 중 어느 쪽을 중시하느냐에 따라 (가), (라)의 인물은 이상지향형 인간으로, (나), (다)의 인물은 현실지향형 인간으로 분류할 수 있다. (가)의 커즈와일은 인공일반지능이 인간지능을 넘어서는 특이점이 오면 인류의 이상세계가 도래할 것이라고 믿는 이상지향형 인간이다. (라)의 왕망은 현실 상황에 대한 고려없이 유교적 이념을 토대로 급진적 개혁을 추진한 이상지향형 인간이다. 한편 (나)의 마키아벨리는 가상 국가에 대한 논의가 현실 조건을 간과했음을 비판하면서, 군주에게는 현실에 따라 악해질 수 있는 능력이 필요하다고 주장했다는 점에서 현실지향형 인간이다. (다)의 방삼복은 모두가 기뻐하는 해방의 순간에도 오직 자신에게 현실적으로 이득이 되는지만을 따진다는 점에서 현실지향형 인간이다.

(396자)

[문제 2] 아래 <보기>의 관점에서 (라)의 '왕망'과 (마)의 '경제학자'를 비교·평가하시오. (450자 내외, 210점)

<보기>

Like oil and vinegar, ideals and reality never fully dissolve into one another and tend naturally to separate if left alone. To combine, they need to be regularly stirred up together if they are to make good vinaigrette*. Also, like oil and vinegar, idealism and realism are better together. Each on their own is never enough. A passion for ideals alone will never make a good leader. She or he also needs a gritty** realism to guide them as they try to bring influence to bear in very worldly situations which are usually not ideal at all.

*vinaigrette: 비네그레트(식초에 갖가지 허브를 넣어 만든 샐러드용 드레싱)

**gritty: 불쾌한 상황을 그대로 보여주는

영문 번역

기름과 식초처럼 이상과 현실은 서로 완전히 용해되지 않고 그냥 두면 자연스럽게 분리된다. 좋은 비네그레트*를 만들기 위해서는 주기적으로 함께 저어야 한다. 또한, 기름과 식초처럼 이상주의와 현실주의가 더 잘 섞여야 하며, 각각의 것만으로는 결코 충분하지 않다. 이상에 대한 열정만으로는 결코 좋은 지도자가 될 수 없다. 이상과 동떨어진 현실 세계에서 리더가 힘을 발휘하려면 자신을 이끌 수 있는 냉철한 현실주의가 필요하다.

<보기>는 기본적으로 섞이기 힘든 식초와 식용유를 이상주의와 현실주의에 빗대어 설명한다. 식초와 식용유는 그대로 두면 자연스럽게 분리되기 때문에 좋은 비네그레트를 만들려면 둘을 휘저어 섞어야 한다. 이처럼 좋은 리더가 되기 위해서는 이상만으로는 부족하며, 현실에 대한 이해가 있어야 한다. (라)의 왕망은 유교적 이상주의 실현을 위한 급진적 개혁을 추진하였으나 현실 조건을 무시한 결과 백성들의 지지를 얻지 못하여 결국 개혁에 실패했다. 반면 (마)에서 유토피아에 관한 학문인 경제학을 연구하는 경제학자들은 유토피아의 실질적 조건인 물질적 행복을 구현하기 위해 현실적이고 냉철한 분석을 한다. 이런 점에서 경제학자들은 현실 조건을 무시한 왕망과 차이가 있다. 이 두 가지 사례를 종합하여 볼 때, 현실적 조건을 충분히 고려하지 않는 이상주의는 현실 속에서 힘을 발휘하기 어려움을 알 수 있다.

(445자)

[문제 3] (바)의 W가 처한 상황을 '이상'과 '현실'을 중심으로 요약하고, 아래 <보기>에서 언급된 원칙을 준용하여 W의 결정이 왜 타당한지를 추론하시오. (500자 내외, 280점)

<보기>

국가는 모든 국민의 기본권을 존중하고 보호하는 것을 이상적인 목표로 하지만, 현실에서는 복잡하고 특별한 요인들을 고려해 국가가 국민의 기본권을 제한하기도 한다. '과잉금지의 원칙'은 국가의 이러한 기본권 제한이 목적의 정당성·수단의 적합성·침해의 최소성·법익의 균형성 중 어느 하나에라도 저촉이 되면 안 된다는 헌법상의 원칙이다.
(1) 목적의 정당성: 기본권 제한의 목적이 정당성을 인정받을 수 있어야 한다.
(2) 수단의 적합성: 기본권 제한의 방법이 그 목적을 달성할 수 있는 효과를 가져야 한다.
(3) 침해의 최소성: 침해가 적은 다른 방법은 없는지를 모색함으로써 피해가 최소한이 되도록 해야 한다.
(4) 법익의 균형성: 기본권 제한으로 얻는 이익이 침해되는 이익보다 더 커야 한다.

인권보호단체 W는 이상적으로는 인권을 침해하는 독재정권을 비판하면서 기아 및 전염병에 시달리는 어린이들을 보호할 수 있어야 한다. 그러나 현실에서는 독재국가 A를 비판하는 성명에 동참할 경우, A국 어린이들을 도울 수 없는 상황이다. W는 결국 비판 성명에 동참하는 대신 A국에 입국하여 어린이들을 돕기로 결정한다. W가 내린 현실적인 결정은 국민의 기본권을 제한할 때 국가가 고려해야 하는 과잉금지의 원칙을 준용하여 그 타당성을 추론할 수 있다. 첫째, W의 결정은 어린이의 목숨을 구할 수 있다는 점에서 목적의 정당성에 부합한다. 둘째, 국제단체의 요구에 응하지 않을 경우 A국 어린이들의 목숨을 구할 수 있으므로 수단의 적합성에 부합한다. 셋째, 입국해서 활동하는 것 외에 어린이들을 도울 수 있는 다른 방법이 없으므로 침해의 최소성에 부합한다. 넷째, 공동성명에 동참해서 얻는 이익보다 어린이들의 생명을 구함으로써 얻는 이익이 더 크다는 점에서 법익의 균형성도 충족시킨다.

(494자)

9. 2023학년도 한국외대 모의 논술 [인문계]

[문제 1] (400자 내외, 210점) (가)~(라)를 다양성과 단일성 개념을 중심으로 분류하고 요약하시오.

제시문들은 다양성을 기술하는 (가)와 (다), 단일성을 기술하는 (나)와 (라)로 분류할 수 있다. 우선 (가)는 유전적 차이로 인해 변이가 생기며, 이로 인해 발생하는 유전적 다양성이 생물종의 멸종 확률을 낮출 뿐만 아니라 생물종의 보존, 생존에 중요한 역할을 함을 말하고 있다. (다)는 다양한 문화가 가지는 특수성과 고유성이 우리 삶을 풍요롭게 하며, 따라서 문화적 차이를 우열의 문제로 접근하지 않고 지켜나가는 것이 중요함을 강조하고 있다. 이와 대조적으로 (나)에서는 수레 궤도가 하나가 되는 '동궤'의 예를 들어 '단일화'를 말하고 있으며, (라)에서는 공동체가 혹은 국가가 단일한 통화를 사용하지 않을 경우 발생하는 비용과 불편함을 언급하면서 단일화폐의 유용성을 설명하고 있다.

(386자)

[문제 2] (450자 내외, 210점) 다양성과 단일성 개념을 중심으로 (마)와 (바)를 비교하고, (사)의 관점에서 각각 평가하시오.

(마)에서 중국 정부는 체제의 안정과 지속성을 위해 보통화를 단일 공용어로 지정하였지만, 각 소수민족의 민족 언어의 사용을 허락하는 정책을 취하고 있다. 이는 언어의 단일성과 다양성을 동시에 추구하는 모습을 보여주고 있다. (바)에서 프랑스 정부는 브르타뉴어를 제거 대상으로 분류하고, 사용자에게 불이익을 주었으며 결국 법적으로 사용을 금지하였다. 이는 언어의 다양성을 배제하고 단일어로의 통일을 중시하는 모습을 보여준다. (사)의 슈타이너는 언어를 세계관을 보여주는 지도로 보고, 한 언어의 사멸은 한 세계관의 상실을 수반한다고 주장하였다. 이는 다양한 언어의 공존을 강조하는 관점을 보여주고 있다. (사)의 관점에서, 언어의 다양성을 유지하기 위한 중국 정부의 언어정책은 긍정적으로 보일 수 있으며, 타 언어의 사용을 금지한 프랑스 정부의 언어정책은 비판적으로 보일 수 있다.   **(437자)**

[문제 3] (500자 내외, 280점) <자료 1>, <자료 2>, <자료 3>을 바탕으로 기업 A가 장기적으로 생산성을 극대화하기 위한 방안을 추론하시오.

<자료 1>

현재 기업 A는 생산성을 극대화하기 위해 조직 내 다양성(성, 인종, 직무, 배경 등에서의 다양성)과 생산성 관계에 관한 업계 동향자료를 분석하고 있다. 기업 A는 이 자료를 바탕으로 장기 비즈니스 모델을 수립해 운영하려고 한다. 이때 기업 A가 택할 수 있는 방향은 다음과 같다.

(1) 다양성 관리 프로그램을 도입하고 실질적으로 운영하는 경우 (2) 다양성 관리 프로그램을 도입하지 않은 경우 (3) 다양성 관리 프로그램을 도입하나 형식적으로 운영하는 경우

위 세 가지 방향에 따른 생산성 변화는 다음과 같다.
초기에는 (1)과 (3)이 (2)의 경우보다 낮은 생산성을 보인다. 하지만 일정 시점이 되면 (1)이 (2)의 경우보다 생산성이 높아지기 시작하고, 이때부터 (1)과 (2)의 생산성 격차는 더욱 벌어진다. (3)의 경우, 생산성이 증가하는 양상을 보이다가 일정 시점을 넘어서면서부터는 생산성 감소가 지속적으로 이루어진다. (3)에서의 생산성은 시점과 관계없이 (2)의 수준을 상회하지 않는다.

<자료 2>

또한 기업 A는 다음 자료에 주목하고 있다.

다양성 관리 프로그램의 긍정적 효과는 해당 프로그램을 운영하는 주체에 따라 다르다. CEO나 중간관리자가 프로그램의 운영 주체일 경우 직원이직률은 모두 감소하는 경향을 보인다. 다만, CEO가 운영 주체이면 중간관리자가 운영 주체일 때보다 같은 기간 대비 이직률 감소 폭이 훨씬 크다.

<자료 3>

Some diversity programs are not increasing diversity. Companies are basically taking the same approaches they have used since the 1960s—which often make things worse, not better. Firms have long implemented 'mandatory' programs to promote diversity. These programs are basically designed to preempt lawsuits by policing employees' thoughts and actions. Yet laboratory studies show that this kind of force-feeding can activate bias against co-workers rather than promote harmony. As social scientists have found, people often rebel against rules to assert their autonomy. Trainers tell us that workers often respond to compulsory programs with anger and resistance—and many participants actually report more animosity toward other groups afterward.

영문 번역

일부 다양성 프로그램은 기업 내 다양성을 높이지 못했다. 여러 기업이 1960년대부터 도입·실행해 왔던 획일적인 접근 방식은 기업의 상황을 개선하기는커녕 오히려 악화시키기도 했다. 오랫동안 기업에서는 다양성 증진을 위해 의무형 프로그램을 운영해왔다. 이러한 프로그램은 직원의 생각과 행동을 통제함으로써 소송 등의 사건을 미연에 방지하고자 도입된 것이다. 하지만 일부 실험연구가 보여주듯이 직원들을 강제하는 방식은 직장 내 화합을 도모하기보다는 동료에 대한 편견을 조장할 수 있다. 사회학자들이 보여주었듯이 인간은 자율적인 존재가 되기 위해 규범에 저항하기도 한다. 프로그램 운영자에 따르면 참가자들은 의무형 프로그램에 반감을 보이기도 했고, 다른 구성원에 대해 더 큰 적대감을 드러냈다.

A 기업의 생산성 극대화 방안은 주어진 세 자료를 통해 추론할 수 있다. 먼저, <자료 1>에 따르면 A 기업은 다양성 관리 프로그램을 도입하고, 나아가 프로그램을 형식적으로 운영하지 말고 실질적으로 운영해야 한다. 한편, <자료 2>에 따르면 다양성 관리 프로그램은 이직률 감소에 긍정적으로 작용한다. 다만, 프로그램 운영 주체가 중간관리자가 아닌, CEO이어야 이직률 감소 효과가 더욱 뚜렷하다. 마지막으로, <자료 3>에 따르면 다양성 프로그램은 의도한 목표와 다른, 부정적 결과를 유발할 수 있다. 특히 다양성 프로그램이 강제성을 띨 때는 프로그램에 대한 반감과 구성원 간의 갈등이 커질 수 있다. 이 같은 내용을 종합해보면, 기업 A가 장기적으로 생산성을 극대화하기 위해서는 첫째, 다양성 관리 프로그램을 도입하되 실질적으로 운영해야 하고 둘째, CEO가 프로그램 운영의 주체가 되어야 하며 셋째, 프로그램 운영이 강제성을 띠지 않도록 해야 한다.

(481자)

10. 2023학년도 한국외대 모의 논술 [사회계]

[문제 1] (400자 내외, 210점) (가)~(라)를 다양성과 단일성 개념을 중심으로 분류하고 요약하시오.

제시문들은 다양성을 기술하는 (가)와 (다), 단일성을 기술하는 (나)와 (라)로 분류할 수 있다. 우선 (가)는 유전적 차이로 인해 변이가 생기며, 이로 인해 발생하는 유전적 다양성이 생물종의 멸종 확률을 낮출 뿐만 아니라 생물종의 보존, 생존에 중요한 역할을 함을 말하고 있다. (다)는 다양한 문화가 가지는 특수성과 고유성이 우리 삶을 풍요롭게 하며, 따라서 문화적 차이를 우열의 문제로 접근하지 않고 지켜나가는 것이 중요함을 강조하고 있다. 이와 대조적으로 (나)에서는 수레 궤도가 하나가 되는 '동궤'의 예를 들어 '단일화'를 말하고 있으며, (라)에서는 공동체가 혹은 국가가 단일한 통화를 사용하지 않을 경우 발생하는 비용과 불편함을 언급하면서 단일화폐의 유용성을 설명하고 있다. (386자)

[문제 2] (450자 내외, 210점) 다양성과 단일성 개념을 중심으로 (마)와 (바)를 비교하고, (사)의 관점에서 각각 평가하시오.

(마)에서 중국 정부는 체제의 안정과 지속성을 위해 보통화를 단일 공용어로 지정하였지만, 각 소수민족의 민족 언어의 사용을 허락하는 정책을 취하고 있다. 이는 언어의 단일성과 다양성을 동시에 추구하는 모습을 보여주고 있다. (바)에서 프랑스 정부는 브르타뉴어를 제거 대상으로 분류하고, 사용자에게 불이익을 주었으며 결국 법적으로 사용을 금지하였다. 이는 언어의 다양성을 배제하고 단일어로의 통일을 중시하는 모습을 보여준다. (사)의 슈타이너는 언어를 세계관을 보여주는 지도로 보고, 한 언어의 사멸은 한 세계관의 상실을 수반한다고 주장하였다. 이는 다양한 언어의 공존을 강조하는 관점을 보여주고 있다. (사)의 관점에서, 언어의 다양성을 유지하기 위한 중국 정부의 언어정책은 긍정적으로 보일 수 있으며, 타 언어의 사용을 금지한 프랑스 정부의 언어정책은 비판적으로 보일 수 있다. (437자)

[문제 3] (500자 내외, 280점) <그림 1>과 <그림 2>, <자료>를 바탕으로 기업 A가 장기적으로 생산성을 극대화하기 위한 방안을 추론하시오.

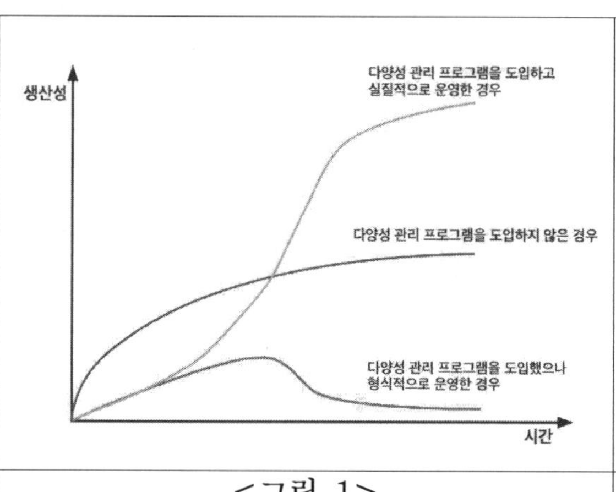

<그림 1>
다양성* 관리 프로그램 도입 여부 및 운영 방식에 따른 생산성 변화 추이
*다양성: 조직 구성원의 성, 인종, 나이, 문화적 배경 등의 다양성을 뜻함.

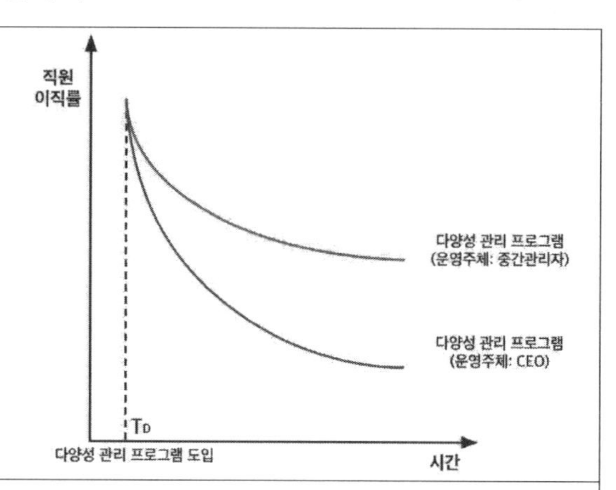

<그림 2>
다양성 관리 프로그램 운영 주체에 따른 직원 이직률 변화 추이

<자료>

1960년대부터 여러 기업이 다양성 프로그램을 도입·추진해왔으며, 일부 기업은 교육 프로그램을 의무화하기도 했다. 그러나 다양성 프로그램이 반드시 의도한 효과를 내는 것은 아니어서, 상황을 개선하기보다는 오히려 악화시키기도 했다. 조직 내 다양성 관련 법정 분쟁의 소지를 없애는 방편으로 이러한 프로그램을 활용한 기업들이 있었기 때문이다. 최근 연구에 따르면 다양성 프로그램이 강제적으로 진행되다 보니 직장 내 다양성을 보장하기보다는 오히려 구성원 간의 편견과 갈등을 조장하기도 했다. 사회학자들이 주장해 왔듯이 인간은 자율성을 주장하기 위해 때로는 규범에 저항하기도 한다. 프로그램 운영자의 증언에 따르면 실제로 참가자들은 의무교육뿐만 아니라 동료 직원에 대해서도 적대감을 드러냈다.

A 기업의 생산성 극대화 방안은 주어진 세 자료를 통해 추론할 수 있다. 먼저, <그림 1>에 따르면 A 기업은 다양성 관리 프로그램을 도입하고 프로그램을 형식적으로 운영하지 말고 실질적으로 운영해야 한다. 한편, <그림 2>에 따르면 다양성 관리 프로그램은 이직률 감소에 긍정적으로 작용한다. 다만, 프로그램 운영 주체가 중간관리자가 아닌, CEO이어야 이직률 감소 효과가 더욱 뚜렷하다. 마지막으로, <자료>에 따르면 다양성 프로그램은 의도한 목표와 다른, 부정적 결과를 유발할 수 있다. 특히 다양성 프로그램이 법적 분쟁의 소지를 없애는 방편으로 운영되거나 강제성을 띨 때는 프로그램에 대한 반감과 구성원 간의 갈등이 커질 수 있다. 이 같은 내용을 종합해보면, 기업 A가 장기적으로 생산성을 극대화하기 위해서는 첫째, 다양성 관리 프로그램을 도입하되 실질적으로 운영해야 하고 둘째, CEO가 프로그램 운영의 주체가 되어야 하며 셋째, 프로그램 운영이 강제성을 띠지 않도록 해야 한다.

(498자)

11. 2022학년도 한국외대 수시 논술 [토요일 T1]

[문제 1]

수(數)를 중심으로 (가)~(마)에 나타난 세계관을 두 유형으로 분류하고 요약하시오. (400자 내외, 210점)

제시문들은 수로 세계를 (모두) 표현할 수 있다고 보는 (가), (라)와, 수로 표현할 수 없는 세계가 존재한다고 보는 (나), (다), (마)로 분류할 수 있다. (가)는 인간이 세계와 자연을 이해하고 통제하려면 이를 수로 환원해야 한다고 말한다. (라)는 기업의 생산성을 높이기 위해서는 노동에 관한 모든 요소들을 수치로 측정 가능하도록 표준화해야 한다고 주장한다. 이와 달리 (나)는 개인의 특성이 고르지 않고, 가변적이어서 평균과 같은 수치화된 방법으로 사람을 평가할 수 없다고 주장한다. (다)는 인간의 본성은 자연법칙과는 다른 원칙에 따르기 때문에 2X2=4와 같은 공식, 즉 수학적 확실성으로는 인간을 완전히 이해할 수 없다고 말한다. (마)는 통일 문제를 수치화 가능한 금전적 비용 문제로만 간주해서는 안 된다고 말한다.

(410자)

[문제 2]

(사), (아)를 비교하고, [문제 1]의 두 유형을 활용하여 평가하시오. (500자 내외, 210점)

(사)와 (아)는 수치화된 데이터를 활용하여 직원관리시스템을 운용한 두 기업의 사례이다. (사)의 A사와 (아)는 공통점은 다음과 같다. 첫째, A사와 B사 모두 수치화된 데이터에 기반한 직원관리시스템을 활용하여 일정 기간 성과를 거두었다. 둘째, 일정 기간 이룬 성과에도 불구하고 어느 시점에서부터 기업의 성장세가 둔화되었다. A사와 B사의 차이점은 다음과 같다. 첫째, A사는 난관 타개를 위해 계량화된 관리 방법의 시행을 확대하고 심화했다. 반면, B사는 데이터에 의한 기계적 관리 방식을 완화하고 개인의 특성을 존중하는 등 이전의 계량화된 관리 방법이 갖고 있는 문제점을 수정 보완하였다. 둘째, 각각 다른 해결책을 도입한 결과, A사의 성과는 정체된 반면, B사의 성과는 상승하였다. A사와 B사의 사례를 통해 회사 운영에 있어 적절한 수준의 계량화는 필요하지만 계량화의 역효과에 주의하여야 하고, 수치화할 수 없는 직원의 개별성 등을 존중해주는 직원 관리가 회사의 발전에 도움이 됨을 인식하여야 한다.

(509자)

[문제 3]

다음 <자료>를 분석하고 (마), (바)에 비추어 A, B 그룹의 특성을 기술한 후, 각각의 특성에 따라 <보기>의 문제를 해결할 수 있는 방안을 추론하시오. (600자 내외, 280점)

<자료>

헌혈은 건강한 사람이 자유의사에 따라 자신의 혈액을 기증하는 사랑의 실천이자 생명을 나누는 고귀한 행동이다. 미국의 한 연구자는 사람들의 헌혈 참여 동기를 파악하기 위해 헌혈과 금전적 보상의 관계에 대한 실험을 진행하였다. A, B 그룹을 대상으로 헌혈 시 아무런 보상이 없을 때, 7달러를 지급할 때, 7달러를 헌혈자의 이름으로 자선단체에 기부할 때로 나누어 각각의 경우에 헌혈 참여 의사를 물었더니 다음과 같은 결과가 나왔다

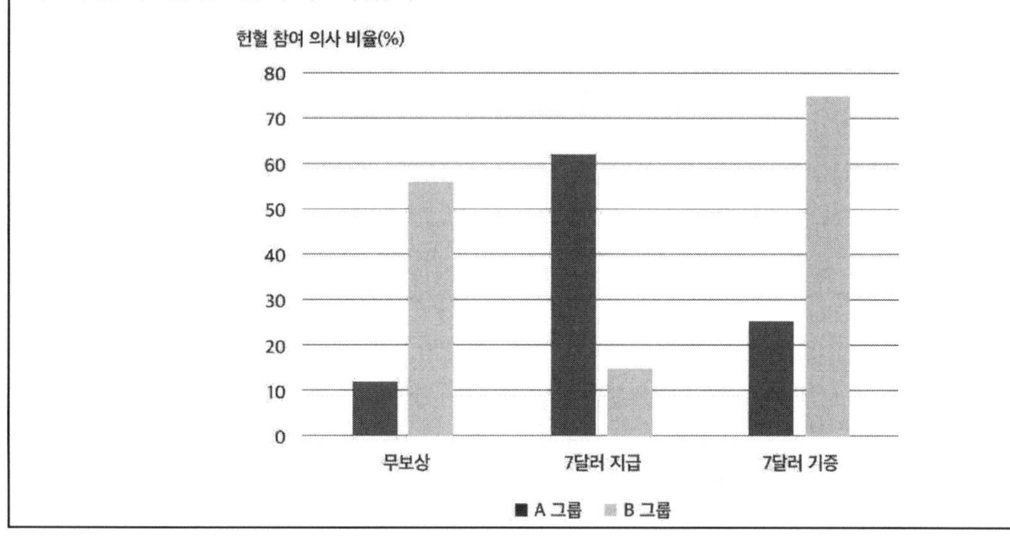

<보기>

이스라엘의 하이파 지방에서는 보육 시설에 부모들이 늦게 아이를 찾으러 오는 문제를 해결하기 위해 한 가지 실험을 했다. 보육 시설 여섯 군데를 무작위로 골라 아이를 늦게 찾으러 온 부모에게는 벌금을 물리기로 했다. 벌금 제도를 도입하면 부모들이 시간에 맞추어 올 것이라고 기대했다. 그러나 기대와 달리 벌금 제도를 도입한 곳에서는 오히려 아이를 늦게 찾으러 오는 부모의 수가 두 배로 증가했다. 아이를 늦게 찾으러 온 부모는 자신이 벌금을 냄으로써 지각에 대한 정당한 대가를 지불했다고 생각했고, 이전에 가졌던 미안한 마음이나 빨리 찾으려는 노력이 줄었기 때문이다.

– 김종호 외, 「고등학교 경제」

A그룹은 무보상, 7달러 기증, 7달러 지급의 순으로 헌혈 참여 의사 비율이 높다. 무보상보다 지급의 경우에 비율이 크게 상승된 점을 통해, A그룹은 (바)의 '나'처럼 금전과 같이 수치로 환원할 수 있는 가치를 중시하는 그룹이라 볼 수 있다. 무보상보다 기증의 비율이 높은 것 또한 자신의 행위가 지급이든 기부이든 7달러라는 수치화된 가치로 인정받기 때문이다.

B그룹은 7달러 지급, 무보상, 7달러 기증 순으로 헌혈 참여 의사 비율이 높다. 무보상보다 지급의 경우에 비율이 급격하게 하락된 점에 비추어, B그룹은 정신적 가치를 중시하는 (마)의 입장처럼 봉사, 희생, 자부심 등과 같이 수치로 환원될 수 없는 가치를 중시하는 그룹이라 볼 수 있다. 무보상보다 기증의 비율이 높은 것은 헌혈이 주는 본래적인 정신적 가치에, 기증이라는 이타적인 행위가 주는 정신적 가치가 더해졌기 때문이다.

<보기>는 늦게 아이를 찾아가는 부모 문제를 해결하기 위해 벌금 제도를 도입하여 실패한 사례이다. A그룹 관점에서 이 문제에 대한 해결책은 수치로 환원될 수 있는 유인책인 벌금을 인상하는 것이다. 수량화할 수 없는 동기를 중시하는 B그룹의 관점에서는 미안함이나 부끄러움과 같은 정신적 부담을 더 많이 주거나, 칭찬이나 감사 표시와 같은 정신적 보상을 주는 것이다.

(648자)

12. 2022학년도 한국외대 수시 논술 [토요일 T2]

[문제 1]
(가)를 바탕으로 (나) ~ (바)에 나타난 상황을 두 유형으로 분류하고 각 제시문을 요약하시오. (400자 내외, 210점)

제시문 (가)는 코로나19 백신 기술과 관련하여 지식정보의 독점과 공유에 대한 두 입장을 논한 것이다. 이에 따르면 (다), (라), (바)는 지식정보의 독점, (나)와 (마)는 지식정보의 공유로 분류할 수 있다. (다)는 에디슨이 특허법 제정에 따른 기술의 독점과 보호 때문에 발명왕이 되었음을 보여주고, (라)는 수도사가 자신의 믿음을 고수하기 위해 지식을 독점하고자 하는 모습을 묘사하고 있다. 또 (바)는 소니사가 자신들의 기술적 우수성만 믿고 베타맥스 방식의 기술을 독점했음을 보여준다. 반면, (나)는 <혼일강리역대국도지도>가 동서 문물교류를 바탕으로 한 지식정보의 공유를 통해 탄생하였음을 보여주고, (마)는 우수한 신기술을 보유한 기업이 기술 공유를 통해 시장 규모를 확대한 양상을 보여준다.

(394자)

[문제 2]
(나), (다), (라), (사)의 차이를 지식 발전이라는 관점에서 비교하고, 그 차이가 발생한 요인을 논하시오. (500자 내외, 210점)

지식발전의 관점에서 제시문을 비교하면 (나)와 (다)는 지식발전을 촉진하고, (라)와 (사)는 이를 저해한다는 차이가 있다. (나)는 정보 공유가 새로운 지식의 탄생에 기여한 사례이고, (다)는 특허권 보호를 통해 발명을 촉진한 사례이다. 반면 (라)는 지식 독점이 새로운 사상의 출현을 가로막은 사례이고, (사)는 정보 공유가 오히려 부정확한 정보를 유포하고 광범위한 피해를 일으킨 사례이다. 이러한 차이가 발생한 요인은 (나)는 몽골제국이 유라시아 대륙 곳곳을 연결한 도로망을 구축함에 따라 동서 문물교류와 정보공유가 활발해졌기 때문이고, (다)는 미국이 현대화된 특허법을 제정하여 발명자의 독점권을 보호함으로써 발명의 동기를 유발했기 때문이다. 반면 (라)는 수도사가 기독교적 가치를 수호하기 위해 자신의 믿음에 반하는 아리스토텔레스의 서책을 독점하고 유포하지 않았기 때문이고, (사)는 위키피디아가 개방성 때문에 전문성을 제대로 확보하지 못해 정보의 정확성과 신뢰성을 떨어뜨렸기 때문이다.

(502자)

[문제 3]
아래 <표>는 특정 산업과 관련한 핵심 기술의 개발 시점, 관련 제품의 시장 규모, 기업별 특허 보유 현황을 나타낸다. 핵심 기술 Z를 활용한 제품 시장의 성장 단계가 아래 <그림>의 어느 구간에 해당하는지 설명하고, 그 구간에서 C기업이 추진해야 할 성장 전략을 제시문 (마)와 (바)를 바탕으로 추론하시오. (600자 내외, 280점)

<표>

핵심 기술	최초 특허 연도	2020년 관련 제품 시장 규모 (단위 : 억 원)	2020년 특허 보유 개수		
			A기업	B기업	C기업
X	1980	1,000	100	30	5
Y	1990	400	20	100	10
Z	2015	50	5	5	100

<그림>

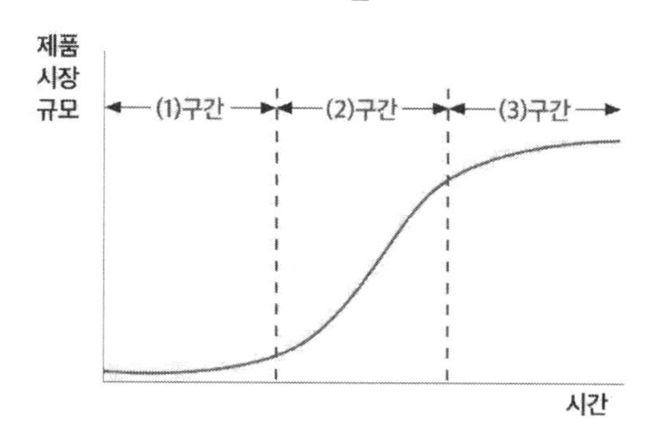

<표>의 기술 Z는 X와 Y에 비해 최근에 개발되었고, 시장 규모도 매우 작다. <그림>의 (1)구간은 시간이 지나도 시장 규모가 그다지 커지지 않는 태동기, (2)구간은 시장이 폭발적으로 확대되는 시기, (3)구간은 시장의 성장이 점차 느려지는 시기이다. 이 가운데 기술

Z의 시장 성장 단계는 특허 개발 시점과 시장 규모로 볼 때 태동기인 (1)구간에 해당한다. <표>의 C기업은 아직 시장이 충분히 성장하지 않은 태동기의 기술 Z를 독점적으로 보유하고 있다. 그런데 (마)는 기업이 시장 태동기에 독점적 신기술을 다른 기업들과 공유함으로써 시장 확대를 추구하여 성공한 사례를 보여준다. 반면 (바)는 기업이 시장 태동기에 우수한 기술을 보유했음에도 불구하고 독점만하다가 시장을 키우지 못하고 실패한 사례를 보여준다. 이를 종합하면 시장 태동기에는 독점적 신기술을 다른 기업들과 공유하여 시장 규모를 확대하는 것이 바람직한 기업 성장 전략임을 알 수 있다. C기업은 시장 태동기인 (1)구간에 해당하는 기술Z를 독점적으로 보유하고 있으므로 이를 다른 기업들과 공유하여 시장 규모의 확대를 도모하는 것이 가장 적절한 성장 전략이라고 추론할 수 있다.

(600자)

13. 2022학년도 한국외대 수시 논술 [일요일 T3]

[문제 1] 행위의 동기나 목적을 중심으로 (가)~(마)를 두 유형으로 분류하고 요약하시오. (400자 내외, 210점)

행위의 동기나 목적을 중심으로 (가)~(마)를 분류하면 공익(공동체의 이익)을 우선하는 (가), (다), (라)와 사익(개인의 이익)을 우선하는 (나), (마)로 분류할 수 있다. (가)는 러시아와 세상을 되살리기 위해 죽음마저 불사하며 종자를 지킨 사람들의 이야기다. (다)는 페스트가 창궐한 도시에서 공동체 의식과 연대감으로 목숨을 걸고 페스트에 맞서는 사람들의 이야기다. (라)는 사익에 우선하는 공익의 실체를 인정하며 자신을 포함한 공동체를 위해 공동선을 추구해야 한다는 공동체주의의 입장이다. 이와 달리 (나)의 주인공은 자신의 사익이 보장되지 않는 상황에서는 나라의 독립조차도 의미가 없다고 말한다. (마)는 각각의 개인이 자신의 이익을 추구할 때 더 효과적으로 사회 전체의 이익(공익)을 증진하게 된다는 입장이다.

(406자)

[문제 2] [문제 1]의 두 유형을 중심으로 (사), (아)를 비교하고, 그에 비추어 (마), (바)를 평가하시오. (500자 내외, 210점)

(사)의 사령관은 전쟁 승리를 위해 오장군을 희생시켰다. (아)의 개인들은 자신의 이익을 추구하다 공유지를 황폐화시켰다. 이를 공익과 사익의 관점에서 비교하면 (사)는 사익을 무시하고 공익만을 추구해 개인이 희생된 사례이다. 반면 (아)는 공동체의 이익을 고려하지 않고 사익만을 추구해 공동체 전체가 피해를 입은 사례이다. (바)의 '최대 다수의 최대 행복'을 추구하는 공리주의적 입장은 소수에 대한 고려 없이 사회전체의 이익 확대를 가장 중요한 가치로 본다. (바)의 주장은 다수의 이익 증진이라는 명분에 따라 개인이 희생된 사례인 (사)에 비추어 볼 때 공익의 추구가 사익의 희생을 정당화할 수 있는가에 대한 비판의 여지가 있다. (마)는 사익을 극대화하면 사회 전체 이익 역시 극대화된다고 주장한다. 그런데 (아)의 사례에 비추어 보면 개인의 이익 극대화가 공동체 이익을 가져오지 않는 경우가 존재한다. 즉, 사익의 추구가 공익의 증진에 기여한다는 입장에 대한 비판의 여지가 있다.

(496자)

[문제 3] [문제 1]의 두 유형을 적용하여 정책의 의도와 결과를 중심으로 다음의 현상을 분석한 후, (다)에 비추어 코브라 농부에게 조언할 수 있는 것을 추론하시오. (600자 내외, 280점)

In Delhi, India, people suffered a proliferation* of cobras. One day, the governor of Delhi thought of an idea for reducing the number of cobras. He created a bounty* system, whereby people in Delhi would be paid for each dead cobra they could present to the authorities. This worked for a while, but eventually people figured out that it was easier and more profitable to bring in dead cobras they had bred and raised rather than trying to find them in the wild. The authorities caught on to this, and ended the bounty program. This was not what they intended. So what did all of the cobra breeders do with the leftover cobras? They let their cobras loose in the wild, which led to there being more cobras than when the governor started the bounty system.

* proliferation: 급증
* bounty: 포상금

영문 번역

인도 델리에서 맹독성 코브라의 수가 급증하여 시민들이 고통을 받았다. 어느 날 델리 정부는 코브라 개체수를 줄일 수 있는 방법을 고안했다. 즉, 코브라를 잡아 사체를 가져오면 보상금을 주는 제도를 시행하기로 한 것이다. 얼마 동안 이 정책은 효과를 거두었다. 하지만 사람들은 점차 야생에서 코브라를 잡으려고 애쓰기보다 직접 기르는 것이 더 쉽고 돈을 많이 벌 수 있다는 생각을 하게 되었다. 당국이 이런 사실을 알게 되었고 포상금 정책은 폐지되었다. 왜냐하면 그것은 본래 의도했던 바가 아니었기 때문이다. 그렇다면 코브라 사육자들은 남아 있던 코브라를 어떻게 했을까? 그들은 자신들이 키우던 코브라를 야생에 풀어주었고 그 결과 델리에는 당국이 포상금 정책을 시행하기 전보다 더 많은 코브라가 서식하게 되었다

<문제1>에 따르면 행위의 목적이나 동기에 있어 공익 우선의 입장과 사익 우선의 입장이 있다. 델리 정부는 코브라의 급증으로 안전을 위협 받는 시민들을 위한 공익 차원에서 코브라를 포획 시 포상금을 주는 정책을 시행하면서 개인의 사익 추구를 수단으로 이용하였다. 공익과 사익이 맞아떨어지면서 시행 초기에는 효과가 나타났다. 하지만 일부 사람들은 본래의 공익적 목적을 무시하고 금전적 수입이라는 사익에만 집착하여 왜곡된 방식으로 코브라를 키워 포상금을 받았다. 공익을 위한 정책이 사익 추구의 수단으로 악용된 것이다. 이에 정부가 포상금 정책을 철회하자 그들은 사익의 감소를 피하기 위해 남은 코브라를 풀어주었다. 델리의 상황은 제도 시행 전보다 악화되었고, 결과적으로 공익 자체가 위협 받게 되었다.

(다)의 주인공 랑베르는 페스트가 창궐한 도시를 떠날 수 있었지만 혼자만의 행복은 부끄러운 일이라는 생각에 도시에 남아 함께 페스트에 맞서 싸우기로 한다. 이는 개인들이 모여 공동체가 구성되며, 각 개인은 원하든 원하지 않든지 공동체의 일원임을 보여준다. 따

라서 코브라 농부는 스스로를 공동체의 구성원으로 인식하고, 사익을 추구하더라도 공익이 훼손되지 않도록 하는 책임감을 지녀야 할 것이다.

(611자)

14. 2022학년도 한국외대 수시 논술 [일요일 T5]

[문제 1]

(가)를 바탕으로 (나)~(바)에서 밑줄 친 주체들을 두 유형으로 분류하고, 각 주체에 나타난 행동 특성을 요약하시오. (400자 내외, 210점)

제시문 (가)는 인물 유형을 신중하게 접근하는 햄릿형과 과감하게 도전하는 돈키호테형으로 분류하고 있다. 이에 따르면 (다)와 (바)의 주체들은 햄릿형, (나), (라), (마)의 주체들은 돈키호테형으로 분류된다. (다)는 장수가 공격과 수비를 신중하게 결정하고, 기미에 맞게 신중하게 대처해야함을 강조한다. (바)는 리더들이 급변하는 상황에서도 실패에 대한 두려움 때문에 의사 결정을 지나치게 신중하게 하고 신속한 집행을 회피한다고 지적한다. 반면 (나)의 피카소는 유명한 화가였음에도 불구하고 안주하지 않고 새로운 영역에 도전하고, (라)의 '나'는 탈출을 위해 목숨을 걸고 바다에 몸을 던지는 과감한 도전을 하고 있다. (마)에서는 갑신정변의 주도자들이 일본의 약속만 믿고 다급하게 정변을 감행한 모습을 보여준다.

(400자)

[문제 2]

아래 (A)의 마크 군터와 (B)의 개도국의 입장을 비교하고, 제시문 (다)의 관점에서 마크 군터의 주장을 평가하시오. (500자 내외, 210점)

(A)

저널리스트이자 기후 문제 전문가인 마크 군터(Marc Gunther)는 저서 Suck It Up 에서 기후 위기의 시급성을 강조하며 매우 급진적이고 과감한 해결책을 제시했다. 그는 화석연료 사용을 줄이거나 청정에너지를 생산하는 방식으로 기후 변화를 해결하기 어렵다면, 태양 에너지를 반사해 지구 온도를 낮추는 방식이나 이산화탄소를 제거하는 물방울을 대기 중에 주입하는 공법 등을 과감하게 도입하여 기후 위기를 해결해야 한다고 주장한다. 하지만 이러한 주장에 대해 일부 전문가들은 군터가 문제를 빨리 해결하려는 다급한 마음에 기술적 실현 가능성이나 경제적 타당성을 충분히 고려하지 않았다고 비판했다. 예를 들면 이산화탄소 농도는 ppm 단위로 존재하기 때문에 이산화탄소를 대기 중에서 뽑아내는 것은 생각보다 훨씬 어렵고, 대기 중에 특수한 물방울을 주입할 경우 강우 패턴의 변화와 같은 예기치 않은 부작용을 초래할 수 있다고 비판한다. 이처럼 태양광을 반사시키는 방식이나 탄소를 대기로부터 빼내는 공법은 실현 가능성이 불확실할 뿐만 아니라 기술 적용에 막대한 비용이 든다고 비판한다.

– The Science Times(2012. 4. 6) 재구성

(B)

지구촌 기후 위기의 해결 방안에 관해 선진국과 개도국은 첨예한 입장 차이를 보인다. 선진국들은 온실가스 배출량을 획기적으로 줄이기 위해 과감한 목표 설정과 산업 구조의 혁신적 개편, 나아가 각 국가에 할당된 온실가스 배출 감축량 의무를 조속히 법제화해야 한다고 주장한다. 반면 개도국들은 현실적이고 신중하게 접근해야 한다고 주장한다. 선진국의 급진적인 목표와 방안은 친환경 기술을 확보하지 못한 자신들에게는 불공정한 무역장벽이 될 수 있고, 화석연료 사용에 대한 규제로 작용하여 자신들의 경제발전을 저해할 것이라고 주장한다. 개도국들은 여러 가지 현실적 여건을 고려하여 충분한 시간을 갖고 해결책을 모색한 다음, 관련 정책을 신중하게 추진할 필요가 있다는 입장이다.

– 고등학교 교과서 「생활과 윤리」, 한국일보(2021. 11. 5) 재구성

기후 위기와 관련하여 (A)의 마크 군터는 급진적이고 과감한 해결책을 주장한 반면, (B)의 개도국은 현실적이고 신중하게 접근할 것을 주장한다. 마크 군터는 기후 위기의 시급성을 강조하며, 태양 에너지를 반사하여 지구 온도를 낮추는 방식이나 이산화탄소를 제거하는 물방울을 대기 중에 주입하는 공법 등을 제안했다. 반면에 개도국은 급진적인 해결책이 자신들에게 불공정한 무역 장벽과 경제 발전의 저해 요인으로 작용할 수 있다며, 충분한 시간을 갖고 해결책을 모색하고 신중하게 추진할 것을 주장한다. 제시문 (다)에서는 북방 변경을 방어하기 위해 신중한 장수를 파견해 방어책을 튼튼히 마련한 다음, 공격과 수비를 신중하게 결정하고, 상황에 맞게 대처해야 한다고 주장한다. (다)의 입장에 의하면 마크 군터의 급진적이며 과감한 해결책은 기술적 실현 가능성이나 경제적 타당성을 충분히 고려하지 않았고 부작용을 초래할 위험성이 있기 때문에 보다 신중하게 접근하여 현실적 여건에 부합하는 방향으로 수정할 필요가 있다고 평가된다.

(502자)

[문제 3]

아래 <보기>의 논지를 요약하고, 이를 바탕으로 제시문 (마)와 (바)의 밑줄 친 주체들에게 필요한 행동 전략을 추론하시오. (600자 내외, 280점)

<보기>

There is a constant debate about how exactly a government should go about facilitating policy change. A gradual, incremental* change? Or a sweeping, radical change that has the potential to turn things around immediately? Which is best? The truth is that there is no black and white solution to the problems that governments face. Instead of looking for a single solution, governments should think outside the box* and develop adaptable strategies. We live in an extremely fast-paced society, making it possible for incremental change to be easily outdated. However, we also live during a time of extreme division within governments, making it difficult to reach a rapid agreement to allow for radical changes to occur. These situations lead to the need for a mixture of different approaches to policy formulation and implementation. At a time when problems with governance can be overwhelming, decision-makers should cautiously assess the situation and consider what strategies should be used to make both incremental and radical improvements. They should have a flexible perspective that ensures not only a careful, step-by-step preparation but also a prompt and drastic* action.

* incremental : 점진적인, 증가하는, 단계적인
* think outside the box : 새로운 관점에서 생각하다
* drastic : 과감한

– Citizenlab(2019. 12. 10) 재구성

영문 번역

정부의 정책 변화 방식을 두고 논쟁이 지속되고 있다. 정책 변화를 추구할 때 점진적이고 단계적인 방식이 좋을까, 아니면 상황을 일시에 바꿀 수 있는 전면적이고도 과감한 방식이 좋을까? 과연 이 둘 가운데 어느 방식이 바람직할까? 사실, 문제 해결 방안에 있어 이분법적 구분이 존재하는 것은 아니다. 정부는 여러 당면 사안에 대한 단일 해법을 찾을 것이 아니라 사고의 틀을 깨고 유연한 전략을 강구할 수 있어야 한다. 우리는 급변하는 시대에 살고 있다. 따라서 점진적인 변화는 금방 낡은 것이 되고 만다. 또한 정책 입안자 간의 의견 차이가 매우 크다 보니, 과감한 변화를 가능케 하는 신속한 의사결정이 어려워졌다. 따라서 정책 계획 및 실행에 관한 여러 접근법은 서로 융합시킬 필요가 있다. 정책 관련 문제가 중요한 시점에서는 정책 입안자가 상황을 신중하게 파악하고, 어떤 전략이 점진적인 변화와 급진적인 변화를 함께 가져올 수 있는지를 고민해야 한다. 정책 입안자에게는 신중하고 단계적인 준비는 물론이고 신속하면서도 과감한 조치를 가능케 하는 유연한 관점이 필요하다.

<보기>는 정부가 정책 변화를 추구할 때 어떠한 전략이나 접근법을 취해야 하는지를 보여준다. 이에 따르면 정부가 어떤 문제를 해결하고자 할 때 점진적 변화와 급진적 변화 가운데 어느 하나만 고수할 것이 아니라, 사고의 틀을 깨고 유연한 전략을 활용하는 것이 중요하다고 판단된다. 정책결정자가 상황을 신중하게 파악하고 점진적이면서도 급진적인 변화를 가져올 수 있는 전략을 고민해야 한다는 것이다. 아울러 신중하고 단계적인 준비뿐만 아니라 신속하고 과감한 조치를 가능케 하는 유연성이 요청된다.

이러한 관점에서 볼 때 제시문 (마)와 (바)의 밑줄 친 주체들에게도 신중함과 결행력을 겸비한 행동 전략이 필요하다. (마)의 갑신정변 주도자들은 충분한 준비도 하지 않은 상태에서 병력을 지원한다는 일본의 약속만 믿고 다급하게 정변을 일으켰다가 실패했다. 따라서 이들에게는 보다 치밀하게 준비하고 신중하게 접근하는 행동 전략이 필요하다. 반면 (바)의 경우, 리더들이 지나치게 신중하여 중대한 의사결정을 미루거나 신속한 집행을 회피함으로써 사업의 타이밍을 놓치고, 기업의 글로벌 경쟁력을 약화시킨 것이다. 따라서 이들에게는 보다 신속하고 과감한 행동 전략이 필요하다.

(600자)

15. 2022학년도 한국외대 수시 논술 [토요일 T1]

[문제 1] (가)~(마)는 갈등 해결 방법에 관한 제시문들이다. (가)~(마)를 두 유형으로 분류하고 각 제시문을 요약하시오. (400자 내외, 210점)

제시문들은 갈등 해결 방법에 관한 내용으로서, 법이나 규정에 의존하는 (가), (라), (마)와 대화와 협상에 의존하는 (나), (다)로 나눠진다. (가)에서는 생존과 이익을 지키기 위해 사람들이 법이라는 사회 규범을 제정함이 나타나있고, (라)에서는 축구 영웅을 추모하는 세리모니를 해서 벌칙을 받은 축구선수의 에피소드를 통해 선의의 행위일지라도 규정의 예외가 될 수 없음이 강조되었다. (마)에서는 예외 없이 적용되는 법 집행을 통해 법에 대한 신뢰를 제고하는 진나라의 일화가 소개되었다. 이들과는 다르게 타협과 설득을 중시하는 (나)에서는 아파트 측과 택배 업체 측이 대화를 통해 갈등을 해소하려는 노력이 사실적으로 표현되었고, (다)에서는 의견의 차이를 지속적인 협상과 토론을 통해 해소할 때의 효과가 강조되었다,

(403자)

[문제 2] (바)와 (사)를 활용하여 (나), (라)에 나타난 방법을 비판하시오. (500자 내외, 210점)

(바)는 법에 의한 해결의 한계를, (사)는 대화를 통한 해결의 한계를 나타내는 제시문이다. 이를 근거로 (나), (라)에서 제시된 두 방법을 다음과 같이 비판할 수 있다.

(바)에 따르면 법으로만 해결하려는 경우, 법의 구성요건이 너무 넓으면 (라)의 메시 사례처럼 법이 일반적인 대중의 정서와 일치하지 않아 또 다른 갈등을 야기할 수 있다. 또한 정치, 문화, 사회, 경제적 배경을 고려하지 않은 획일적인 규제는 갈등을 근본적으로 해결하는데 한계가 있으므로 법적 해결의 효과는 단기적이고 제한적인 경우가 있다. 이와는 반대로 (사)에 따르면, 대화를 통한 해결만 강조할 경우 (나)처럼 표면적으로는 문제가 해결된 것 같지만, 실제로는 갈등이 해소되지 않고 유지될 수 있다. 즉, 다양한 관점의 차이로 인해 갈등해결에 많은 시간이 소요되어 단기적으로 효율이 떨어질 수 있고, 대화에 참여하고 있지만 당사자가 갈등해결에 의지가 없으면, 오히려 갈등이 심화되거나 아예 갈등을 해결할 수 없게 된다.

(501자)

[문제 3] A, B 기업은 [문제 1]의 갈등 해결 방법 중 하나를 일관적으로 사용하는 대표적인 기업이다. <그림>을 해석하고, (다), (바), (사)를 활용하여 A, B 기업이 각각 어떤 방법을 사용하고 있는지 추론하시오. (600자 내외, 280점)

<그림>

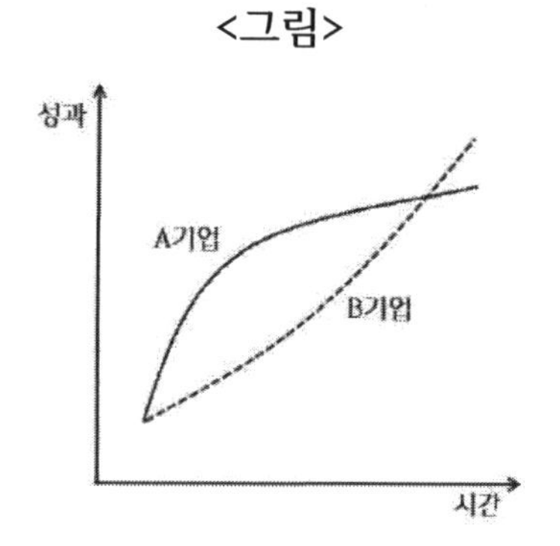

A기업은 초기에 성과가 빠르게 상승하지만 시간이 지날수록 성과의 상승이 더디어지고 있다. 반대로 B기업은 성과 개선이 A기업보다 느리지만 어느 정도 시간이 흐른 후에는 성과가 가파르게 개선되어 결국에는 A기업보다 더 좋은 성과를 보인다.

(다), (바), (사)를 바탕으로 했을 때, A기업은 갈등 해결 방법으로 법을 사용하고 있고, B기업은 대화를 사용한다고 추론할 수 있다. (바)에 의하면 법을 통한 갈등 해결은 신속하여 단기간에 기업의 성과를 높일 수 있다. 하지만 이는 갈등의 진정한 해결이 아닐 수 있고 법으로 해결할 수 없는 유사한 갈등 상황이 발생 할 수 있다는 점을 고려하면 이 방법은 장기적으로는 그 효과성이 떨어질 수 있다. 따라서 A기업은 법을 바탕으로 운영되고 있다고 보여 진다.

그에 비해 (다)와 (사)에 의하면 대화를 통한 갈등 해결 방법은 그 과정의 어려움으로 인해 단기적으로는 효과성이 높지 않지만 지속적인 의사소통을 통해 조직원들 간 상호이해가 높아지고 그에 따라 협력도 증진될 것이다. 따라서 어느 정도 시간이 흐른 후에는 갈등 해소가 법에 의한 것보다 더욱 효과적으로 이루어져 성과도 더 좋아질 것이다. 그러한 것을 고려했을 때, B기업은 대화를 바탕으로 운영되고 있다고 판단된다.

(625자)

16. 2022학년도 한국외대 수시 논술 [토요일 T2]

[문제 1] (가) ~ (바)는 상이한 선택유형에 관한 것이다. (가) ~ (바)를 두 유형으로 분류하고 각 제시문을 요약하시오. (400자 내외, 210점)

(가)~(바)는 선택의 두 유형으로, 보존과 성장으로 나눌 수 있다. 보존에 관한 제시문은 (가), (다), (바)로, (가)는 신산업과 기존산업의 갈등을 보여준 타다 논란에서 정부가 기존산업인 택시의 보존을 택했음을, (다)는 척화비가 기존 문화의 보존에 치우쳐 근대화 지연을 낳았음을, (바)는 일본의 장수기업이 기업 브랜드 가치를 보존하기 위해 R&D에 많이 투자함을 설명하는 내용이다. 반면 성장을 강조한 입장은 (나), (라), (마)로, (나)는 물질적 성장을 택해 자연이 파괴되어 지구생태용량 초과의 날이 점점 빨라지고 있음을, (라)는 과도한 성장 추구가 낳을 수 있는 재앙적 상황을 디스토피아에 투영한 디스토피아 영화를 설명하고 있으며, (마)는 알, 즉 세상을 깨뜨리고 신에게 날아가는 새의 은유를 통해 성장을 암시하고 있다.

(416자)

[문제 2] (사)를 바탕으로 (나)와 (다)를 비판 ·평가하시오. (500자 내외, 210점)

(사)

한국홍보영상 '한국의 리듬을 느껴보세요'가 지난 11월 스페인 세비야에서 열린 관광혁신서밋에서 '2020 관광혁신 어워드'를 수상했다. 해외에서도 한국전통문화를 현대적 감성으로 녹여낸 시도의 참신성을 인정한 것이다. '한국의 리듬을 느껴보세요'는 서울·부산·전주·강릉 등 국내 각 도시의 명소에서 이날치 밴드의 '범 내려온다' 선율에 맞추어 흥겨운 군무를 추는 영상으로, 소셜미디어 조회 수 5억 건 돌파라는 대기록을 이어가고 있다.

북과 장구를 드럼과 베이스로 바꾼 '힙'한 국악, 거기에 한국적 문양과 디자인을 활용한 의상과 '펑키'한 현대무용은 우리 전통문화의 창조적 계승과 발전이라는 점에서도 의의가 크다. 현대사회에서 전통문화는 사회 유지와 통합에 이바지할 뿐 아니라 문화의 고유성을 유지하는 데도 중요하다. 따라서 전통문화를 보존하되 현실에 맞게 재해석하고 외래문화와도 조화를 이루어 궁극적으로 국가성장에 기여하게 해야 하는데, '한국의 리듬을 느껴보세요' 시리즈가 바로 그러한 전통문화의 보존과 한국관광산업 성장이라는 두 마리 토끼 잡기에 성공한 것이다.

- 『고등학교 통합사회』교과서 재구성

(사)는 전통문화 보존과 관광산업 성장이라는 두 마리 토끼를 잡은 성공적 사례로 '한국의 리듬을 느껴보세요' 홍보시리즈를 제시한다. (사)가 보존과 성장의 두 가지 요인을 통합한 경우인데 반해 (나)는 물질적 성장에 치우쳐 자연자원을 무분별하게 소비하는 것의 문제점을 보여준다. 현재 인류는 자원고갈 및 환경오염 같은 심각한 생태적 위협에 직면했으며, 이는 지구생태용량 초과의 날이 점점 빨라지는 것에서도 드러난다. 따라서 (사)에 비추어 볼 때, 자연을 보존하며 공생하는 방향으로 성장 방식을 바꿔야 한다. 한편 (다)의 대원군 척화비는 조선의 전통문화를 지키기 위한 쇄국정책의 상징으로, 당시 국제 정세 변화를 파악하지 못하고 보존에만 몰두해 조선의 근대화를 지연시킨 경우이다. 전통문화를 현실에 맞게 재해석하고 외래문화와도 조화를 이루게 해야 한다는 (사)의 관점에서 보면, (다)는 조선 문물의 보존에 치우쳐 대외 교류를 거부함으로써 결국 현실을 간과하고 외래문화와의 조화도 이루지 못한 예로 비판 가능하다.

(512자)

[문제 3] 아래 <그림>은 성취추구형 기업가 마인드를 가지고 있는 기업군A와 안정추구형 기업가 마인드를 가지고 있는 기업군B의 R&D 투자 성향을 나타낸 한 연구 결과이다. <그림>을 해석하고, 이 같은 R&D 투자 경향이 나타난 요인을 [문제 1]의 두 가지 선택유형과 (바)를 고려하여 추론하시오. (600자 내외, 280점)

<그림> 기업가 마인드에 따른 R&D 투자 성향

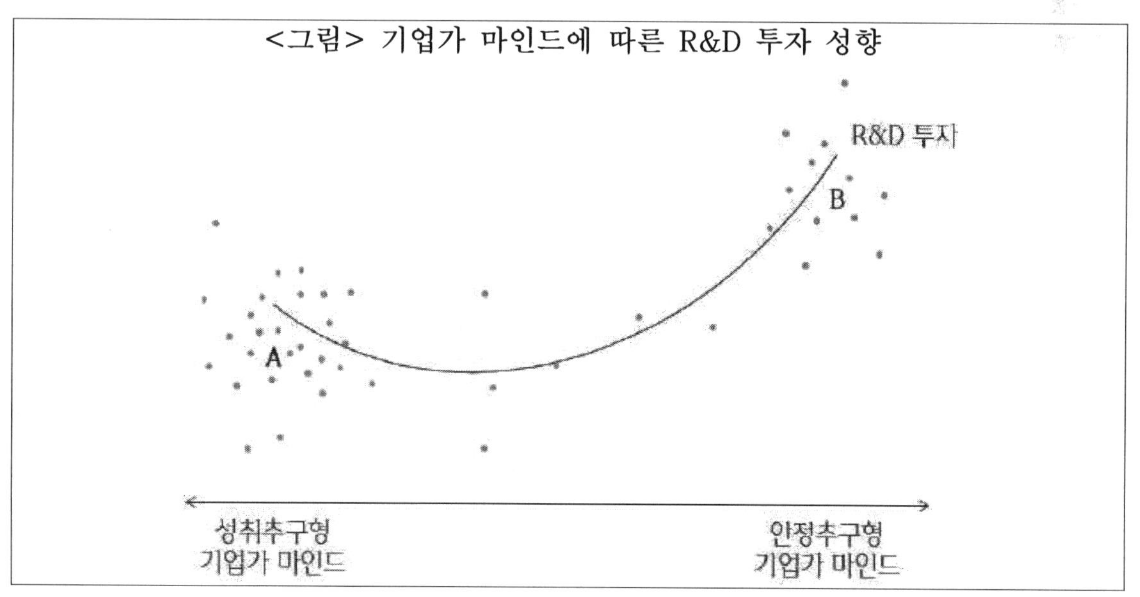

<그림>을 통해 성취추구형 기업가 마인드와 안정추구형 기업가 마인드가 각각 커짐에 따라 R&D 투자 경향도 높아짐을 확인할 수 있다. 또한 성취추구형에서 안정추구형 기업가 마인드로 갈 때, 일정 지점까지는 R&D 투자가 줄어들다 어느 정도 안정을 이루면 R&D 투자가 늘어남을 볼 수 있다. 단 A와 B의 투자 경향이 보여주듯, 안정추구형 기업가 마인드가 성취추구형보다 R&D 투자를 더 많이 하고 있다. 이러한 결과를 [문제 1]과 (바)에 적용해보면 두 그룹 간 투자 성향 차이의 요인이 추론 가능하다. 우선 [문제1]에 제시된 선택유형을 고려했을 때 성취추구형 기업가 마인드는 성장, 안정추구형 기업가 마인드는 보존과 상응한다. 성장추구형보다 안정추구형이 R&D에 더욱 많이 투자를 하는 이유는 기업의 전통을 보존하는 것이 단순히 성장을 추구하는 것보다 더 많은 노력이 필요하기 때문이다. 안정추구형 B군은 기업 고유의 브랜드 가치 보존을 위해 변화하는 고객의 니즈를 반영하는 R&D 투자를 해야 하는데, 깃코만 사례처럼 전통의 맛에 새로운 맛을 가미하는 것은 단순히 새로운 맛을 구현하는 것보다 더욱 어렵기 때문이다. 즉, 기업에게 브랜드 가치 보존을 위한 투자는 성장을 위한 투자 보다 상대적으로 더 많은 R&D 투자가 필요함을 추론할 수 있다.

(647자)

17. 2022학년도 한국외대 수시 논술 [토요일 T3]

[문제 1] (나) ~ (바)는 상반된 두 유형의 입장에 관한 글이다. 두 핵심어를 기준으로 (나) ~ (바)를 두 가지 입장으로 분류하고 각 제시문을 요약하시오. (400자 내외, 210점)

(나)~(바)의 두 핵심어는 개방과 폐쇄이다. (나)~(바)의 두 입장은 각각 긍정과 부정으로 분류된다. 개방의 긍정은 (라)이고, 부정은 (나), (마)이다. 폐쇄의 긍정은 (바)이고, 폐쇄의 부정은 (다)이다. 각 제시문은 다음과 같이 요약된다. (라)는 글로벌이라는 새 고향에서의 완벽한 내면의 건설을 통해 개방의 긍정적 측면을 보여준다. (나)는 누리 소통망이 보편화되면서 나타난 삶의 주도권 상실과 승인 강박 상태를 개방의 부정적 측면의 예로 제시한다. (마)는 일곱 구멍을 뚫어 죽은 혼돈의 우화를 통해 개방의 부정적 측면을 설명한다. (바)는 특허권의 폐쇄적 속성이 역동적 효율성을 증진시키는 긍정적 효과를 설명한다. (다)는 폐쇄적 계층 구조에서 나타난 계층 상승의 한계와 이로 인한 사회적 혼란과 갈등을 부정적인 사례로 설명하고 있다.

(420자)

[문제 2] (가)의 입장을 바탕으로 (나)와 (다)에 제시된 의견을 비판적으로 평가하시오. (500자 내외, 210점)

(가)는 유럽 연합의 개방적 정책과 폐쇄적 정책이 지니는 긍정적 측면에 대해 설명하고 있다. (나)에서는 누리 소통망이 보편화되면서 나타난 삶의 주도권 상실과 승인 강박 상태를 개방의 부정적 측면으로 제시한다. 그러나 (가)의 입장을 바탕으로 이와 같은 의견을 두 가지 측면에서 비판할 수 있다. 첫째, 누리 소통망 보편화는 시·공간의 제약 없이 이용자 간의 자유로운 의사소통과 정보공유를 가능하게 하는 긍정적 측면이 있다. 둘째, 모든 사람이 타인의 승인에 대한 집착을 드러내는 것은 아니며, 자기 통제 능력으로 강박 상태

와 같은 문제를 해결할 수 있다. (다)에서는 폐쇄적 계층구조에 대한 부정적 사례를 설명하고 있다. 이를 (가)의 관점에서 본다면, 폐쇄적 계층 구조에서는 고위층 인사에게 수준 높은 도덕적 의무를 부과하여 공동체의 통합에 긍정적 효과가 있다. (가)의 관점에서 볼 때, (나)의 개방에 대한 부정적 견해와 (다)의 폐쇄에 대한 부정적 견해를 비판적으로 평가할 수 있다.

(498자)

[문제 3] 아래 <그림>은 2017년에서 2020년까지의 모바일 앱마켓 시장점유율의 변화를 보여주고 있다. <그림>을 분석한 후, (사)를 적용하여 핸드폰 단말기 OS를 생산하는 A사와 C사의 시장점유율 변화 이유를 추론하시오. (600자 내외, 280점)

<그림> 모바일 앱마켓 시장점유율의 변화

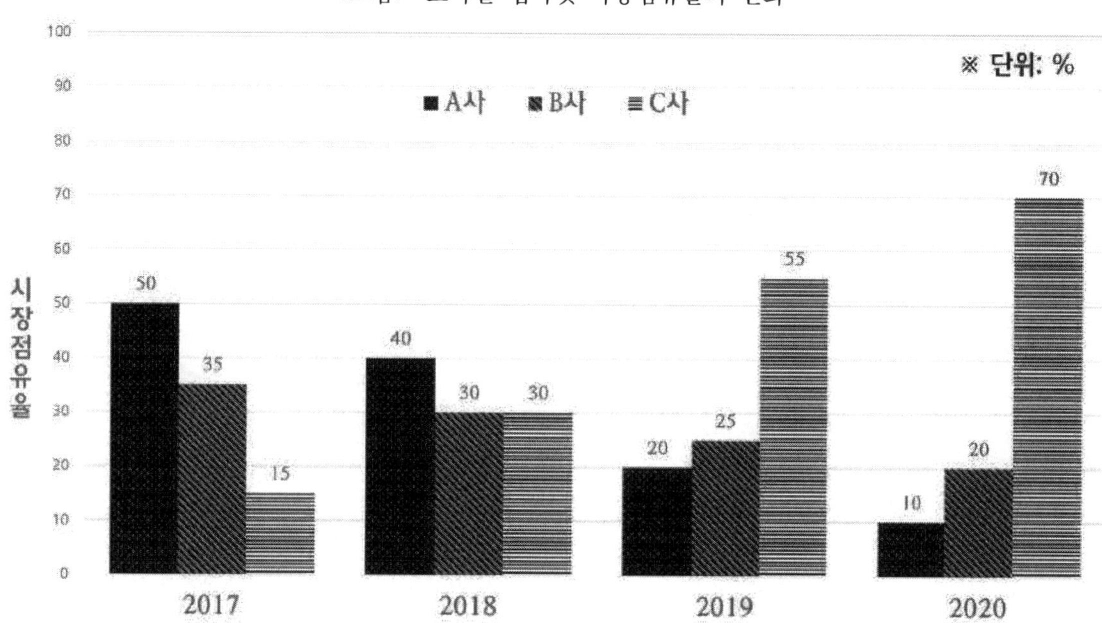

<그림>에 따르면 2017년에 시장점유율이 1위인 회사는 A사로서 점유율을 50% 가지고 있었다. A사의 시장점유율이 지속적으로 감소하다가 2020년에는 세 개의 회사 중 가장 낮은 점유율을 보여준다. 반면, C사의 경우 2017년에는 시장점유율이 15%로 가장 낮은 점유율을 보이다가, 지속적으로 증가하여 2020년에는 70%의 시장점유율을 차지하고 있다. (사)를 근거로 A사와 C사의 시장점유율 변화 이유를 추론해 볼 수 있다. (사)에서 H사는 폐쇄형 플랫폼을 유지하고 있었을 때, 네트워크 효과가 떨어졌다. 그러나 개방형 플랫폼으로 전환하면서, 상당한 혁신과 성장의 기반을 마련할 수 있었다. 이는 매출 증가와 수익 창출을 가져왔다. 결과적으로 개방형 플랫폼이 폐쇄형보다 긍정적인 결과를 낳는다는 것을 알 수 있다. 그리고 이러한 수익 기회를 통해 H사는 모바일 앱마켓에서 시장점유율을 높일 수 있었다. <그림>에서의 C사가 H사의 경우와 같이 폐쇄형 플랫폼에서 개방형 플랫폼으로 전환했거나 지속적으로 개방형 플랫폼을 유지했다고 유추할 수 있다. 반면 A사는 폐쇄형 플랫폼을 유지하였거나 혹은 개방형에서 폐쇄형 플랫폼으로 전환하여 시장점유율이 지속적으로 감소한 것으로 추론할 수 있다.

(612자)

18. 2022학년도 한국외대 수시 논술 [일요일 T1]

영문 번역
안전 문제가 해결되지는 않았음에도, 유전자 변형 (GM) 작물과 이 작물을 원료로 만든 식품에 대한 장점은 부인할 수 없다. 147개의 관련 연구를 검토하고 공개한 최근 보고서에 따르면 GM 작물의 경작이 수확량을 평균 22% 늘렸고 농민의 이익을 68% 증가시켰으며, 농민의 이익 증대는 개발도상국일수록 더 커진다고 결론지었다. 또 다른 보고서에 따르면, 1996년과 2015년 사이에 GM 작물의 도입으로 옥수수 생산량은 3억 5, 700만 톤, 대두 생산량은 1억 8, 000만 톤이 증가 되었다고 한다. 또한, 이 보고서는 이러한 GM 작물의 높은 생산성 덕분에 농지 사용이 크게 줄었다고 언급했다. 2015년에만 약 2천만 헥타르의 땅이 농업용으로 사용되는 것을 막아서 숲이나 황무지의 개발로 야기되는 환경파괴를 줄인 것이다. 이는 농산물 수확량에서 파생된 큰 환경적 이득이다.

[문제 1] (가)~(마)에는 의사결정 시 고려할 가치들이 제시되어 있다. (가)~(마)를 두 유형으로 분류하고 각 제시문을 요약하시오. (400자 내외, 210점)

제시문들은 의사 결정의 가치를 기준으로 효율성을 중시하는 (가), (다), (마)와 안전성을 중시하는 (나), (라)로 분류할 수 있다. (가)는 비보호 좌회전 신호체계가 차량흐름과 환경개선에 도움을 주는 효율성을, (다)는 포드자동차 회사가 신기술을 도입하여 자동차의 대량 생산을 가능케 한 효율성을 예시하고 있고, 같은 맥락으로 (마)는 유전자 변형 작물이 농가의 이익증대, 농지의 사용 감소 등을 가져오는 효율성을 구체적인 수치를 통해 제시하고 있다. 한편, (나)에서는 판소리 형식을 통해 흥보의 아내가 남편이 매 맞지 않고 무사히 돌아오기를 바라는 안전성 기원을, (라)에서는 산재 예방을 위한 투자가 결국은 기업의 성과를 증대시킨다는 연구 결과를 통해 효율성과는 상대되는 가치인 안전성을 강조하고 있다.

(399자)

[문제 2] (바), (사)를 바탕으로 [문제 1]의 두 유형이 갖고 있는 한계를 지적하고, (아)를 활용하여 문제점을 보완하시오. (500자 내외, 210점)

(바)는 안전교육에 지나치게 많은 시간을 할애하여 업무를 제때에 하지 못하고 지체되는 현상을 보여주어, 안전만을 지나치게 강조했을 때 효율성이 떨어질 수 있음을 시사한다. 이와 달리 (사)는 인공지능(AI) 배차가 효율성을 높일 수 있으나, 배달원들이 더 많이 더 빨리 배달해야 한다는 압박으로 인해, 교통신호를 지킬 수 없고 난폭운전도 피할 수 없게 되어 배달원의 안전이 위협받는 현실을 보여준다. 그러므로 (사)는 지나친 효율성 추구가 안전을 희생시킬 수 있음을 의미한다.

(아)는 금융 투자 시 특정상품에 대한 지나친 집중은 손해를 볼 수 있으므로 위험을 줄이기 위해 자산을 다양한 금융 상품들에 적절하게 나누어 투자하는 것이 바람직하다는 교훈을 주고 있다. (바)와 (사)의 경우에서도 효율성만을 강조하면 안전성이 위협받을 수 있고, 안전성만을 강조하면 효율성이 떨어질 수 있다. 그러므로 효율성과 안전성을 동시에 고려하면 (바)와 (사)의 문제점을 보완할 수 있다.

(491자)

[문제 3] A국은 코로나19 백신을 '자체 생산'할 것인가 아니면 '전량 수입'할 것인가에 대한 의견 대립을 겪고 있다. (사)와 <보기>를 참고하여, '자체 생산'과 '전량 수입' 중 어떤 결정이 타당한지 선택하고 그 이유를 설명하시오. (600자 내외, 280점)

> 희토류는 열과 전기가 잘 통하기 때문에 스마트폰, 전기차 등 첨단 전기·전자·광학 분야에서 다양하게 쓰이는 전략자원이다. 특히 전기자동차에 포함되는 모터의 핵심 부품인 영구자석을 생산하는 데 필수적이어서 최근 수요가 더욱 급증하고 있다. 매년 전 세계에서 12만 5천 톤의 희토류가 소비되는데 이 중 중국이 97%를 공급한다. 중국보다 채굴비용이 비싸 경제성이 없다는 이유로 선진국에서는 생산을 거의 하지 않기 때문이다.
>
> 미·중 무역 전쟁이 격화되면서 중국 정부는 지난 2019년 5월 희토류 대미 무기화를 공식 시사했다. 최근 중국 희토류 산업 협회는 중국이 미국의 관세 조치에 대응하는 것을 지지한다는 입장을 표명했는데 이는 중국이 희토류를 미국과의 무역 전쟁에서 무기로 활용할 수 있도록 준비를 마쳤음을 의미한다.
>
> – 동아일보(2019. 09. 08.), 한국경제(2020. 05. 26.) 재구성

(사)와 <보기>는 모두 효율성을 추구하다 안전을 희생시킬 수도 있다는 효율성 추구의 부작용을 보여준다. 특히 <보기>는 중국의 희토류 무기화 사례를 들어서 중요한 자원을 외국에 의존하는 것이 국가 경제의 효율성을 높일 수 있으나 산업의 안전성을 해칠 수 있다는 점을 지적한다. 따라서 (사)와 <보기>를 참고하면, 백신을 국내 생산하는 것이 전량 수입에 의존하는 것보다 바람직하다고 생각한다. 현재 코로나19가 개인과 사회에 미치는 피해가 엄청나기에 모든 나라에서 백신 확보에 노력하고 있다. 외국으로부터 백신을 수입하는 것이 효율적일 수 있지만, 코로나19 백신은 국민의 건강과 생존에 직접적인 영향을 미치기 때문에 모든 국가가 이를 확보하기 위해 전쟁과도 같은 경쟁을 할 것이다. 따라서 중국이 미국과의 무역 전쟁에서 희토류 수출을 제한하는 사례에서도 볼 수 있듯이, 백신을 생산하는 국가가 백신 수출을 제한할 가능성도 있다. 만약 그러한 일이 벌어진다면 백신을 전량 수입하는 경우, 그로 인한 피해는 막대할 것이다. 따라서 안정적인 백신 공급을 통해 국민의 생명을 보호하고 안전을 확보하려면 다소 효율성이 떨어지더라도 국내 생산이 외국으로부터 수입보다 타당한 결정이다.

(600자)

19. 2022학년도 한국외대 수시 논술 [일요일 T2]

[문제 1] (가)~(바)는 결정의 두 가지 기준에 관한 것이다. (가)~(바)를 두 유형으로 분류하고 각 제시문을 요약하시오. (400자 내외, 210점)

(가)~(바)는 결정의 기준을 보편으로 제시하는 (가), (라), (마)와 선별로 제시하는 (나), (다), (바)로 분류할 수 있다. (가)는 플라톤의 이데아가 동굴 밖 세상이며 보편적 진리를 얻을 수 있는 곳임을, (라)는 보편원칙에 의해 운영되는 교복제도가 개성 무시와 창의력 저하라는 단점을 지님을, (마)는 세종이 모든 백성을 위한다는 보편 원리에 바탕을

두고 한글을 창제하였음을 서술한다. (나)는 2차 재난지원금이 경제적 취약계층과 자영업자에게 선별적으로 지급된다는 것을, (다)는 주류 문화와 달리 선별적으로 구성되는 하위문화의 예로 비주류 예술인 그래피티의 의미를, (바)는 엘리트스포츠가 재능을 가진 소수의 선수를 선별해 집중 육성함으로써 스포츠 수준 제고와 국위선양, 막대한 경제적 효과가 있음을 서술한다.

(408자)

[문제 2] (사)를 바탕으로 (라)와 (바)를 비판 ·평가하시오. (500자 내외, 210점)

(사)

서울 서교동에 위치한 L백화점 홍대점. 가상현실(VR) 체험존으로 구성된 3층 매장에서 20대 고객들이 회당 7천 원에서 1만 2, 000원의 이용료를 내고 VR 게임을 즐기고 있었다. 의류 제품은 주로 3~5만 원대였다. 같은 시각 압구정동의 L백화점 가로수길점은 스타트업 브랜드 의류로 채워져 있었다. 20대 후반에서 30대 초반 여성이 즐겨 찾는 이 매장의 옷은 10~20만 원대였다. 같은 백화점인지 의심이 들 정도로 두 매장은 달랐다.

최근 들어 이처럼 동일한 이름을 가진 매장이지만 지역이나 소비자의 개성에 따라 확연히 다르게 꾸며진 매장이 늘고 있다. 지금까지 유통업체의 주된 전략은 획일화된 인테리어와 제품구성으로 소비자에게 일관된 브랜드 이미지를 제공하는 것이었다. 그러나 이러한 원칙이 깨지며 각 매장을 찾는 고객의 연령, 취향, 구매력을 고려해 소비자층을 선별하는 시장세분화 전략이 도입되고 있다. 이러한 전략을 기반으로 각 매장이 위치한 지역의 특성에 부합하는 소비자를 선별해 이윤 창출 효과를 극대화하고 있다.

(사)는 지금까지 유통업체의 주된 전략이었던 획일화와 일관된 브랜드 이미지 제공을 벗어나, 매장 위치 및 고객 취향을 감안해 소비자층을 선별하는 시장세분화 전략이 효과적인 결과로 이어지고 있음을 보여준다. (사)를 바탕으로 (라)를 평가해보면, 보편을 원칙으로 한 교복제도의 운용은 학생들의 개성과 취향을 무시하고, 감수성이 예민한 청소년들의 창의력 발전을 저해하며, 결국 4차 산업혁명 시기에 필요한 인재의 양성에 역행함으로써 효과적이지 못한 것으로 비판할 수 있다. 한편, (바)의 엘리트스포츠 입장은 소질 있는 선수를 미리 선별해 훈련시킴으로써 스포츠 수준을 제고하려는 것인데, 이러한 정책은 선별을 통해 효과를 극대화하려는 (사)의 전략과 유사한 것으로 평가할 수 있다. (바)에 따르면 국가의 전폭적 지원을 받은 엘리트스포츠 정책 덕분에 한국이 여태껏 121개나 되는 금메달을 땄으며 그 효과가 수조 원에 이르렀는데, 이 점이 바로 (사)의 선별을 통한 이윤 창출 효과의 극대화에 부합하고 있다.

(506자)

[문제 3] (아)의 필터버블 현상이 [문제 1]의 어느 입장의 결과인지 추론하고, (마)를 (아)의 문제 해결에 적용하시오. (600자 내외, 280점)

(아)

Interested in the Internet Real−name System*, Jimin began reading about the pros and cons of the system on SNS pages. Jimin found the pros more interesting and responded only to the posts which support the system. As time went on, the information about the cons of the system stopped appearing on his feed*, and Jimin has come to believe most people support the system, mistakenly. How come Jimin ended up with such one−sided belief? Among other reasons, it is due to filter bubble. A filter bubble is an intellectual isolation which can capture you in a "bubble." It occurs when websites use algorithms to assume the information a user would want to see, and select information for the user according to this assumption. Websites make these assumptions based on the user's former browsing and search history. As users are selectively given the information that agrees with their past activities, they get less contact with opposing viewpoints and become isolated in a filter bubble.

* Internet Real-name System : 인터넷실명제

** feed : 피드 혹은 콘텐츠수신장

− Techopedia.com 재구성

영문 번역

인터넷실명제에 관심이 생긴 지민이는 SNS에서 인터넷실명제에 관한 찬반 의견을 읽기 시작했습니다. 지민이는 찬성의견이 더 흥미롭다고 생각해, 인터넷실명제에 찬성하는 온라인 메시지에만 반응했습니다. 시간이 지남에 따라 반대의견은 더 이상 지민이의 피드에 올라오지 않았고, 지민이는 대부분 사람이 인터넷실명제에 찬성한다고 잘못 믿게 되었습니다. 지민이는 어쩌다 이렇게 편향된 믿음을 갖게 되었을까요? 여러 이유 중 이것은 필터버블 때문입니다.

(아)에서는 지적 고립현상인 '필터버블'에 대해 설명하고 있다. 필터버블은 웹사이트가 사용자의 과거 검색기록 알고리즘을 사용해 사용자가 원할 것이라고 판단되는 정보만을 제공함으로써, 사용자가 다양한 의견보다 편향된 정보만을 접하게 되어 결국 버블 속에 갇힌 것처럼 고립되는 현상을 뜻한다. 이러한 현상을 [문제1]의 두 유형에 비추어 생각해보면, 보편이 아닌 선별에 치중한 결과임을 추론할 수 있다. 필터버블은 보편적으로 제공되는 정보가 아닌, 웹사이트가 선별적으로 정보를 택해 사용자에게 제공함으로써 생겨나는 현상이기 때문이다. 이 같은 지적 고립은 (마)의 한글 창제 원리인 보편 원리를 적용해 해결할 수 있다. 한글 창제 배경에는 한자가 모든 백성을 위한 문자가 될 수 없기에 백성이 보편적으로 사용할 수 있는 문자가 있어야 한다는 세종의 신념, 여러 나라의 소리와 문자를 모으고 참조하는 과정, 그리고 상반되는 여러 의견을 경청하며 편향된 의견에 고립되지 않으려는 균형적인 자세가 있었다. 이러한 점을 필터버블에 적용해보면, 한쪽으로 치우치지 않는 다양한 의견 수집과 청취, 보편 원리를 염두에 두고 정보를 접할 때 필터버블 같은 지적 고립현상을 극복할 수 있음이 추론 가능하다.

(608자)

20. 2022학년도 한국외대 수시 논술 [일요일 T3]

[문제 1] (가)의 두 핵심어를 기준으로 (나)~(바)를 서로 다른 두 입장으로 분류하고 각 제시문을 요약하시오. (400자 내외, 210점)

(가)의 핵심어는 전통과 창조이다. (나)~(바)의 두 입장은 각각 전통과 창조의 긍정과 부정적 측면으로 분류된다. 전통의 긍정은 (다)이고, 부정은 (마)이다. 창조의 긍정은 (나), (바)이고, 창조의 부정은 (라)이다. 각 제시문은 다음과 같이 요약된다. 전통의 긍정으로 분류되는 (다)는 스와데시 정신을 통해 전통의 가치를 강조한다. (마)의 『인형의 집』에서는 전통 가치에 대해 부정적 입장을 제시한다. 창조의 긍정으로 분류되는 (나)는 피카소의 「수탉」 그림이 풍자화법을 통해 창조적으로 그린 훌륭한 작품이라는 것이다. (바)는 김만중이 정철의 가사가 우리말의 맛을 살려 창조적으로 쓴 훌륭한 작품이라고 평한다. (라)는 플랫폼 중심의 디지털 혁신으로 발생한 창조적 고용형태의 부정적 측면을 설명한다.

(398자)

[문제 2] 아래 <보기>의 주요 논지를 간단히 쓰고, 이를 근거로 (라)의 의견을 비판적으로 평가하시오. (500자 내외, 210점)

<보기>

Predicting how inventions and technological innovations will be used and how they will eventually influence society is often very difficult. The history of technology is full of cases of inventors and innovators who had no idea of how their inventions and innovations would ultimately be used or of the far-reaching effects that they would have on society. These cases demonstrate that every new technology has not only known and expected positive effects but also unknown and unforeseen positive effects. Powerful new technologies alter the social context in which they arise; they change the structure of our interests and values; they change the ways in which we think and work, and they may even change the nature of the communities in which we live. These cases of societal transformation testify to the importance of technological creation.

– 『EBS 수능특강 영어독해연습』 재구성

영문 번역

발명과 기술 혁신이 어떻게 사용될지 그리고 그것들이 사회에 어떻게 영향을 미칠 것인지를 예측하는 것은 상당히 어렵다. 기술 혁신의 역사를 통해 자신들의 발명과 혁신이 궁극적으로 어떻게 사용될지 혹은 그것들이 사회에 미칠 광범위한 영향에 대해 전혀 예상치 못했던 발명가들과 혁신가들의 사례를 살펴볼 수 있다. 이러한 사례를 통해 신기술이 예상 가능한 기대치에 부응하는 긍정적 효과뿐만 아니라, 예상치 못한 긍정적 효과도 발생시킬 수 있다는 것을 알 수 있다. 강력한 신기술은 그것이 적용되는 사회적 상황을 변화시킬 뿐만 아니라, 우리의 관심사와 가치관의 구조, 우리가 생각하고 일하는 방식을 비롯해, 우리가 살고 있는 공동체의 본질마저도 변화시킬 수 있다. 사회적 변화의 이러한 사례들은 기술 창조의 중요성을 증명한다.

<보기>의 논지는 우리 사회의 발전과 관련하여 창조가 중요하다는 것과 그것이 예상했든 예상하지 못했든 간에 긍정적 효과를 발생시킨다는 것을 설명한다. (라)는 플랫폼 중심의 디지털 혁신을 통한 새로운 고용형태가 부정적 측면이 있다는 의견을 제시한다. (라)에서 설명하고 있는 창조적인 고용형태는 노동자가 독점적 지위를 갖는 플랫폼 기업에게 의존하는 경우, 노동자의 착취문제가 발생한다는 것이다. 그 예로 많은 업무량으로 인한 과로와 안전에 대한 위협이 문제가 된다. 그러나 (라)의 의견을 두 가지 관점에서 비판할 수 있다. 첫째, 새로운 사업방식을 기반으로 하는 창조적인 고용형태는 선택 자율성과 독립성이라는 장점을 지닌다. 둘째, 플랫폼 노동자 착취의 문제를 개선하기 위해 정부가 개입하는 예와 같이 창조의 부정적 결과를 향후에 해결할 수 있다. 그러므로 위 사례에서는 디지털 혁신이 예상하지 못한 창조의 부정적 결과를 낳았지만, 긍정적 효과가 부정적 효과를 상쇄할 수 있다. 그리고 예상치 못한 부정적 효과도 향후 개선의 여지가 있다.

(526자)

[문제 3] [문제 1]에서의 가장 적절한 핵심어를 사용하여 (나)에서 제시된 <그림 2>가 좋은 작품이라고 평가 받는 이유를 (바)를 근거로 적용·추론하시오. (600자 내외, 280점)

[문제 1]의 핵심어는 전통과 창조이다. (나)에서 제시된 <그림 2>는 수탉의 특성을 풍자화법을 통해 창조적으로 표현한 작품으로 창조의 긍정적 입장으로 분류될 수 있다. <그림 2>의 가치를 평가할 수 있는 근거로 창조의 긍정적 입장인 (바)를 적용할 수 있다. (바)는 김만중의 『서포만필』의 한 부분으로, 정철의 가사를 두 가지 측면에서 긍정적으로 높이 평가하고 있다. 첫째는 그가 우리말에 대한 이해도가 매우 높다는 점이다. 둘째는 그가 우리말의 맛을 잘 살려 창조적으로 글을 썼다는 점이다. 김만중의 이러한 평을 적용하여 추론하여 볼 때, 피카소의 <그림 2> 「수탉」이 좋은 작품으로 평가될 수 있는 이유는 다음 두 가지이다. 첫째, <그림 1> 「암탉과 병아리」에서 보이는 것처럼, 피카소는 결함을 발견할 수 없을 정도로 그림을 정확하게 그릴 수 있는 충분한 지식을 가지고 있었다. 둘째, 수탉의 공격성, 뻔뻔스러움과 우둔함의 특성을 잘 살려 풍자화법을 통해 더욱 창조적으로 표현해내고 있다. 이러한 점에서 <그림 2>는 창조의 긍정적인 측면을 시각적으로 잘 표현한 작품이라 추론할 수 있다.

(567자)

21. 2020학년도 한국외대 수시 논술 [토요일 사회계 T1]

[문제 1]

(가)~(바)는 성과를 내기 위한 두 가지 접근 방법에 관한 것이다. (가)~(바)를 두 유형으로 분류하고 요약하시오. (400자 내외, 210점)

융복합이 제시된 (가), (다), (바)와 전문화가 제시된 (나), (라), (마)로 분류할 수 있다. (가)는 뉴미디어 아트에 나타난 시너지 효과를 언급하며 융복합을 긍정한다. (다)는 융복합 교육은 필요하지만 과도하게 강조할 경우에는 전공을 소홀히 할 수 있다는 내용을 통해, (바)는 두 꽃을 섞어 장점만을 얻으려 한 의도와 달리 더 나쁜 꽃이 나올수도 있다는 비유적 표현을 들어 융복합의 부정적 측면을 제시한다. (나)는 야구 선수가 자신의 역할을 전문화한 사례, (라)는 사진 촬영에 비교 우위를 갖는 경우 사진 촬영을 특화하는 것이 낫다는 사례를 들어 전문화의 긍정적 측면을 제시하는 데 반해, (마)는 통합적 관련성을 파악할 수 없게 만드는 전자봉건주의의 문제점을 지적하며 전문화의 부정적 측면을 제시한다.

(403자)

[문제 2]

(사)를 바탕으로 (다)와 (마)에 제시된 문제점을 논하시오. (500자 내외, 210점)

(사)는 철학, 수학, 논리학, 신경과학, 윤리학과 같은 학문들의 참여로 문제가 해결되고 혁신이 가속화되는 인공지능의 발전 사례를 제시한다. 전문화된 개별 학문들에 바탕을 둔 융복합의 발전을 설명하는 (사)에 비추어 보면, (다)의 융복합 교육은 전문화가 결여될 수 있다는 문제가 있다. 융복합만을 강조하는 교육방법은 학생들에게 전공 과목에 관한 전문지식 습득을 소홀하게 만들 수 있다. 이 경우 전문화를 약화시키면서 융복합의 성과도 낮아진다. 결국 전문화에 기반을 두지 않은 융복합 교육으로는 혁신적인 문제해결 역량을 기대할 수 없다. (마)는 지나친 전문화의 문제점에 대해서 설명한다. 전자봉건주의는 정보화 시대에 사람들이 자신의 관심 영역에만 집중하고 다른 분야와의 관련성이나 통합 지식을 잃어버리는 사례이다. (사)에 나타난 융복합의 장점, 즉 혁신과 문제해결의 모습이 (마)에서는 나타나지 않는다. 협소한 전문화는 사회 현상의 통합적인 관련성을 파악하지 못하게 하고, 사회 문제의 원인과 해결책에 대한 판단 능력을 부족하게 만든다.

(525자)

[문제 3]

어떤 기업에서 신입사원을 세 팀으로 나누어 팀 프로젝트를 실시했다. 경영진은 A~C팀 프로젝트 참여자의 전공 분야 다양성과 수익의 관계에 관해 아래 <그림>의 결과를 얻었다. <그림>을 해석하고, A, C팀에 비해 B팀이 가장 높은 수익을 낸 이유를 (가)와 [문제 1]에 제시된 두 가지 접근 방법을 고려하여 추론하시오. (600자 내외, 280점)

<그림> 팀 프로젝트 참여자의 전공 다양성과 수익

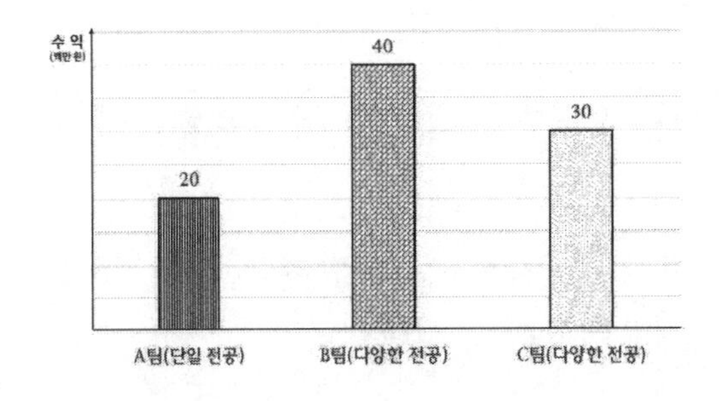

<그림>을 통해 B팀의 수익이 C팀에 비해 약 33%, A팀에 비해 100% 높은 것을 알 수 있다. 다양한 전공의 참여자로 이루어진 B, C팀이 단일 전공의 참여자로 이루어진 A팀에 비해 수익이 높은 것을 통해, 팀 프로젝트 참여자의 전공 다양성이 높은 경우 수익이 높다는 것을 확인할 수 있다. 단, 전공 다양성이 동일한 B팀과 C팀의 수익이 다르다는 점에서 전공 다양성 외의 다른 요인이 수익에 영향을 미쳤음을 확인할 수 있다. [문제 1]의 접근 방법 중, 단일 전공으로 구성된 A팀은 전문화에, 다양한 전공으로 구성된 B, C팀은 융복합에 대응된다. 이때 B, C팀의 수익이 A팀에 비해 높은 것은, 팀 프로젝트의 성격상 단일 전문성 위주의 팀보다 다양한 전문성이 결합된 팀에서 전문성 사이의 융복합적 시너지가 발휘됐기 때문이다. 또한 B팀과 C팀의 수익이 다른 것을 통해 융복합적 시너지에는 다양한 전문성 외에 또 다른 조건이 필요하다는 것을 알 수 있다. (가)를 보면, 뉴미디어 아트의 혁신성은 공통의 목표와 팀워크가 충족된 융복합적 협업하에서 가능했다. 이를 통해 C팀에 비해 B팀의 참여자들이 공통의 목표 아래 강한 팀워크를 발휘했기 때문에 더욱 큰 시너지 효과가 나타났을 것으로 추론할 수 있다. (613자)

22. 2020학년도 한국외대 수시 논술 [토요일 사회계 T2]

[문제 1]

(가) ~ (마)는 상이한 두 가지의 심리에 관한 글이다. (가) ~ (마)를 두 유형으로 분류하고 요약하시오. (400자 내외, 210점)

(가)~(마)는 자기애와 이타심의 두 유형으로 나눌 수 있다. 자기애에 관한 제시문은 (가), (나), (라)이다. (가)에는 과거, 현재, 미래의 나 자신의 모습을 사랑하자는 내용, (나)에는 자기애성 성격장애에서 비롯한 갑질, 자기 과장, 공감 능력 상실, 타인에 대한 이해와 배려 부족 문제, (라)에는 자기애에 매몰된 비윤리적 이익추구로 사회에 피해를 준 P기업에 대한 징벌적 손해배상 소송 사례가 나온다. 이타심에 관한 제시문은 (다)와 (마)이다. (다)에는 가족을 위해 헌신한 기러기 아빠의 쓸쓸한 죽음과 맞벌이 아내인 구자명 씨가 가족을 위해 헌신하는 고단한 하루의 모습, (마)에는 사회적 책임이 사회발전에 공헌하는 기업의 이타적 행동으로 이어지며 소비자 신뢰와 장기적 성장 기반을 확보하는 현상이 나온다.

(403자)

[문제 2]

(바)를 바탕으로 (나)와 (다)에 나타난 문제점을 논하시오. (500자 내외, 210점)

(바)는 '자기준거적 이타심'을 설명하며, 윤리적 삶은 자기애를 지녔으면서도 자기만을 생각하지 않는 자아로부터 출발한다고 한다. 이 관점에서 (나)를 보면, 자기애성 성격장애자는 왜곡된 자기애를 지녀 윤리적 삶을 살기 어렵다는 문제를 갖는다. 또한 자기애성 성격장애자는 공감 능력이 없어 더불어 사는 삶을 영위하기 힘든데, (바)에 따르면 공감 능력은 자기애를 가진 사람만이 획득 가능한 배려와 존중에서 나온다. 따라서 (나)의 성격장애자는 진정한 자기애란 자신을 객관적으로 보고 받아들이는 것임을 깨닫고, 이러한 자기애

를 통해 공감능력과 이타심을 배양해야 한다. (바)에서는 또한 자기애를 지녀야 이타적 행동이 가능해진다고 한다. 이 관점에서 (다)를 보면 자기애에 기반을 두지 않은 맹목적 이타심 때문에 개인이 희생된다는 문제가 있다. 기러기 아빠는 가족을 위해 헌신했지만 자기를 돌보지 않아 외로운 죽음을 맞았고, 구자명씨는 아기와 시어머니, 남편의 시중을 드느라 출근버스 안에서 '죽음의 잠'과 싸우며 자신을 잃어가고 있다.

(522자)

[문제 3]

아래 <그림>은 시간에 따른 A회사의 수익 변화를 보여주고 있다. <그림>을 해석한 후, (마)를 근거로 a와 b의 수익 변화가 다르게 나타나는 이유를 추론하시오. (600자 내외, 280점)

<그림> A회사의 시간에 따른 수익 변화

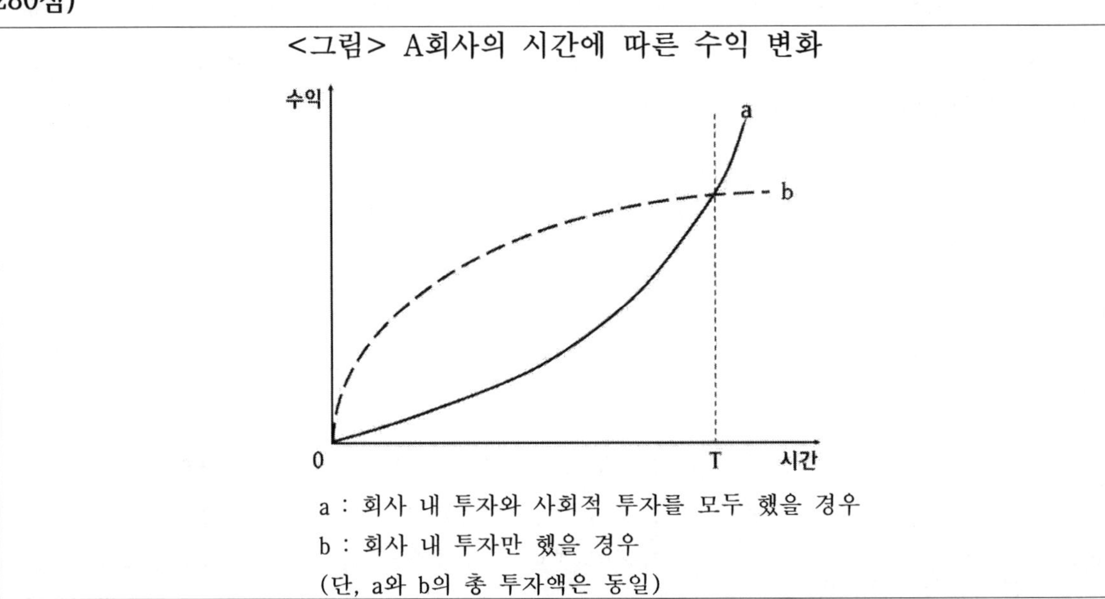

a : 회사 내 투자와 사회적 투자를 모두 했을 경우
b : 회사 내 투자만 했을 경우
(단, a와 b의 총 투자액은 동일)

<그림>은 두 가지 유형의 투자가 시간의 흐름에 따라 가져오는 수익 변화를 보여준다. <그림>에 따르면 투자 초반에는 b가 a보다 많은 수익을 내지만, T시점을 지나면서 a의 수익이 b보다 많아진다. <그림>에서 또한 중요한 점은 두 투자 유형 사이에 수익률 차이가 있다는 것이다. b의 경우 시간의 경과에 따라 수익률이 감소하는 반면, a의 경우 시간이 지나며 수익률이 증가하고 있다. 즉, 단기적 관점에서는 b의 수익률이 높아 회사 내 투자만 하는 것이 더 효율적으로 보일 수 있으나 장기적 관점에서는 회사 내 투자와 사회적 투자를 병행하는 것이 더 효과적이다. (나)를 근거로 a, b의 수익 변화가 다른 이유를 추론해 볼 수 있다. (나)에서 기업의 사회적 책임이란 회사 내 투자의 좁은 의미를 넘어 사회발전을 위해 공헌하는 기업의 이타적 행위로, 이러한 행위는 기업에 대한 소비자의 신뢰를 증진시켜 지속가능한 수익 창출을 가능하게 한다. <그림> a가 바로 이와 같은 사회적 책임을 수행해가며 기업의 장기적 성장을 도모하는 유형이라 할 수 있다. 반면 b는 재화와 용역생산을 통한 기업의 이익 창출에만 집중하는 유형으로, 소비자의 직접적 신뢰를 얻기 힘들고 이것은 지속가능한 기업경영이란 면에서 바람직하지 못함을 추론할 수 있다.

(637자)

23. 2020학년도 한국외대 수시 논술 [일요일 사회계 T3]

영문 번역

맥도날드는 매장의 커피 맛을 바꾸는 작업을 더할 나위 없이 현명하게 진행했다. 이 회사는 글자 그대로 고객들의 바로 코앞에서 이 일을 진행했는데 아무도 눈치채지 못하게 한 것이다. 그 방법은 바로 다음과 같다. 지난 몇 년간, 타 커피 업체와 관련 제품 업체의 수가 폭등해왔다. 그리고 커피의 전반적인 맛도 거의 모든 업체에 걸쳐서 더 진하고 달콤해진 맛으로 변화하게 되었다. 특히, 어린 고객들은 향이 풍부하고 달콤한 디저트 류 제품을 찾게 되었고, 나이가 많은 고객들은 변화를 싫어해서, 옛 맛의 정통 커피가 아닌 에스프레소, 라떼, 달짝지근한 커피 등의 맛은 전혀 원하지 않았다. 그래서 맥도날드는 아주 세심한 계획을 세우고 아무에게도 알리지 않은 채 월별로 지속적이고 일관되게 기본 커피의 농도를 조금씩 짙게 만들어 갔다. 오늘 맥도날드에 가셔서 커피 메뉴를 한번 보시라. 정규 커피를 비롯한 모든 항목이 예전처럼 변함없이 포함된 것을 알 수 있다. 젊은 층, 장년 층 모두 맥도날드의 현대화된 커피 맛을 좋아하게 된 것이다. 바로 여기에 교훈이 있다. 조금씩 만들어 가는 것이 한꺼번에 뭔가를 해내기보다 쉽다는 것이다. 때로는 적은 발걸음으로 지속적으로 천천히 전진할 필요가 있다. 그러면 결국은 목적지에 다다르게 된다.

[문제 1] (가) ~ (라)는 변화에 관한 글들이다. 제시문들을 두 유형으로 분류하고, 각 제시문을 요약하시오. (400자 내외, 210점)

제시문들은 혁신적 변화의 중요성을 보여주는 (가)와 (다), 그리고 이에 대조적으로 점진적이고 지속적인 개선의 필요성을 역설하는 (나)와 (라)로 분류할 수 있다. 각 제시문은 다음과 같이 요약된다. (가)에서는 과학혁명이 조금씩 개량되거나 진전되는 것이 아니고, 급격한 패러다임의 전환으로 이루어짐을 보여주고, (다)에서는 기업가 정신을 바탕으로 개발된 성공적인 신상품인 스마트폰을 예시로 창조적 파괴를 통해 혁신을 실현한 모습을 보여준다. 이 두 제시문과는 다르게, (나)에서는 커피의 맛을 오랫동안 꾸준히 변화시켜 젊은 고객과 나이 든 고객 모두를 만족시키는 개선을 이루어낸 맥도날드의 사례를 보여주었고, (라)에서는 옛 성현의 창작을 모아 집대성한 공자의 예를 통해 점진적이고 지속적인 개량이 창작보다 더 공헌할 수 있음을 보여준다.

(415자)

[문제 2] (마)의 주요 논지를 근거로 [문제 1]의 두 유형 중 한쪽을 지지하고, (나)를 평가하시오. (500자 내외, 210점)

(마)는 기업이 급변하는 경영 환경에 잘 적응하기 위한 방법에 관해 말하고 있다. 기업은 살아남기 위해 미래를 예측하며 스스로 변화해야 한다. 물류의 흐름이 매우 빠르게 이루어지는 수퍼플루이드의 시대에는 최초 시장 진입자가 단기간에 시장 전체를 장악하고 독점하기에 혁신적 방법의 도입이 중요하다. 점진적인 향상이나 선두 업체를 모방하는 전략은 실패 가능성이 높기 때문이다. 이처럼 혁신은 급변하는 사회 환경에 적응하기 위한 매우 효

과적인 방법이다.

(나)는 맥도날드가 커피 맛의 변화에 대응하고, 연령대별 커피에 대한 취향의 차이를 극복하는 과정을 보여주고 있다. 맥도날드는 고객들이 알아채지 못하게 지속적이고 점진적으로 커피의 맛을 바꾸어 모든 연령대가 좋아하는 커피를 만들었다. (나)는 점진적 개선이 성공한 사례이다.

이처럼 혁신은 급변하는 경영 환경에 대처하기 위한 지배적 방법이지만, (나)의 사례에서 볼 수 있듯이 인간의 변화를 필요로 하는 특정한 사업 영역에서는 예외적인 경우도 있다.

(505자)

[문제 3] (바)와 (사)를 모두 적용하여 (다)의 '기업가 정신'을 실현하기 위한 내적·외적 조건에 대해 추론하시오. (600자 내외, 280점)

제시문 (다)는 혁신을 추구해 새로운 가치를 창출하려는 기업가의 도전 정신을 기업가 정신이라고 소개하고 있다. 기업가 정신은 새로운 기술과 상품을 개발하고 사업 기회에 도전하는 정신으로, 이를 구현하기 위한 내적, 외적 조건을 제시문 (바)와 (사)에서 추론할 수 있다.

제시문 (바)는 사물을 대하거나 사물을 인식할 때 고정관념에 사로잡히지 말고 새로운 시각이나 관점이 필요하다고 주장하고 있다. 기업가 정신의 실현을 위해 과감하게 시장에 대한 기존의 관념이나 인식에서 벗어나야 한다는 점을 나타낸다. 즉, 열린 눈으로 시장을 보는 관점을 달리 하면 보이지 않던 세상을 보게 되며 이를 통해 이윤을 창출할 수 있다.

한편 제시문 (사)는 박지원의 자유롭고 해학적인 문체의 도입이 정조의 문체반정으로 인해 좌절되어 활발했던 19세기 문예 운동까지 위축시킨 결과를 보여준다. 이는 기업가 정신의 실현을 위한 외적 조건으로 혁신적인 시도를 가로막는 규제나 제약이 철폐되어야 한다는 점을 시사한다.

결론적으로 시장에서 새로운 가치를 창조하는 기업가 정신을 실현하기 위해서는 사고를 전환하는 내적 조건과 규제 철폐와 같은 외적 조건이 동시에 충족되어야 한다.

(592자)

24. 2020학년도 한국외대 수시 논술 [일요일 사회계 T4]

거짓말에 관한 두 가지 상반된 관점이 있다. 한편으로, 성 어거스틴의 신성법에 따르면 거짓말은 관계와 신의 의지를 훼손하기 때문에 불법적이고 비도덕적이다. 임마누엘 칸트는 거짓말을 하는 것이 가장 정당해 보이는 상황에 서도 우리 행동의 결과를 확신할 수 없기에, 거짓말을 하는 것은 잘못된 것이라고 주장했다. 다른 한편으로, 몇몇 철학자와 역사학자는 거짓말에 관해 명확하지 않은 입장을 취하고 있다. 따라서 거짓말은 인간 발전의 정상적인 부분이라고 생각할 수 있고, 심지어 특수한 상황에서는 장려될 수도 있다고 본다. 예컨대, 공리주의자들은 거짓말이 초래하는 결과의 좋고 나쁨에 따라 거짓말이 어느 정도 정당화 될 수 있다고 보았다. 공리주의자들의 시각에 서, 다른 사람을 보호하고 짐을 덜어주는 특수한 상황에서의 거짓말은 용인될 수 있는 것으로 생각된다.

[문제 1]

(가) ~ (마)는 법 또는 규칙의 엄격한 적용에 따른 상이한 결과를 보여주고 있다. 제시문들을 두 유형으로 분류하고 각 제시문을 요약하시오. (400자 내외, 210점)

이 제시문들은 법 또는 규칙을 엄격하게 적용하여 (1)좋은 결과를 내는 경우와 (2)나쁜 결과를 내는 경우로 분류된다. (1)의 경우는 (가)·(다)·(마)이고, (2)의 경우는 (나)와 (라)다. 각 제시문을 요약하면, (가)는 '나라와 가정에 원칙을 지키면 모욕당하는 일이 없다'는 것이다. (다)는 '진나라는 법을 엄하게 적용하여 강한 나라가 되어 통일을 했다'는 것이다. (마)는 '줄리아니 뉴욕 시장이 법에 따라 범죄를 엄격하게 단속해 범죄율을 대폭 떨어뜨렸다'는 것이다. (나)는 '학생들에게 규정을 엄격하게 적용해 처벌할 경우의 부작용'을 보여주는 것이다. (라)에서 안토니오는 고용보험국에 질병 수당을 신청하지만, 심사관이 규정과 절차를 엄격하게 적용하기 때문에 신청조차 못하고 결국 사망한다'는 것이다.

(403자)

[문제 2]

(바)의 두 입장을 각각 적용하여 (라)에 나타난 '심사관'의 행위를 평가하시오. (500자 내외, 210점)

(바)는 (A)오거스틴은 거짓말은 불법적이고 부도덕하다고 보고, 칸트는 거짓말은 언제나 나쁘다는 것이다. 이것은 행위의 결과에 상관없이 거짓말을 하지 않는 것이 보다 중요하다는 입장이다. 그렇지만 (B)공리주의 입장에서 는 결과가 좋은 거짓말은 정당화될 수 있고, 특정한 환경에서는 받아들여질 수 있다는 것이다. 공리주의 입장은 결과가 행복한 행위는 옳다고 보는 입장이다.

(라)에서 안토니오는 고용보험국에 심장병으로 질병 수당을 신청하지만, 심사관이 규정과 절차를 엄격하게 적용하기 때문에 신청조차 못하고 결국 스트레스와 심장병의 악화로 사망한다'는 것이다. 여기서 (A)와 (B)입장을 적용하려면, 첫째 심사관의 행위 자체를 평가하고, 둘째 심사관이 처한 상황과 결과에 따라 평가해야 한다. (A)입장에서는 심사관이 규정과 절차를 엄격히 지키고 거짓말을 하지 않은 것은 정당화된다. 그렇지만 (B)입장에서는 그 상황과 그 결과를 고려할 때, 심사관이 거짓말이라도 해서 질병 수당을 받게 해도 정당화될 수 있다.

(513자)

[문제 3]

(사)의 관점에서 다음의 상황을 해결하기 위한 방안을 [문제 1]의 내용을 적용하여 추론하시오. (600자 내외, 280점)

Y상사는 다양한 제조 설비에 사용되는 기계 부품을 생산하는 중견 제조업체이다. 약 500여 명의 직원이 근무하고 있는 이 회사는 높은 영업 성과에 힘입어 지속적인 성장을 해 왔다. 그러나 최근의 제조원가 상승과 사업의 무리한 확장으로 인해 재무 상황이 양호하지 못하여, 매달 지출되는 비용을 감당하기에 벅찬 상황에 처해 있다. 그런데 최근 실시된 회계 감사에서 폭넓은 인맥을 통해 영업 매출의 90%이상을 담당하고 있는 박 부사장의 영수증 처리에서 문제가 지적되었다. 매출 목표

달성을 위한 업무 활동 중 규정에 맞지 않는 용도로 사용된 영수증이 발견된 것이다.

현재까지 유지해온 회사 규정에 따르면 이는 해고 사유에 해당하기 때문에 박 부사장에 대한 인사권을 쥐고 있는 장 대표는 심각한 고민에 빠지게 되었다. 만약 박 부사장을 해고하게 되면, 현재 영업 매출의 90% 이상을 잃게 되어 당장 다음 달 돌아오는 어음 결제를 할 수 없고, 회사는 부도 처리될 것이다. 회사가 부도 처리되면, Y상사의 500여 명 임직원과 그 가족들은 엄청난 어려움에 처할 것이다. 그렇다고 박 부사장의 잘못을 묵과하는 것은 회사의 규정에 반(反)하기 때문에 대표에게 매우 큰 부담으로 작용할 것이다. 장 대표는 이 문제를 어떻게 처리해야 할까?

Y상사의 장 대표는 현재 의사결정의 문제에 봉착해 있다. 박 부사장이 업무수행 중에 규정에 어긋난 용도로 사용한 영수증이 회계감사에서 지적되었고, 이는 해고 사유에 해당한다. 그러나 박 부사장은 회사 매출의 90% 이상을 담당하고 있고, 그를 해고하면 Y상사는 당장 다음 달에 부도처리될 위기에 직면해 있다. 이는 단순히 박 부사장이라는 개인의 거취에 대한 문제만이 아니라 Y상사의 500여 명 임직원과 그 가족들의 생계가 달린 문제이다. 제시문 (가)~(바)는 법과 규칙의 엄격한 적용에 따른 긍정적 결과와 부정적 결과의 두 가지 유형을 보여주고 있다. 회사 규정의 적용은 Y상사의 지속적인 성장 발전을 위해 매우 중요하지만, 현재 상황에서 이는 곧 부도 처리를 유발하므로 규정 준수의 의미가 없다. 이 문제를 해결하기 위해 제시문 (사)에 나타난 원효의 '화쟁'이 고려될 수 있다. 화쟁에 따르면, 서로 다른 두 입장을 모두 존중하여 조화를 이룰 수 있다. 회사 규정의 준수가 중요하지만 회사의 생존도 중요하다. 따라서 장 대표는 회사 규정을 유연하게 적용하여 박 부사장의 해고를 피하되 규정 위반에 대한 처분을 가볍게 하는 것이 바람직하다.

(586자)